金陵全書

甲編·方志類·府志

首都志（一）

（民國）葉楚傖　柳詒徵　主編
（民國）王焕鑣　編纂

南京出版傳媒集團
南京出版社

圖書在版編目（CIP）數據

首都志 / 葉楚傖，柳詒徵主編；王焕鑣編纂.—南京：南京出版社，2013.9
（金陵全書）
ISBN 978-7-5533-0351-2

Ⅰ.①首… Ⅱ.①葉… ②柳… ③王… Ⅲ.①南京市—地方志—民國 Ⅳ.①K295.31

中國版本圖書館CIP數據核字（2013）第210063號

書　名　【金陵全書】（甲編・方志類・府志）
首都志
編著者　（民國）葉楚傖　柳詒徵　主編　（民國）王焕鑣　編纂
出版發行　南京出版傳媒集團
南　京　出　版　社
社址：南京市老虎橋18-1號　郵編：210018
網址：http://www.njcbs.com　淘寶網店：http://njpress.taobao.com
電子信箱：njcbs1988@163.com
聯系電話：025-83283871、83283864（營銷）　025-83283883（編務）

出版人　朱同芳
責任編輯　徐　智　楊傳兵
裝幀設計　楊曉崗
責任印製　楊福彬

製　版　南京新華豐製版有限公司
印　刷　南京凱德印刷有限公司
開　本　889毫米×1194毫米　1/16
印　張　102.25　插頁10
版　次　2013年9月第1版
印　次　2013年9月第1次印刷
書　號　ISBN 978-7-5533-0351-2
定　價　2600.00元（全二册）

總序

南京，俗稱金陵，中國著名的四大古都之一，是國務院首批公佈的國家歷史文化名城。

南京有着六十萬年的人類活動史，近二千五百年的建城史，約四百五十年的建都史，享有『六朝古都』、『十朝都會』的美譽。南京歷史的興衰起伏在某種程度上可以説是中國歷史的一個縮影。在中華民族光輝燦爛的歷史長河中，古聖先賢在南京創造了舉世矚目、富有特色的六朝文化、南唐文化、明文化和民國文化，爲中華民族文化的傳承和發展作出了不朽貢獻。然而，由於時代的遞遷、戰爭的破壞以及自然的損毀等原因，歷史上南京的輝煌成就以物質文化形態留存下來的相對較少，見諸文獻典籍的則相對較多。南京文獻內涵廣博，卷帙浩繁，版本複雜。截至一九四九年中華人民共和國成立，南京文獻留存下來的有近萬種，在全國歷史文化名城中名列前茅。以六朝《世説新語》、《文心雕龍》、《昭明文選》，唐朝《建康實録》，宋朝《景定建康志》、《六朝事迹編類》，元朝《至正金陵新志》，明朝《洪武京城圖志》、《金陵古今圖考》、《客座贅語》，清朝《康熙江寧府志》、《白下瑣言》，民國《首都計劃》、《首都志》、《金陵古蹟圖考》等爲代表的南京地方文獻，不僅是南京文化的集中體現，也是中華民族優秀傳統文化的重要組成部分。這些南京文獻，積澱貯存了歷代南京人民的經驗和智慧，翔實地反映了南京地區的社會變遷，是研究南京乃至全國政治、經濟、軍事、文化、外交和民風民俗的重要資料。

歷史上的南京文化輝煌燦爛，各類圖書典籍琳琅滿目。迄今爲止，南京文獻曾經有過三次不同程度的整理。

第一次是距今六百多年前的明朝永樂年間，明朝中央政府在南京組織整理出版了《永樂大典》。《永樂大典》正文二萬二千八百七十七卷，凡例和目録六十卷，分裝成一萬一千零九十五册，總字數約三億七千萬字。書中保存了中國上自先秦、下迄明初的各種典籍資料達七八千種，是中國古代最大的類書。

第二次是民國年間，南京通志館編印了一套《南京文獻》。《南京文獻》每月一期，從一九四七年元月至一九四九年二月共刊行了二十六期，收入南京地方文獻六十七種，包括元明清到民國各個時期的著作，其中收録的部分民國文獻今天已經成爲絶版。

第三次是二〇〇六年以來，南京出版社選取部分南京珍貴文獻，整理出版了一套《南京稀見文獻叢刊》點校本，到二〇一三年初，已經出版了三十六册七十一種，時代上起六朝，下迄民國，在學術普及方面作出了一定的貢獻。

新中國成立六十年來，尤其是改革開放三十年來，南京的政治、經濟、文化建設飛速發展，但南京文獻的全面系統整理出版工作一直没有得到應有的重視，這與南京這座國家歷史文化名城的地位頗不相稱。據調查，目前有關南京的各類文獻主要保存在南京圖書館、南京市檔案館，以及全國各地的高等院校、科研院所、圖書館、檔案館、博物館，少數流散於民間和國外。一方面，廣大讀者要查閲這些收藏在全國各地的南京文獻殊爲不便；另一方面，許多珍貴的南京文獻隨着歲月的流逝而瀕臨損毁和失傳。南京文獻的存史、資治、教化、育人功能没有得到應有的發揮。

盛世修史（志）。在中華民族和平崛起和大力弘揚民族傳統文化、全力發展民族文化事業的大背景下，在建設『文化南京』的發展思路下，中共南京市委、南京市人民政府於二〇〇九年十二月作出決定，將南京有史以來的地方文獻進行全面系統的匯集、整理和影印出版，輯爲《金陵全書》（以下簡稱《全書》），以更好地搶救和保護鄉邦文獻，傳承民族文化，推動學術研究，促進南京文化建設；同時，也更爲有効地增加南京文獻存世途徑，提昇南京文獻地位，凸顯南京文獻價值。

爲編纂出能够代表當代最高學術水平和科技成就，又經得起時間檢驗的《全書》，我們將編纂工作分成三個階段進行。第一個階段爲調研階段，主要對南京現存文獻的種類、數量、保存現狀以及收藏地點等進行深入細緻的調研，召集專家學者多次進行學術論證和可操作性論證，撰寫出可行性調查報告，爲科學決策提供依據，此項工作主要由中共南京市委宣傳部和南京出版社組織完成。第二個階段爲啓動階段，以二〇〇九年十二月二十四日召開的『《金陵全書》編纂啓動工作會』爲標志，市委主要領導親自到會動員講話，市委宣傳部對《全書》的編纂出版工作作了明確部署。在廣泛徵求專家學者意見的基礎上，確定了《全書》的總體框架設計，確定了將《全書》列爲市委宣傳部每年要實施的重大文化工程，確定了主要參編責任單位和責任人，並分解了任務。第三個階段爲編纂出版階段，主要在全國範圍内進行資料的徵集、遴選和圖書的版式設計、複製、排版及印製工作。

爲了確保《全書》編纂出版工作的順利進行，中共南京市委、南京市人民政府成立了專門的編纂出版組織機構。其中編輯工作領導小組，由中共南京市委、市政府領導以及相關成員單位主要負責人組成；《全書》的編纂出版工作由市委宣傳部總牽頭；學術指導委員會，由蔣贊初、茅家琦、梁白泉等一批全國著名的專家學者組成，負責《全書》的學術審核和把關。

《全書》分爲方志、史料和檔案三大類。自二〇一〇年起，計劃每年出版四十册左右。鑒於《全書》的整理出版工作難度較大，周期較長，在具體操作中，我們採取了分工協作的方式。市委宣傳部和南京出版社負責《全書》的總體策劃，其中方志部分，主要由南京市地方志編纂委員會辦公室和南京出版傳媒集團·南京出版社共同承擔；史料部分，主要由南京圖書館承擔；檔案部分，主要由南京市檔案局（館）承擔。《全書》的編輯出版，得到了江蘇省文化廳、江蘇省新聞出版局、江蘇省檔案局（館）、南京大學、南京圖書館、南京市文廣新局、南京市社科聯（社科院）、南京市文聯、金陵圖書館以及各區委宣傳部和地方志辦公室等單位及社會各界的熱情鼓勵和大力支持，尤其是得到了中國國家圖書館和全國各地（包括港臺地區）高等院校、科研院所、圖書館、檔案館、博物館等藏書單位的鼎力相助，在此表示深深的謝意！

我們相信，在中共南京市委、南京市人民政府的長期不懈支持下，在各部門、各單位的積極配合和衆多專家學者的共同努力下，這項功在當代、利在千秋的傳世工程一定能够圓滿完成。

《金陵全書》編輯出版委員會

凡例

一、《金陵全書》（以下簡稱《全書》）收録的南京文獻，依内容分爲方志、史料和檔案三大類。

二、《全書》按上述三大類分爲甲、乙、丙三編，以不同的封面顔色加以區分；每編酌分細類，原則上以成書時代爲序分爲若幹册，依次編列序號。

三、《全書》收録南京文獻的範圍，以二〇一三年南京市所轄十一區，即玄武、秦淮、建鄴、鼓樓、浦口、六合、棲霞、雨花臺、江寧、溧水和高淳爲限。

四、《全書》收録的南京文獻，其成書年代的下限爲一九四九年。

五、《全書》收録方志和史料，盡量選用善本爲底本。《全書》收録的檔案以學術價值和實用價值較高爲原則，一般選用延續時間較長、相對比較完整的檔案全宗。

六、《全書》收録的南京文獻底本如有殘缺、漫漶不清等情況，必要時予以配補、抽换或修描，以保證全書完整清晰；稿本、鈔本、批校本的修改、批注文字等均保留原貌。

七、《全書》收録的南京文獻，每種均撰寫提要，置於該文獻前，以便讀者了解其作者生平、主要内容、學術文化價值、編纂過程、版本源流、底本採用等情况。

八、《全書》所收文獻篇幅較大時，分爲序號相連的若幹册；篇幅較小的文獻，則將數種合編爲一册。

九、《全書》統一版式設計，大部分文獻原大影印；對於少數原版面過大或過小的文獻，適當進行縮小或放大處理，並加以説明。

十、《全書》各册除保留文獻原有頁碼外，均新編頁碼，每册頁碼自爲起訖。

提　要

《首都志》十六卷，民國葉楚傖、柳詒徵主編，王焕鑣編纂。

葉楚傖（一八八七—一九四六），原名宗源，字卓書，别字小鳳，楚傖是他從事新聞工作時所用的筆名。江蘇吴縣周莊鎮（後劃歸昆山）人。民國政治活動家、文化名人，歷任《民立報》記者、《民國日報》編輯長、復旦大學中文系主任、國民黨中央宣傳部部長、江蘇省政府主席、立法院副院長等職。著有《楚傖文存》、《世徽樓詩集》等。

柳詒徵（一八八〇—一九五六），字翼謀，亦字希兆，號知非，晚號劬堂，江蘇鎮江人。著名學者、歷史學家、古典文學家、圖書館學家、書法家，曾任東南大學等校教授、江蘇省立國學圖書館館長、中央研究院第一届院士、國史館纂修，解放後任上海市文物保管委員會委員。主要著作有《中國文化史》、《國史要義》、《中國版本概説》等。

王焕鑣（一九〇〇—一九八二），字駕吾，號覺無，江蘇南通人。文史學家、目録學家，歷任江蘇省立國學圖書館編目、浙江師範學院中文系教授、杭州大學中文系主任兼校圖書館館長、浙江文史研究館館長。編有《江蘇省立國學圖書館總目》、《明孝陵志》等，著有《先秦寓言研究》等著作多種。

民國二十三年（一九三四），葉楚傖鑒於南京作爲國民政府首都七年之久却未有專志，中外人士了解南京歷史沿革及全面狀况僅有書坊舊書提供，無法適應宣傳的需要，遂專門到江蘇省立國學圖書館所在地——陶風樓找到柳詒徵，希望他能承擔《首都志》的編纂任務。柳詒徵因館務繁重，無暇兼及，乃薦英年碩學的王焕鑣主事編輯，閲六月而志成。王焕鑣先生在《首都志》的凡例中説：『是編每一篇成，輒請益於本師柳劬堂先生，揚搉體例，補苴罅漏，獲益宏多。同學周君雁石爲之校讎文字、離析句讀，胡君澱咸搜輯裁料，製佛寺、道觀等表，辛勤相助，高誼可感！』《首都志》的修纂緣起及經過大致如此。

《首都志》全書五十餘萬字，十六卷二十四目，依次爲沿革、疆域、城垣、街道、山陵、水道、氣候、户口、官制、警政、自治、財政、司法、教育、兵備、交通、外交、食貨、禮俗、方言、宗教、人表、藝文、歷代大事表。書分上、下兩册，另有附圖一册，真實、清晰地反映出南京不同時期山川地貌和古迹建築的分佈狀況。

《首都志》是我國唯一一部以『首都』命名的志書。該書網羅歷代南京古籍文獻的記述，詳盡地將見於載籍的南京三千年歷史變遷編匯於一集，爲了解并研究南京的歷史沿革提供了較爲詳盡的資料。《首都志》也是中國較早的近代城市志，該志編撰體例、内容較舊志有不少突破，如氣候、警政、自治、司法、外交等篇目爲舊志所無；交通、禮俗、方言、宗教於舊志爲附庸，該志中則蔚爲大觀；人物一目，歷來舊志記載甚詳，該志僅表其名，以省篇幅，體現了鮮明的時代特色和較爲準確的取捨。該志所記縱起於建置之始，横限於管轄所及，志中圖表豐富，所引資料翔實，幾乎各目均有插圖附表，堪補行文之不足，體現了編纂者的博學和眼光。如街道一目，以警局管轄爲序，將近代南京的街道名稱及原有街名、現駐官署（學校、機關）、歷史事迹等列表記載，是民國時期南京最全的城市地名總録，對今日已經消失、變更的地名查詢，對南京城建史的了解，有不可替代的作用。

柳詒徵先生在序言中提到：『初稿成，葉先生促付手民，詒徵與王生謂是尚有待於删潤，未可以璞示人。先生謂求者孔亟，曷先印行，其有罅漏，待再版時增損未晚。』故此，限於時日，《首都志》亦有不甚完善之處。如人物一目，近現代人物未曾收録，造成缺憾，而對南京當地的古迹及其他一些狀况，也未能作全面的搜集和調查。儘管如此，僅僅六個月的時間就拿出了這部『循原竟委、融治舊新』的《首都志》，無論從哪方面來看，都是令人稱道的，無愧於『民國年間之良志』的美譽。

《首都志》有民國二十四年（一九三五）南京正中書局鉛印本、民國三十六年（一九四七）上海正中書局重印本、一九八三年臺灣成文出版社影印本、一九八五年南京市地方志編纂委員會辦公室翻印本，一九八九年上海書店出版發行的《民國叢書》，亦將《首都志》收入第五編。此次南京出版社將《首都志》收入《金陵全書》，考慮到原書爲三十二開本，部分字號偏小（版心尺寸縱十三點八厘米，横九點二厘米），採取了原版影印略作放大的形式，以方便讀者閲讀。

王明發

首都志

葉楚傖署

總理陵 (陸地測量局製)

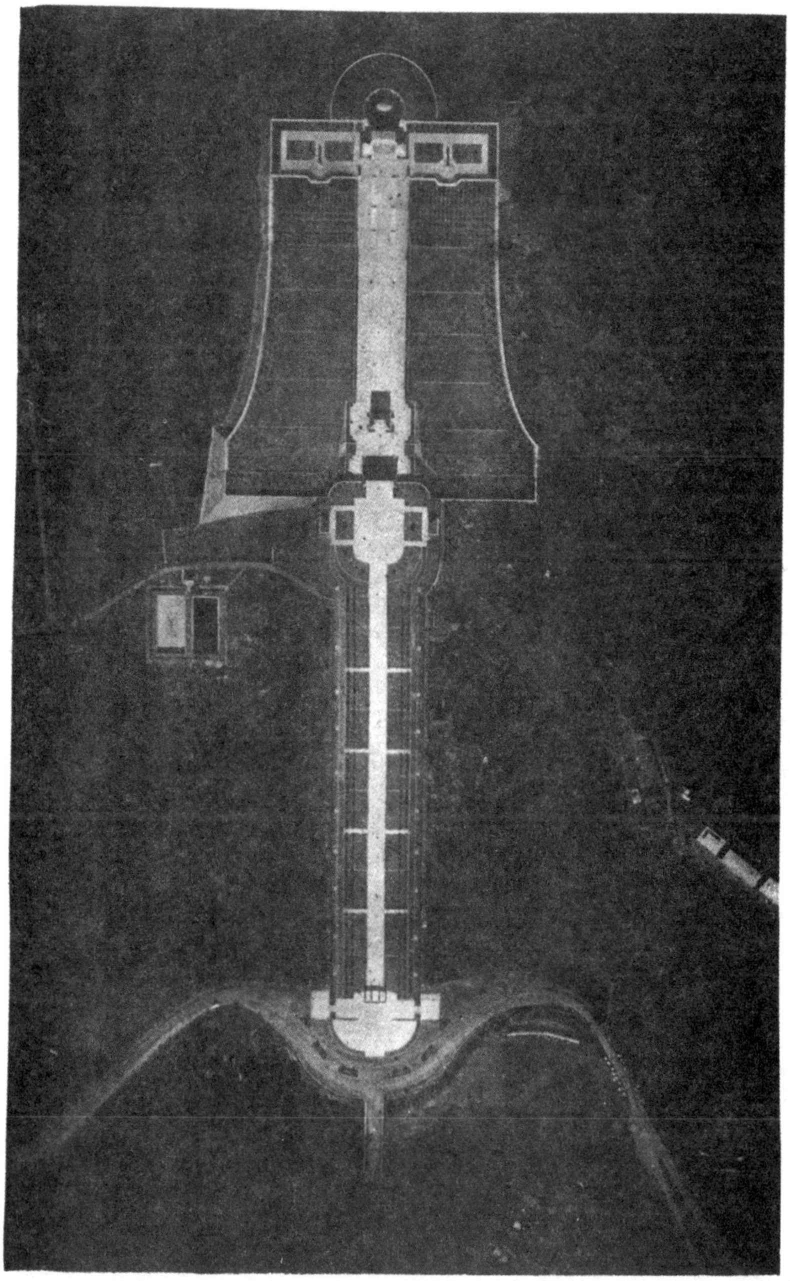

總理陵鳥瞰　（陸地測量局製）

鼓樓（陸地測量局製）

序

甲戌之冬。楚傖葉先生枉過盋山。討論文藝。謂黨國建都金陵。眴將七稔。未有專志。誦述沿革及建設之懿。中外人士諏訪所及。僅以舊肆故書應之。非所以揆張首善之義也。以詒徵嘗從事方志之學。珍重諈諉。詒徵侚鎒館務。未皇兼及。爰舉王生煥鑣從事編輯。周生愨佐之。六閱月而成志廿四卷。都五十餘萬言。經以綱要。緯以圖籍。循原竟委。融冶舊新。詒徵舊稿鉤稽史籍所得。旣賫其采輯。山館祕籍及庋藏檔案。外間所未覩者。亦甄沓而類佽之。于是山川城郭宮室衢路之閎偉。以逮政教之大。謠俗之細。燦焉可睹。學士大夫旁礡論都。將于是有取焉。初稿成。葉先生促付手民。詒徵與王生謂是尚有待於删潤。未可以璞示人。先生謂求者孔亟。曷先印行。其有罅漏。待再版時增損未晚。且屬識其緣起。憶先生涖館論書時。詒徵嘗勸先生印行金陵地志叢編。舉景定建康志至正金陵志陳氏南畿志及清康熙江寧府志等書爲第一輯。以牛首山志獻花巖志攝山志後湖志等爲第二輯。先生慨然允之。謂稽古之事。亦所不廢。惟宜先輯簡明之志乘。自周秦迄今。俾閱者一展卷而瞭如。徐推之前代。則益知其源遠而流長。是書之輯。蓋地志叢編之初桄。竊冀按藝文目所載。賡續印布。俾世之人知吾國史籍之富。徵論國史。卽一地之志乘。其繩繩不替若是。因以求先民之偉烈。勖國族之復興。其所繫之鉅。殆不止於流連古跡。覼縷方聞已也。乙亥秋八月鎭江柳詒徵。

凡例

一首都見於載籍．於今三千年．歷世綿遠．事蹟繁賾．爲方志者類聚而羣分之．不能無多寡贏絀．時異事殊．趨尙不同．自難一致也。茲編分廿有四目．沿舊志之名者十之六．自立義例者十之四．沿革疆域城垣街道山陵水道戶口官制財政教育兵備食貨藝文大事表等皆舊志所有．氣候警政自治司法外交則向之所無．交通禮俗方言宗教於舊志爲附庸．今蔚爲大國．人物舊志最詳．今但表其名．金石則并其目闕之．以陳氏通傳嚴氏金石志諸書俱在故也．藝文專列書目．各體詩文自有文徵專書．不煩鈔錄．至祠祀之記科貢之表廢止已久．悉從删汰．以省篇幅．

一首都疆域時有分合．茲編所記．縱起於建置之始．橫限於管轄所及．自民國十六年後但詳京市江寧縣政則付闕如.

一方志文體不外二種.或融會羣籍.自鑄新辭.或上挈綱領.下列徵引之書.茲隨行文所便.於茲二體並有所取.凡引用原文則稱其書名.典竄文句者.則於篇名之下.或每段之末.標明據自某書.擇要記之.不能備舉也.

一周官經大司徒職方氏職掌地圖.蕭何入秦.先收圖籍.圖之重要.自古已然.首都自清末卽有測量之圖.今益臻精審.舊圖雖未必足據.固可得其形似.因另裝成帙.以副左圖右書之義.至景物形勢諸圖.可以增閱者之興趣.輔文字之不及者.悉隨文附見.

一表譜之用.所以濟文字之窮.旁行斜上.年經事緯.無俟贅說.而端緒爛然.最爲善法.茲編列表至六十餘種.故文字雖省.事蹟具在.

一不佞守藏盋山圖史之富.甲於東南.所藏籌防局檔接棟連宇.皆遜清末年

江南遺事。朝夕編摩。耆輯尙易。而師友著作涉於金陵者又復浩汗。皆可借資。惟編纂之期限以六月。一手補綴成五十萬言。未能一一考訂潤色。荒率脫誤。知不能免。博雅君子匡正是幸。

一是編每一篇成。輒請益於本師柳劬堂先生。揚搉體例。補苴罅漏。獲益宏多。同學周君雁石爲之校讎文字。離析句讀。胡君瀓咸搜輯裁料。製佛寺道觀等表。辛勤相助。高誼可感。附記於此。以鳴謝忱。

首都志

[illegible]

敍錄

三千年來．名號屢易．孰革孰因．茲焉歷歷．敍沿革第一．
區域攸分．四至八到．不遠伊邇．普其政教．敍疆域第二．
雄城峩峩．舉世莫匹．于時保之．先民之血．敍城垣第三．
坊巷爲經．事蹟緯之．區其今昔．闕其所疑．敍街道第四．
山拔而起．風興雲蒸．萬衆瞻仰．孝陵孫陵．敍山陵第五．
道元注水．幷及名勝．支幹未移．易以印證．敍水道第六．
雨暘寒暑．燥溼自天．過而防之．職競由人．敍氣候第七．
民數息秏．觀世盛衰．後減於前．誰厲之階．敍戶口第八．
設官分職．以役于民．百爾有位．絲廉且仁．敍官制第九．

横目蚩蚩．有頑有驁．戒備不虞．首都尤要．敍警政第十．

仰治於官．或荒而穢．自耘其有．本根以遂．敍自治第十一．

取之四方．用之一邑．簿書可徵．稽其出入．敍財政第十二．

司法獨立．僅三十年．其制數革．有平無偏．敍司法第十三．

德以定志．智以啓蒙．胡有歐美．前修是崇．敍教育第十四．

孔曰足兵．厥意可哀．誰是健者．一息殺機．敍兵備第十五．

水浮陸走．上馳於空．往還何阻．挹注斯通．敍交通第十六．

木腐生蠹．國弱招侮．仁義爲兵．不茹不吐．敍外交第十七．

地不愛寶．庶物穰穰．于以用之．曰農工商．敍食貨第十八．

維禮與俗．國魂所託．善也守之．毋輕改作．敍禮俗第十九．

景純釋雅．時及江東．辨析聲韻．求其異同．敍方言第二十．

佛有達摩．道有宏景．耶回之徒．亦足嗣響．敍宗教第二十一．
古人往矣．何有於名．名不足觀．觀其典刑．敍人表第二十二．
掌故之書．代有述者．或存或亡．難可悉舉．敍藝文第二十三．
大事立表．肇於史遷．廢興萬變．朗若在前．敍大事表第二十四．
民國二十四年八月南通王煥鑣識於盋山陶風樓

首都志

四

首都志目錄

兵備

交通

陸運（市内道路　市外道路）　航運　航空　郵傳　電報　電話　中央廣播電台

卷十

外交

卷十一

食貨上

物產

卷十二

食貨下

農業　工業　商業（貿易　金融）

卷十三

禮俗

附圖目

首都志

萬松山房
天開巖
叠浪巖
珍珠泉
彩虹明鏡
清乾隆時後湖
莫愁湖
清乾隆時燕子磯
清乾隆時靈谷寺
清乾隆時雞鳴寺
清乾隆時報恩寺
清乾隆時朝天宮
德雲菴

八

附影片目

附表目

首都志卷一

沿革

首都於唐虞夏商皆屬揚州。

【書舜典】肇十有二州。

【通考】舜置十二牧揚州其一。

【書禹貢】淮海惟揚州。

【爾雅】江南曰揚州。

在周爲吳。

【吳越春秋】太伯仲雍還荊蠻國民君而事之自號爲句吳吳人或問何像〔疑當作據〕而爲句吳。

太伯曰。吾以伯長居國絕嗣者也。其當有封者吳仲也。故自號句吳。非其方乎。荆蠻義之。從而歸之者千有餘家。共立以爲句吳。

【通鑑綱目前編】周武王十有三年。引皇王大紀云。太伯薨。無子。仲雍嗣爲吳君。天子使求其後。得周章。仲雍曾孫也。世君吳矣。因封之曰吳伯。

【六朝事蹟編類】引圖經云。吳固城在溧水縣西南九十里。高一丈五尺。羅城周迴七里二百三十步。子城一百一里九十步。

【春秋左氏傳】周靈王二年。楚子重伐吳。克鳩玆。至於衡山。〔今名橫山。在江寧縣東南。〕

【六朝事蹟編類】引勝公廟記云。固城。吳時瀨渚縣也。楚靈王與吳戰。吳兵不利。遂陷此城。吳乃移瀨渚於溧陽南十里。改爲陵平縣。靈王崩。平王立。使蘇涵爲將。戰於吳。吳軍敗。收吳陵平縣。改爲平陵縣。

春秋末屬越。

【輿地紀勝】引金陵故事云。周元王四年。范蠡佐越滅吳。欲圖霸中國。立城於金陵。以張威勢。

【建康實錄】越王築城江上鎮今淮水一里半廢越城是也案越范蠡所築城東南角近故城望國門橋西北卽吳牙門將軍陸機宅故機入晉作懷舊賦曰望東城之紆餘卽此

戰國時楚滅越置金陵邑屬江東郡

【景定志】周顯王三十六年楚子熊商敗越盡取故吳地以此地有王氣因埋金以鎮之號曰金陵【正德江寧志作四十六年誤】

【建康實錄】楚威王因山立號置金陵邑楚之金陵今石頭城是也或云地接華陽金壇之陵故號金陵

【史記甘茂傳】范蜎說楚王楚南塞厲門而郡江東　黃以周儆季雜著云以江東爲郡也江東卽故吳地故春申君請徙封江東楚王許之徙都吳是也

【史記項羽本紀】召平曰江東已定烏江亭長曰江東雖小地方千里　傅春官金陵建置表云是仍呼楚故郡名也

秦改爲秣陵縣又置丹陽江乘二縣並屬鄣郡

【史記秦始皇本紀】二十四年使王翦滅楚。二十六年幷天下。分三十六郡。

【景定志】秦兼諸侯。置郡縣。屬鄣郡。改秣陵。

【地理志今釋】鄣郡今浙江湖州府安吉縣西北。

【金陵圖考】鄣郡不詳治所。志云在石頭城地。史載吳興郡西。金陵本吳興西境也。

【郡國利病書】駁圖考云案孫皓割會稽丹陽地置吳興郡。治烏程領十縣。西北至於滄故鄣安吉而止。距金陵不啻四百里。謂金陵爲吳興西境可乎。史謂吳興郡西。正指故鄣郡。非石頭城也。

【建康實錄】始皇三十六年〔按始皇本紀六國表俱作三十七年。當是〕東巡自江乘渡。望氣者云。五百年後金陵有天子氣。因鑿鍾阜。斷金陵長隴以通流。至今呼爲秦淮。乃改金陵邑爲秣陵縣。秦之秣陵縣城。卽在今縣城東南六十里。秣陵橋東北故城是也。

【史記秦始皇本紀】三十七年過丹楊。還過吳。從江乘渡。

項羽稱霸。地屬西楚。

【史記項羽本紀】項王自立爲西楚霸王。王九郡。都彭城。

【楚漢諸侯疆域志】自來注史記漢書者。俱不釋九郡所在。余案羽所王之九郡。謂會稽郡故鄣郡故東陽郡泗水郡郯郡薛郡碭郡潁川郡東郡是也。

漢興。封韓信。爲楚國。

【漢書高帝紀】五年下令曰。楚地已定。義帝無後。欲存恤楚衆。以定其主。齊王信（韓信）習楚風俗。更立爲楚王。王淮北。都下邳。

【楚漢諸侯疆域志】項羽王梁楚地九郡。今以項羽所分楚地王韓信。信得會稽東陽鄣郡泗水薛郡郯郡凡六郡。

既屬荆。

【漢書高帝紀】六年人告楚王信謀反。……因執之。以故東陽郡鄣郡吳郡五十三縣立劉賈爲荆王。十一年秋七月淮南王荆布反。東擊殺荆王劉賈。

旋屬吳。

【漢書劉濞傳】荊王劉賈爲布穀無後。上乃立濞于沛爲吳王。王三郡。五十三城。宋祁註云。故東陽郡鄣郡吳郡卽賈舊封。

景帝時屬江都。

【史記諸侯王表】孝景前元四年。初置江都。六月乙亥。淮南王非爲江都王元年。是爲易王。

【漢書江都易王非傳】非以孝景前二年立爲汝南王。吳楚反時。景帝賜非將軍印。擊吳。吳已破。徙王江都。治故吳國。莽簒國絕。

武帝元朔初析江都爲丹楊胡孰秣陵三侯國。

【漢書侯表】武帝元朔元年十二月甲辰封江都易王子敢爲丹楊侯。正月丁卯封江都易王子胥行爲胡孰侯。纏爲秣陵侯。〔史記建元以來王子侯者年表無秣陵侯〕

元狩元年後屬丹楊郡。

【漢地志】故鄣郡屬江都。武帝元封二年更名丹楊。屬揚州。　汪遠孫校本云。元封當作元狩。武帝紀元狩二年江都王建有罪自殺。蓋其年更爲郡也。御覽州郡部十六引作元狩元年。元年是二年之誤。〔煥鑣按史記漢興以來諸侯王年表。元狩二年江都王建反自殺。國除爲廣陵郡。不言爲丹楊郡也。丹楊郡之設。宜依御覽作元狩元年。蓋是年江都易王子丹陽侯敢薨。無後國除。〔見史記建元以來王子侯者年表〕故置丹楊郡也〕

【金陵圖考】元狩二年改鄣郡爲丹楊郡。屬楊州。統縣十七。秣陵胡孰永平江乘句容溧陽隸焉。傅春官建置表云案漢地志丹楊郡領縣十七。尙無永平。且元封作元符。是以宋哲宗年號而屬漢武矣。舛謬尤甚。

【地理志今釋】今安徽寧國府宣城縣治。

【野客叢書】今潤州丹楊館書从木。其屬縣丹陽書从阜。或者疑之。僕考晉書地理志。謂山多赤柳。故名丹楊。江南地志。謂郡北有赭山。故名丹陽。二說皆有據也。抑又考之。兩漢丹楊郡治宛陵。而丹陽縣則今建康也。至移郡治於建康。而元帝又徙都焉。於是以建康爲丹陽尹。至唐天寶初始以今京口爲丹楊郡。而以曲阿爲丹陽縣。然則今潤之丹陽。正非漢丹陽之故治也……西漢志乃以曲阿之丹陽爲楚所封。誤矣。

揚州刺史治理於此.

【宋書地志】前漢揚州刺史未有所治.建置表云案寰宇記引丹陽圖云.漢因秦制.至武帝初爲揚州.理于此.元封二年始置十三州刺史.領天下諸郡.此卽爲揚州.揚州本在西州橋治城之間.是其理處.後漢如之.劉繇爲揚州刺史.始移理曲阿.孫策號此爲西州.又云古揚州城今江寧縣城在其西偏.城東至西州橋.西至冶城.周迴三里.後漢因之不改.卽此城也.據此則前漢刺史治此明矣.而秣陵集序云.漢時揚州治壽春.漢末袁術據壽春.徙揚州治于金陵.孫策渡江.劉繇徙居曲阿.金陵遂爲孫氏所有.其說不知何本.且宋書地志云.後漢治歷陽.魏晉治壽春.序云後漢治壽春.更誤矣.

隸縣有秣陵.

【呂志】秣陵漢初屬鄣郡.景帝時屬江都國.武帝初爲江都王子秣陵侯纏國.纏死後爲縣.江都王國除.縣屬丹楊郡.王莽曰宣亭.

【正德江寧志】漢地理志注莽改秣陵爲宣亭.是建武之先已復爲縣矣.

江乘

【漢地志】江乘屬丹楊郡．莽曰相武．

【新斠注地理志】在今江寧府句容縣北六十里．復引括地志云．故城在今句容縣北六十里．

丹陽

【漢地志】丹陽屬丹楊郡．

【新斠注地理志】在今太平府城東．建置表云．案今江寧鄉之小丹陽．去太平府約五十餘里．當日縣治．蓋兩界云．

胡孰

【漢地志】胡孰屬丹楊郡．

【新斠注地理志註】引錢氏大昕曰．胡孰續志作湖熟．今上元縣東南五十里有胡孰縣．卽漢故縣所在．自漢至晉有胡孰．無姑孰．宋祁謂胡當作姑者非是．呂志姑孰本卽湖熟．史或作湖熟．皆聲近字異．今之當塗．正古之胡孰．而今上元之胡熟．乃東晉以後之縣耳． 建置表云．案呂志說亦近是．

但無實證。故不從。至姑孰胡孰。據今度之。當日皆爲胡孰侯所有地。今之兩蒙其名者以此。曰姑曰胡。則又後人轉音也。不足深辨。

【地理志今釋】今安徽太平府當塗縣東五十里。

後漢因之。存胡孰侯國。

【景定志】後漢亦爲侯國。

【漢侯表】胡孰侯治丹楊。

【金陵志】移郡治于宛陵。

分揚州置吳郡。治建業。〔景定志〕

建安十六年。孫權自京口徙治秣陵。明年城石頭。改爲建業。〔三國志孫權傳〕

二十六年。徙丹楊郡。治建業。

【續漢地志註】建安十三年。孫權分丹楊郡爲新都郡。

【景定志】建安二十六年。權始置丹楊郡。自宛陵治建業。

【括地志】丹楊郡故在潤州江寧縣東南五里.

吳大帝黃武元年置揚州牧.〔金陵志〕

【補三國疆域志】漢興平中揚州所屬諸郡悉入吳凡得漢舊郡四.增置郡十.校尉都尉部二.治建業.

二年丹楊郡徙治宛陵.〔金陵志〕

【呂志】呂範傳言領丹陽太守治建業.然此是孫權上荊州時事.故特云卿爲我守建業.若太守本治建業則不必言治建業矣.此治建業.乃是暫耳.孫韶傳孫翊爲丹楊太守遇害.時孫何屯京城.聞之馳赴宛陵.此丹楊郡守在宛陵之確證.

黃龍元年.自武昌徙都建業.南京之建都自此始.

【三國志張紘傳】紘謂權曰.秣陵楚武王所置.名爲金陵.地勢岡阜連石頭.訪問故老.云昔秦始皇東巡會稽.過此縣.望氣者云.金陵地形有王者都邑之氣.故掘斷連岡.改名秣陵.今處所具存.地有其氣.天之所命.宜爲都邑.權善其議.未能從也.會劉備之東.宿於秣陵.周觀地形.亦勸權都之.權曰.

智者意同．遂都焉．

【三國志孫權傳】黃龍元年秋九月遷都建業．因故府（長沙桓王故府）不改館．

永安中分置故鄣郡．丹楊所領．惟溧陽以北六縣（景定志）

後主甘露元年徙都武昌．

【三國志孫皓傳】甘露元年秋九月從西陵督步闡表徙都武昌．

寶鼎元年還建業．

【孫皓傳】寶鼎元年冬十二月還都建業．

吳歷四世五十九年．都建業者凡五十年．

金陵志作六十年．誤．　甘露元年三月至寶鼎元年十一月．只一歲零九月．不都建業．

晉武帝太康元年平吳．封孫楷丹陽侯．

【三國志孫韶傳】子楷歸晉．晉封丹陽侯．　景定志謂封孫韶．誤．

改建業復爲秣陵縣．

【晉地志】武帝平吳．以建業爲秣陵．屬丹楊郡．

二年丹楊移治建業．〔金陵志〕

【宋書地志】晉武帝太康二年．分丹楊爲宣城郡．治宛陵．而丹陽移治建業．

【建康實錄】孝武太康元年平吳．分丹陽南郡爲宣城郡．遷理於秣陵．在今縣東南六里．渡長樂橋．古丹陽郡是也．　煥鑣案此條異於宋書．當以宋書爲正．

【地理志今釋】丹楊治今江蘇江寧府上元縣東南五里．宋齊因之．

胡孰江乘

【晉地志】江乘屬丹楊郡．

【景定志】胡孰吳省爲典農都尉．晉武帝復置．

臨江

【正德江寧志】引圖經云．古縣治南臨流水．故曰臨江．在西南七十里．今江寧浦即其故處．

江寧

【宋書地志】晉太康元年.分秣陵置臨江.二年更名江寧.

【晉地志】太康二年分建業置江寧.屬丹楊郡.　建置表云.寰宇記云.故江寧縣城在縣南七十里.引輿地志云晉永嘉中帝初通江南.以江外無事.寧靜於此.因置江寧縣.南門臨浦水.據此江寧不置自太康矣.未知何本.東晉疆域志云晉志與沈志皆云太康二年置.則輿地志之說誤也.

秣陵

【建康實錄】太康三年分秦淮水北爲建鄴.水南爲秣陵縣.仍在秦邑地.

建鄴

【晉地志】太康三年分秣陵北爲建鄴.改業爲鄴.屬丹楊郡.

【晉孝愍帝紀】建興元年秋八月改建鄴爲建康.避諱也.

【建康實錄】縣在故都城宣陽門內.今縣城東二里.古御街東.

丹陽.皆隸焉.

【晉地志】屬丹楊郡.

揚州先分南北。南治建業。屬吳。北治壽春。屬晉。晉既平吳。移壽春之揚州併治建業。由是揚州之南北合爲一。

懷帝永嘉元年。以琅琊王睿爲安東將軍。都督揚州江南諸軍事。假節鎭建業。愍帝建興初。改建業爲建康。元帝渡江都焉。以宰相領揚州。改丹陽太守爲尹。〔景定志〕

【晉元帝紀】建武元年春三月。立宗廟社稷於建康。太興元年六月。改丹陽內史爲丹陽尹。永昌元年三月丹楊諸郡皆加軍號。

【東晉疆域志】引寰宇志云。元帝渡江。歷江左。揚州常治建業。

以江寧爲琅琊國。

【晉元帝紀】建武元年春三月封王子宣城公裒爲琅琊王。十月丁未琅琊王裒薨。

【太平寰宇記】以江寧爲琅琊國。蓋襲帝始封之名。在今廢江乘縣界。

大興三年詔瑯琊國人隨在此者。立爲懷德縣。後改名費縣。

【晉元帝紀】大興三年秋七月丁亥詔瑯琊國人在此者近有千戶．今立爲懷德縣．統丹楊郡．〔懷德後屬南瑯琊〕

【建康實錄】縣城在宮城南七里．今建初寺前路東．後移於宮城西北三里耆闍寺西．帝又創已北爲琅琊郡．而懷德屬之．後改名費縣．其宮城南舊處．咸和中移建康縣自苑城出居之．

與江寧胡孰丹陽

【東晉疆域志】丹陽屬丹陽尹．晉略．

【州郡表注】郡南少西六分．

秣陵

【宋書地志】本治去京邑六十里．今故治村是也．晉安帝義熙九年移治京邑．在鬬場．恭帝元熙元年省揚州府禁防參軍．縣移治其處．

【景定志】引圖經云．在宮城南八里一百步小長干巷內．

建業

【太平寰宇記】初置在宣陽門內。晉咸和三年蘇峻作亂。燒盡。遂移入苑城。咸和六年以苑城爲宮。乃徙出宣陽門外御街西。今建初寺門路東是。

江乘諸縣。並隸丹楊。

【東晉疆域志】屬丹陽尹。成帝咸康元年。改屬南琅琊郡。

以江乘置東海琅琊。

【宋書地志】晉亂。琅琊國人隨元帝過江千餘戶。太興三年。立懷德縣。丹陽雖有琅琊相。而無此地。成帝咸康元年。桓溫領郡。鎮江乘之蒲州金城上。求割丹楊之江乘縣境立郡。

【景定志】南琅琊郡在舊江寧縣東北五十里。成帝咸和六年復琅琊。比漢豐沛。

東平蘭陵等郡。

【晉地志】元帝以江乘置南東海南琅琊南東平南蘭陵等郡。

【景定志】元帝以江乘置四郡。穆帝時以南東海七縣出居京口。

【東晉疆域志】案此諸僑郡有南字者。皆宋受禪後所加。晉世無此名也。唐人修晉史。讀宋書不審。

誤認爲晉明帝所名．失之甚矣．又案安帝義熙十三年．以徐州之北琅琊北東莞北東海北譙北梁．豫州之北潁川北南頓爲宋國．是琅琊東莞東海譙梁潁川南頓．東晉時皆有南北兩郡．一係實土．一屬僑郡．其實土皆以北字別之．至宋永初後．僑郡又普加南字耳．南譙南梁南汝陰等．則晉太元後已加南字．又非自宋始．

屬南徐州．

【宋書地志】晉永嘉大亂．幽冀青幷兗州及徐州之淮北流民相率過淮．亦有過江在晉陵郡界者．晉成帝咸和四年．司徒郗鑒又徙流民之在淮南者于晉陵諸縣．其徙過江南及流在江北者．並立僑郡縣以司牧之．又云．明帝世淮北沒寇．僑立徐州．治鍾離．安帝義熙七年．始分淮北爲北徐．淮南猶爲徐州．後又以幽冀合徐．

【元和郡縣志】晉咸和中．潤州爲僑徐州理所．後徐州寄理建業．

成帝初．置淮南郡．屬揚州．

【宋書地志】成帝初．祖約爲亂於江淮．胡寇又大至．民南渡江者轉多．乃於江南僑立淮南郡及諸縣。晉末遂割丹陽之于湖縣爲淮南境。

咸康元年。分江乘縣立臨沂縣。〔宋書地志〕

【建康實錄】咸康七年置。廢城在東江獨石山西臨大江。在今縣北四十里。建置表云。案實錄作七年。誤。

與陽都卽丘同隸南琅琊郡。懷德費亦自丹陽尹改隸琅琊。〔金陵志〕

【景定志】陽都本漢城陽國縣。後漢改爲琅琊國。晉廢。元帝置。屬南琅琊郡。建置表云。案大淸一統志表作咸康後置。

咸康四年。僑置魏郡廣川高陽堂邑諸郡。屬南冀州。所統縣如肥鄉元城廣川北新城博陸堂邑等。並居京邑。以處流寓。

【建置表】元城又僑立廣川郡。領廣川一縣。江左又立高陽堂邑二郡。高陽領北新城博陸二縣。堂邑領堂邑一縣。後省堂邑倂高陽。又省高陽倂魏郡。幷隸揚州。〔案先屬南冀州〕寄治京邑。

【宋州郡志校勘記】案魏是郡名。肥鄉元城是屬縣。不得統稱三縣。晉書地理志。咸康四年僑置魏郡廣川高陽堂邑諸郡。本志下文廣川郡領廣川。高陽領北新城博陸。堂邑領堂邑。並有領字。以此例之。肥鄉元城上亦當有領字。三縣當作二縣。

【宋書地志】江左立南冀州。後省。義熙中更立。治靑州。又省。東晉疆域志冀州凡統僑郡六。廣川魏郡高陽堂邑諸郡屬焉。

【東晉疆域志】高陽郡下案東晉時江北之堂邑。雖在版圖。亦曾僑立於江南。義熙元年。劉裕以弟道憐領堂邑太守。戍石頭是也。

東晉建都十一世。凡一百三年。〔金陵志〕

宋時建康秣陵丹陽江寧湖熟並隸丹陽尹。其陽都費卽丘三縣並割臨沂及建康爲土。〔費縣治宮城之北卽懷德縣〕隸南琅琊郡。文帝元嘉初省僑立廣川等四郡。〔宋書地志宋初省廣川郡爲廣川縣屬魏郡。魏郡元嘉十一年省〕以其民併建康。八年省卽丘入陽都。十五年省費縣入建康臨沂。孝武帝孝建元年分浙江東爲東揚州。而揚州仍領丹楊等十五郡。大明三年以揚州所統六郡立王畿。四年以南琅琊郡隸王畿．五年省揚都入臨沂江乘．七年以王畿之內郡屬南徐州．八年復以王畿諸郡爲揚州．順帝昇明三年改刺史曰牧．

據肇域志引金陵志．

宋建都八世．凡五十九年．

宋武帝永初元年庚申至順帝昇明二年戊午．爲五十九年．如併禪位之年計之．則得六十年．金陵志作五十八年．誤．

齊因宋舊．江寧湖孰丹陽秣陵四縣統于丹陽尹．臨沂江乘二縣統于南琅琊郡．

【齊地志】南琅琊郡本治金城．永明初徙治白下．

【太平寰宇記】南琅琊郡城在縣西北十八里．齊梁講武于此．

【地理志今釋】南琅琊郡今江蘇江寧府上元縣地．

建都七世．凡二十三年．

梁武帝生於秣陵同夏里因以其地置同夏縣．省胡孰縣．

【梁武帝紀】高祖以宋孝武大明八年甲辰歲生于秣陵縣同夏里三橋宅．

【太平寰宇記】引輿地志云．梁大通三年分建康之同夏里置．

【補梁疆域志】屬丹楊郡．梁書南史皆云秣陵縣同夏里．此云分建康．當屬傳寫之誤．而六朝事蹟建康志又作大同元年．彼此亦不無抵牾也．潘自牧記纂淵海梁大同元年置同夏縣．省江乘胡孰兩縣．案此則更有改置．非止割一同夏里矣．然江乘一縣．梁書寰宇記皆云梁有．不當言省．景定志引圖經云縣東十五里有同夏浦．舊有城．今上元縣長樂鄉是其地．

復置費縣．

【補梁疆域志】屬南琅琊郡．引寰宇記云．費縣陳亡廢．是梁有也．南史裴之平傳以軍功封費縣侯．景定志梁末北齊軍於秣陵故城跨淮立橋柵．當是其地．

餘縣如故．改南琅琊郡爲琅琊郡．

【文選注】引輿地圖云．梁武改南琅琊爲琅琊郡．在潤州江寧縣西北十八里．

置丹陽尹及南丹楊郡.

【隋地志】梁置丹楊郡及南丹楊郡.　陳省南丹楊郡.

建都四世.凡五十五年.

陳文帝天嘉五年.罷南丹楊郡.〔南北史補志〕

宣帝太建十年立建興郡.領同夏江乘臨沂湖孰等縣.屬揚州.

陳宣帝紀.太建十年冬十月戊寅罷義州及琅琊彭城二郡.立建興領建安同夏烏山江乘臨沂湖孰等六縣屬揚州.　建置表云案景定志云.太建元年以義州南琅琊郡彭城郡地置金陵圖考云.陳以琅琊三郡地置.是均不知紀云罷某某及某某二郡立某某者.是罷義州與罷琅琊彭城同時.立建興則實無義州也.且義州在江北.二郡在江南.似無併立之勢.景定志且作太建元年.尤謬.南北史補志失載.

陳建都五世.凡三十三年.

隋文帝開皇九年平陳.廢丹楊郡.平其城以爲田.乃於石頭置蔣州.依漢置太

守。以司隸刺史相統。江寧縣屬蔣州。大業初。改蔣州。復名丹楊郡。〔地理志今釋今江蘇江寧府上元縣治〕。省建康秣陵同夏三縣入江寧。又廢臨沂丹陽湖熟三縣。亦入江寧。爲丹楊郡所統。

揚州初治蔣州。後以江都爲揚州。

【金陵圖考】隋初揚州治徙蔣州城內。廢東府城。後末年以江都爲揚州。置總管府。自後揚州之名。專于江都矣。　建置表云案唐武德間揚州雖已降爲郡。然猶間治金陵。則揚州之名專于江都。實自唐以後也。陳說非是。

唐高祖武德二年。置揚州東南道行臺尚書省。〔肇域志〕

【舊唐地志】武德三年于上元縣置。六年輔公祏反。據其地。七年公祏平。置行臺尚書省。八年罷。

三年。以江寧溧水二縣置揚州。析置丹陽安業二縣。更江寧曰歸化。六年。省安業入歸化。更歸化曰金陵。七年。平輔公祏。更名蔣州。置金陵縣。廢東南道行臺爲揚州大都督府。九年廢都督。徙治江都。更金陵曰白下。丹陽隸宣州。太宗貞觀七年更白下曰江寧縣。（圖考七年復改爲歸化。九年仍爲江寧 以上據肇域志）

復爲揚州治所。（景定志）

肅宗至德二載以潤州江寧縣置江寧郡。乾元元年改昇州。置浙江西道節度使。兼江寧軍使治昇州。後徙治蘇州。（景定志作大順元年）寶應元年廢昇州。（圖考上元二年廢州爲上元縣隸潤州）至僖宗光啟三年置昇州。（肇域志）

天祐十二年楊吳大城昇州。建大都督府。（肇域志）

【五代史徐温傳】吳天祐十二年封温齊國公。兼兩浙招討使。始就鎮潤州。以昇潤宣常池黃六州爲齊國。温城昇州。建大都督府。十四年徙治之。

【舊五代史楊渭傳】渭既立。政事咸委於徐温。時温爲鎮海軍節度內外馬步軍都指揮使。乃於上元縣立昇州。

十四年析上元置江寧縣。

【太平寰宇記】天祐十四年五月析上元之南十九鄉．割丹徒之北二鄉．徙置江寧縣．即上元縣爲理所．東自太平橋街北至淮水．與上元分界．

時徐溫徙鎭海軍於昇州．

【通鑑綱目】梁貞明三年五月（即吳天祐十四年）徐知誥治昇州．城市府舍甚盛．徐溫行部．愛其繁富．潤州司馬陳彥謙勸溫徙鎭海軍治所于昇州．溫從之．

【馬令南唐書】徐溫建節．升建康軍．

武義二年改都督府爲金陵府．

【五代史楊溥世家】武義二年七月改昇州大都督府爲金陵府．拜徐溫金陵尹．

太和五年楊溥建都于金陵．（五代史楊溥世家）

又六年閏正月金陵火．罷建都．天祚元年以金陵爲齊國．封李昪爲齊王．（舊五代史李昪列傳）

又二年禪位于昪．都金陵者四年．

南唐昇元元年。改金陵府爲江寧府。〔通鑑綱目〕遂以府治爲宮以城爲都。〔金陵圖考〕

【五代史楊溥世家】天祚三年知誥建齊國。立宗廟社稷。置左右丞相已下。以金陵爲西都。廣陵爲東都。

【五代史李昪列傳】僞吳天祚三年。楊溥遜位于昪。國號大齊。改元爲昇元。建都於金陵。明年改國號曰大唐。

歷三主。凡三十九年。

保大二年。割潤之上元南十九鄉宣之當塗北二鄉置江寧縣。〔肇域志〕

【輿地廣記】唐既改江寧爲上元。南唐復析上元置江寧。分治郭下。

宋太祖開寶八年平南唐。以江寧府爲昇州。眞宗天禧二年以昇州爲江寧府建康軍節度。治上元江寧二縣。〔肇域志〕

【太平寰宇記】上元治鳳臺山西南。今移在僞司會府。

【景定志】引實錄云.江寧縣南唐在州城西偏.西即吳冶城.東臨運瀆.今天慶觀東即其地.國朝移郭下.在城西北.距行宮三百步.又云景德二年置秣陵鎭.今在江寧縣東南五十里.

封壽春郡王爲昇王.〔後即位是爲仁宗〕

【景定志】嘉祐四年翰林學士胡宿言陛下建國於昇.猶次列國.非所重始封之地.宜進昇爲大國.無得封.從之.

高宗建炎元年改江寧爲帥府.三年復爲建康府.〔宋地志〕

高宗南渡.詔改建康府.紹興七年駐蹕.置留守.〔景定志〕

歷七世.凡一百三十九年.

【宋地志】建炎三年五月.高宗即府治建行宮.紹興八年置主管行宮留守司公事.三十一年爲行宮留守.乾道三年兼沿江軍.尋省.

【輿地紀勝】引中興小曆云.建炎三年上至江寧駐蹕.仍改爲建康府.以保寧寺爲行宮.七月駕幸浙西.紹興七年三月上自平江幸建康.駐蹕.紹興八年二月詔復幸浙西.癸亥發建康.又紹興三十

一年十二月戊申上發臨安。三十二年正月壬申上至建康。戊子詔還幸臨安。高宗凡三駐蹕於此云。

元世祖至元十二年下江南。卽建康府治開省。設建康宣撫司江東建康道提刑按察司。十三年又設江東道宣慰司江淮等處行樞密院。皆於建康開府。十四年宣撫司改爲建康路總管府。隸宣慰司。以達江浙行省。而江南諸道行御史臺由揚州三徙。卒治建康。〔二十二年行臺自杭州移治建康。二十六年臺自建康再移揚州。按察司還建康。二十八年改肅政廉訪司。二十九年以兩淮山南三道隸中臺。而行臺還治建康。始名江南諸道行御史臺。〕三十一年罷行樞密院。大德元年。僉都新軍萬戶府自寧國移鎭建康路。三年革江東宣慰司。〔至正志〕

太定二年。建康爲懷王潛邸。

【元文宗紀】太定元年十月封懷王。賜黃金印。二年正月又命出居於建康。

天歷二年。建康路改集慶路。〔元地志〕

江寧上元二縣屬焉．

明太祖於元至正十六年．取集慶路．〔肇城志引金陵圖考〕

置江南行中書省．洪武元年．混一海內．建都曰南京．改路爲應天府．罷行中書

省．以應天等府直隸中書省．衞所直隸大都督府．十一年．罷中書省．以所領直

隸六部．十三年正月．改大都督府．爲五軍都督府．以所領直隸中軍都督府．

〔明地志及金陵圖考〕

陞上元江寧爲赤縣．並隸應天府．

【明地志】上元縣屬應天府．太祖丙申年遷縣治淳化鎮．明年復還舊治．

【客座贅語】上元縣治國朝在府治東北昇平橋西．　江寧縣古去城七十里．卽今江寧鎮．南唐遷

北門清化坊．元徙城外之越臺側．國初徙集慶路治．卽今治也．

永樂十九年．遷都北京．金陵遂爲留都．蓋定鼎於茲者五十四年．

清順治二年．平江南．改南京爲江南省．應天府爲江寧府．治上元江寧．設經略

招撫內院大學士。四年改經略招撫爲總督轄江南江西河南三省。六年改總督轄江南江西二省。（同治上江志）江南江西總督治所及江寧府治皆在此。十八年爲左布政使。領安慶等府州。分置右布政使駐蘇州。領江寧等府州。（江南通志）康熙三年改總督專轄江南省。六年定爲江蘇安徽二布政使司。領府州如故。二十一年復改總督轄江南江西二省。（同治上江志）

乾隆二十五年。復設江蘇布政使司江寧府。

【乾隆府廳州縣志註】舊安徽布政使司寄治此。分設後安徽布政使司移治安慶府。

太平天國克金陵都之。名天京。十二年而滅於清。復故稱。

民國元年。　總理任臨時大總統。定南京爲國都。廢首縣。改江寧府爲南京府。

南北和議成。政府仍設北京。而都督府治自蘇州移治南京。（南京初設分機關）

是年十二月軍民分治。省行政公署成立。二年廢府。設江甯縣。三年五月設金陵道尹治江寧。七月都督府改將軍行署。五年七月將軍行署改督軍公署。巡按使公署改省長公署。十六年國民政府遵　總理遺志。定爲首都。并劃外郭以內地爲南京市。設市政府。直隸國民政府行政院。外郭外地爲江寧縣。隸江蘇省政府。十七年一月以江蘇省立第一造林場紫金山林區凡鍾山全部。劃爲陵園區。設管理委員會。直隸國民政府。省政府於十八年移治鎮江。二十一年。定西安爲陪都。洛陽爲行都。仍以南京爲首都焉。

沿革表

時代＼地名	國都	州省	軍	郡州府縣	市
唐虞		揚州			
夏		揚州			
商		揚州			

周	吳國	揚州			
春秋	吳國				瀨渚
	越國				平陵
戰國	楚國			金陵邑	
				江乘郡	
秦				鄣郡	秣陵縣
					丹陽縣
					江乘縣
西楚	西楚國				
漢	楚國	揚州		丹楊郡	秣陵縣
	荊國				江乘縣
	吳國				丹陽縣

	江都國				胡孰縣
	丹楊侯國				
	胡孰侯國				
	秣陵侯國				
後漢	胡孰侯國	揚州		丹楊郡	秣陵縣
				吳郡	江乘縣
					丹陽縣
					胡孰縣
三國吳	國都	揚州		丹楊郡	建業縣
西晉	丹楊侯國	揚州		丹楊郡	胡孰縣
					江乘縣
					臨江縣

					江寧縣
					秣陵縣
					建業縣
					建康縣
					丹陽縣
東晉	國都	揚州		丹楊尹	江寧縣
	琅邪王國	徐州		南琅邪郡	湖孰縣
		冀州		南東海郡	丹陽縣
				東東平郡	秣陵縣
				南蘭陵郡	建康縣
				淮南郡	懷德縣
				魏郡	費縣

			廣川郡	江乘縣
			高陽郡	陽都縣
			堂邑郡	即丘縣
				臨沂縣
				肥鄉縣
				元城縣
				廣川縣
				北新城縣
				博陸縣
				堂邑縣
宋	國都揚州		魏郡	陽都縣
			丹楊尹	費縣

				南琅琊郡	卽丘縣
					江陵縣
					湖孰縣
					丹陽縣
					秣陵縣
					建康縣
					臨沂縣
					江乘縣
					廣川縣
齊	國都	揚州		丹楊尹	江寧縣
				南琅琊郡	湖孰縣
					丹陽縣

					秣陵縣
					建康縣
					臨沂縣
					江乘縣
梁	國都	揚州		丹楊尹	江寧縣
				琅琊郡	秣陵縣
				南丹楊郡	建康縣
					丹·陽縣
					臨沂縣
					江乘縣
					費縣
					同夏縣

朝代	國都	道／州	府／軍	州／郡	縣
陳	國都	揚州		南丹楊郡	江寧縣
				琅琊郡	秣陵縣
				建興郡	建康縣
				丹楊尹	丹陽縣
					同夏縣
					臨沂縣
					湖孰縣
隋		揚州		蔣州	江寧縣
				丹楊郡	
唐		東南道行臺	揚州大都督府	揚州	丹陽縣
		江南東道	江寧軍	蔣州	安業縣
				潤州	

		浙江西道		江寧郡	歸化軍
				昇州	金陵縣
					白下縣
					江寧縣
					上元縣
五代吳	國都		昇州大都督府	昇州	上元縣
	齊國		鎮海軍		江寧縣
			建康軍		
			金陵府		
南唐	國都			江寧府	上元縣
					江寧縣
宋	昇國	江南東路	建康軍	昇州	上元縣（次赤）

	行都		帥府	江寧府	江寧縣（次赤）
				建康府	
元	懷王潛邸	江東道	建康路總管府	建康路	上元縣（倚郭）
		江浙省		集慶路	江寧縣（倚郭）
		江南諸道行臺			
明	京師	江南省	南京衛所	應天府	上元縣（赤縣）
			親軍衛		江寧縣（赤縣）
	南京	南直隸省	大都督府		
			五軍都督府		
清		江南江西總督治所		江寧府	上元縣（倚郭）
		江蘇省			江寧縣（倚郭）
太平天國	天京				

民國首都	江蘇省	江蘇都督府	南京府	南京市
		江蘇將軍行署	金陵道	江寧縣
		江蘇督軍公署		

疆域

首都在昔多或至六七縣．少或一二縣．疆域廣狹異焉．唐以前尙矣．宋承楊吳南唐之舊．設上元江寧兩縣．元明清因之．更易甚少．其幅員廣袤四至八到始可得而譜．

江寧縣幅員廣袤及四至八到道里表

見書	時代	東西	南北	東至	西至	南至	北至	東南到	西南到	東北到	西北到	所轄鄉鎮
景定建康志	宋	八十五里	九十八里	上元縣界一里以御街	和州烏江縣界四十里	溧水縣界九十三里以	上元縣界五里以金陵	句容縣界七十里以湖	太平州當塗縣界一百	上元縣界二十五里以	上元縣界五里以金陵	三鎮二十二鄉

				中分爲界	以鰻鰲洲大江中流爲界自界首至烏江縣一十五里	烏剎橋爲界自界首至溧水縣四十五里	鄉爲界	山鄉爲界自界首到句容縣九十里	六里以章公塘爲界自界首到當塗縣一十七里	崇禮鄉爲界	鄉爲界	
至正金陵新志	元	同上	同上	上元縣界舊以御街中分今抵錄事司城門爲界	同上	同上（溧水縣作溧水州）	同上	同上	同上（太平州作太平路）			二十三鄉八十六里
正德江寧縣志	明											編里七十有四坊廂三百有六鄉廿有一鎮四
南畿志	明											七十四里
後湖志	明											一百五里

見書	同治上江兩縣志
時代	清
東西	
南北	
東至	
西至	
南至	
北至	
東南到	
西南到	
東北到	
西北到	
所管鄉里	四路六十四圖附郭二十二鄉

上元縣幅員廣袤及四至八到道里表

見書	景定建康志	至正金陵新志
時代	宋	元
東西	九十五里	同上
南北	八十五里	同上
東至	句容縣界八十里以周郎橋中分爲界	同上
西至	江寧縣界一里以御街中分爲界	江寧縣界舊以御街中分今抵
南至	江寧縣界七十里以永豐鄉北白米湖爲界	
北至	眞州六合縣界四十九里以瓜步大江中流爲界	同上
東南到	句容縣界七十里以東陳村爲界自界首到句容縣三十五里	同上
西南到	江寧縣界四里以大豐鄉爲界	同上
東北到	句容縣六十里以章橋爲界自界首到句容縣八十里	同上
西北到	眞州六合縣界二十九里以湖熟大汀中流爲界自界首到六合縣八十五里	
所管鄉里	二鎭十八鄉同治上江志於景定志所載淳化土橋外尚有湖執石步二鎭一作二十一鄉	十八鄉五十八里

					錄事司城門爲界							
南畿志	明											十八鄉二百三里
後湖志	明											一百九十五里
康熙江寧府志	清	同上	同上	同上	同上	同上						
同治上江兩縣志	清											七區附郭十七鄉

同治上江兩縣志載江寧縣界幅員如下。

江寧縣爲省城附郭。與上元同城。境轄城之西南一面。自聚寶門直南至礮硊橋當塗上元兩界口。逕直六十三里。東南至上方鎮上元界口。逕直二十二里。南少東至三縣塘上元句容兩界口。逕直四十九里。南少西至陶山當塗界口。逕直五十八里。西南至和尙港當塗界口。逕直六十三里。自和尙港口北。東歷烈山大勝關至下關口。計迂曲江邊七十餘里。與江浦分界。江心自下關沿秦淮河。東南至上方門。自上方門不沿秦淮。由上元鎭至土山鎭。自土山鎭迤南。仍沿秦淮至烏刹橋。自烏刹橋不沿秦淮。西出磯砣橋。共計迂曲橋邊一百四十餘里。爲上元界。自磯砣橋西南至小丹陽。自小丹陽西北至和尙港口。計迂曲界邊六十餘里。爲當塗界。其東猴山嚴郎渡一帶。復有轄地一百六十餘方里。在上元溧水句容境內。隔秦淮一河。界不聯屬。全境地形斜方。而缺東面一角。南北最長處九十四里。東西最廣處七十里。統計積地三千四百十四方里。合一萬六千四百餘頃。

同治上江兩縣志載上元縣界幅員如下。

上元縣江寧府附郭首邑。境轄城東北一面。北寬南窄。自汊河口至烏刹橋一線下垂。又有越轄之地。故袤廣斜直。難以言狀。自神策門北至觀音門江邊。計逕直十四里。自聚寶門南至丁公山溧水當塗兩界口。逕直七十四里。自朝陽門東至湯水鎭句容界口。逕直四十里。其三山聚寶兩門卽與江寧分界。又自下關鎭江口東歷觀音門至三江口。計迂曲江邊八十餘里。與儀徵六合分界。江心自三江口。南歷龍潭湯水土橋至高陽橋。計迂曲界邊一百五十餘里。爲句容界。自高陽橋西南至烏刹橋。計迂曲界邊二十里。亦爲江寧界。自烏刹橋西南至丁公山。計迂曲界邊二十餘里。爲當塗

界自横溪橋東歴烏刹橋北循秦淮而上至下關鎮江口計迂曲界邊一百三十里爲江寧界統計積地三千三百四十一方里合一萬八千頃

民國二年併上元於江寧據十一年份江蘇省政治年鑑統市七鄉九面積三二、九四〇、〇〇〇畝

國民政府奠都南京分南京市江寧縣總理陵園三區

二十年省市議劃界未果實行時市區約一百五十七方公里縣區二千二百二十七方公里二十三年九月省市劃界實行交割四郊之地盡入市區東以烏龍山外郭遺址南以鐵心橋西善橋大勝關界江寧西以長江浦口鎮界江浦北以長江界六合面積增爲一千七百九十七方公里縣區降爲一千八百三十七方公里蓋市區在江寧境内者四五八、二〇四方公里在江浦境内者一九、六五〇方公里

省市劃界界標如下

第一號界標 在烏龍山砲台循砲台小路而下

第二號界標 在砲台下左首姚頭上鎮路旁以大路爲界路歸市府管轄路左民房歸縣

路右民房歸市。不數武轉灣。

第三號界標　在砲台下大路轉灣路口處。循大路至瓜沖。以大路爲界。路左歸縣。路歸市。

第四號界標　在瓜沖村莊大路左邊。（由砲台下大路而來）

第五號界標　在小揚明塘村莊路邊。（即通大揚明塘土路邊）循土路水溝至揚明塘。

第六號界標　在揚明塘村橋左。橋及溝屬縣。橋右歸市。

第七號界標　在揚明塘村晒場過去轉灣處。向堯化門大路前進。

第八號界標　在大崗叉路口。向堯化門大路前進。

第九號界標　在大崗南小橋叉路口。向堯化門大路前進。

第十號界標　在汪家邊村南塘邊。循向堯化門大路前進。汪家邊村歸市。

第十一號界標　在太平山下大路之岔路口。向堯化門大路前進。

第十二號界標　在六畝田埂之北。以田埂爲界。向堯化門大路前進。

第十三號界標　在六畝田埂之南。向堯化門大路前進。

第十四號界標　在繡塘頭（即謝崗頭）對面橋邊。向堯化門大路前進。

第十五號界標　在繡塘頭田邊轉角。向堯化門大路前進。

第十六號界標　在岔路旁（無地名）卽塘之右邊。向堯化門大路前進。

第十七號界標　在楊家橋邊。向堯化門大路前進。

第十八號界標　在謝家沖（卽薛家沖）夾路口。向堯化門大路前進。

第十九號界標　在土城頭岔路口。將至堯化門。

第二十號界標　在堯化門街北土城小路口。

第二十一號界標　在堯化門街北土堆下。

第二十二號界標　在堯化門街北民房牆角下。以小路爲界。

第二十三號界標　在堯化門東首轉灣處。以馬路爲界。路屬市。

第二十四號界標　在京滬路車站後大路邊。路屬市。

第二十五號界標　在堯化門東大路馬家場西口。

第二十六號界標　在入堯化門車站月台東口鐵路南。

第二十七號界標　在堯化門街後鐵路橋邊。

第二十八號界標　在堯化門街後鐵路橋邊過去數武土城根．循此土城至仙鶴門．土城歸市．

第二十九號界標　在仙鶴門街頭土城根．

第三十號界標　在仙鶴門門坡下東北隅．

第三十一號界標　在仙鶴門門坡下東南隅．

第三十二號界標　在仙鶴門街頭戲台旁土城根．土城屬市．

第三十三號界標　沿軍用大道．至上麒麟鎮界標在軍用大道左．上麒麟門及土城軍用大道屬市．下麒麟門屬縣．

第三十四號界標　沿土城循上甸村小道下坡界標在土城根．上甸村屬縣．土城屬市．

第三十五號界標　在上甸村南邊道旁．

第三十六號界標　在上甸村外小橋頭以下沿澗溝．以溝心爲界．

第三十七號界標　在中佘婆村東南澗溝邊．佘婆村屬市．

第三十八號界標　在蘇家橋邊．

第三十九號界標　在向上村前東南澗溝轉灣處．向上村屬市．

第四十號界標　在蘇家閘橋口。橋屬市。
第四十一號界標　在和尚橋北。橋屬市。
第四十二號界標　在板橋南頭。橋屬市。
第四十三號界標　在小水關橋頭。橋屬市。關內屬市。關外屬縣。小水關至高橋門。土城屬縣。
以上自第三十六號至四十三號。均以河心爲界。
第四十四號界標　在高橋門土城北城根高橋門小學校後身。學校屬縣。
第四十五號界標　在高橋門小圈門東。
第四十六號界標　在高橋門小圈門口。
第四十七號界標　在高橋門小圈門西。高橋門門坡下屬縣。
第四十八號界標　在高橋門東嶽廟前土城根。
第四十九號界標　在高橋門上城根。由高橋門至上方門。土城屬市。
第五十號界標　在上方門東土城外。四圩公所戲台及大橋屬市。龍窩漁利仍爲四圩公有。
第五十一號界標　在上方門西土城根。由上方門至夾崗門。土城屬縣。

第五十二號界標　在夾崗門圈門內。
第五十三號界標　在七城西與京湖路交接處。
第五十四號界標　在京湖路旁蕭家山路口（即小教山）山屬縣。
第五十五號界標　在蕭家山地北小路口小路屬市。
第五十六號界標　在牛王村東北塘邊路口牛王村屬市。
第五十七號界標　在牛王村西南小路口。
第五十八號界標　在牛王村西塘邊。
第五十九號界標　在牛王村西南岔路口沿大路至單家樓。
第六十號界標　在小圓塘東南角。
第六十一號界標　在單家樓村前單家樓全村屬市。
第六十二號界標　在河塘路邊。
第六十三號界標　在朱家牌樓村後全村屬縣沿路至花神廟。
第六十四號界標　在小路墳地旁路屬市。

第六十五號界標　在花神廟小路口。

第六十六路界標　在花神廟東南路邊。

第六十七號界標　在花神廟南邊。花神廟街市。及由花神廟至麻田橋大路。均屬市。

第六十八號界標　在麻田橋路東。橋屬市。由麻田橋至鐵心橋。均以溝心爲界。

第六十九號界標　在鐵心橋南京建路旁。橋與街市均屬市。沿至七十號界標。以溝心爲界。

第七十號界標　在司家崗（卽師家崗）東首溝旁。以下以小路爲界。小路屬縣。

第七十一號界標　在司家崗路旁。

第七十二號界標　在袁村東土崗下路口。路與大袁村均屬縣。小袁村屬市。

第七十三號界標　在小袁村西南岔路口。

第七十四號界標　在大葦村前。全村屬市。

第七十五號界標　在劉家村南。

第七十六號界標　在鑵子窖小路邊。

第七十七號界標　在西善橋汽車站對面小路旁。

第七十八號界標　在西善橋學校大門對面路旁．沿京蕪路南行．
第七十九號界標　在西善橋南頭河心爲界．橋屬市．
第八十號界標　在南河岔河口以河心爲界．
第八十一號界標　在格子橋邊．以河心爲界．橋屬市．
第八十二號界標　在大勝關南河口以河心爲界．

總理陵園區範圍．自中山門起．沿京湯路．至五棵松．轉入環陵路．繞鍾山尾．經靑馬黃馬上五旗下五旗至岔路口．折西經王家灣蔣廟至太平門．沿城垣回抵中山門爲止．東北兩面．以環陵路爲界．南面以京湯路爲界．西面自太平門至中山門以城垣爲界．其幅員奄有紫金山全部．面積約爲三〇・五八方公里．

首都距各地里數．諸書所載．不能盡合．有自其郡治言之者．有自一縣言之者．茲次爲表．

書名	地名	時代	
通典	丹楊郡（唐江寧）	唐	東至晉陵郡一百六十五里南至宣城郡四百五十里西至廣陵郡六合縣四百五十三里北至廣陵郡六十

	縣隸丹楊郡郡治在丹徒縣）		三里東南到晉陵郡一百九十六里西南到宣城郡界四百五十里西北到廣陵郡六十三里東北到廣陵郡界四十五里去西京二千六百四十三里去東京一千七百九十八里
元和郡縣志	潤州（唐上元縣屬潤州州治丹徒）	唐	西北至上都二千六百七十里西北至東都一千八百一十里東南至常州一百七十里北渡江至揚州七十里正南微西至宣州四十里
太平寰宇記	昇州（治上元）	宋開寶	西北至東京一千二百五十里北至西京一千七百里至長安二千里東至潤州一百八十里西至江北和州烏江縣五十五里北至江北揚州六合縣九十九里東南至常州安吉宜興兩縣爲界三百六十五里南至宣州三百六十里西南至太平州一百八十里東北至潤州一百九十五里西北至江北揚州宣化鎮四十里
元豐九域志	江寧府（治上元江寧二縣）（統五縣）	宋天禧	至東京一千四（江本作二）百四十五里東至本府界一百四十里自界首至潤州四十里西至本府界一十里自界首至和州八十三里南至本府界二百四十里自界首至宣州一百二十里北至本府界四十九里自界首至眞州一百一十里東南至本府界二百八十五里自界首至常州一百八十五里西南至本府界九十里自界首至太平州三十里東北至本府界一百三十

五里自界首至潤州四十五里西北至本府界二十二
里自界首至眞州一百二十七〔江浙本俱作九〕里

大明一統志　江寧府　明

東至鎮江府丹徒縣界一百三十里西至和州界八十
里南至太平府當塗縣界八十五里北至揚州府儀徵
縣界一百五十五里自府治至京師三千四百四十五
里

同治上江兩縣志　金陵　清

金陵至京師二千四百四十五里〔保定二千三百里
永平三千九百九十五里河間一千九百四十里眞定
二千一百里順德一千七百二十里廣平一千六百七
十五里大名一千四百四十里俱見明地理職官錄〕
至蘇州五百四十里〔松江八百里至鎮江一百八十
里常州三百六十里太倉五百七十里按明史至蘇五
百八十八里〕揚州二百里〔明地理職官錄三百三
十里〕淮安五百里徐州七百三十里〔明史一千里〕
通州五百三十里海州八百二十里安慶五百四十
里〔明史六百五十里地理職官錄七百四十五里至
徽州七百二十里寧國四百二十里池州六百里太平
一百五十里廬州五百四十里鳳陽三百三十里滁州
百四十五里和州百三十里廣德五百里餘未聞〕濟
南千八百五十里太原二千四百里開封千一百七十
五里西安二千四百三十里蘭州四千零五十里成都
七千二百六十里〔雅州七千七百里重慶六千五百
里〕杭州九百里南昌千五百二十里武昌千七百一

南京之地理環境	首都	現在	在長江南岸由此順流而下至鎮江六十五英里至上海吳淞口二百二十英里溯江而上至蕪湖五十英里至漢口三百七十英里
中國經濟志	南京市	民國十六年後	在長江下游東岸東距揚子江口約四百公里由鐵道直達上海約三百一十公里西距漢口七百二十八公里東距三藩市一萬零五百五十一公里西距倫敦一萬九千九百零九公里紐約二萬三千三百六十三公里南距星加坡四千六百二十五公里四面環以城垣長約三四・二三公里
			十五里（漢陽千七百八十里荆州二千一百七十五里）長沙二千四百二十五里（岳州二千二百二十五里辰州三千五百里常德二千七百六十五里湖北之施南五百五十里）福州二千八百七十二里廣州四千二百九十里（廉州五千六百二十里瓊州六千又四十五里）桂林四千二百九十里雲南七千二百里（永昌八千三百又六十五里）貴陽四千二百五十里（遵義六千七百里）小有差池所不免也（按自江縣東至句容九十里東南至溧水百四十里西北至江浦四十里北至六合百十五里南至高淳二百四十里）

南京經緯度表

測量者	地位	緯度	經度
徐家匯天文台蔡台長Chevalier	南京鼓樓	$32^{\circ}03'37''.5$	$7^{h}55^{m}05^{s}.9$
O.S.O.美國出版南京圖	南京鼓樓	$32^{\circ}03'37''.3$	$7^{h}55^{m}07^{s}.5$
天文研究所高平子	南京鼓樓	$32^{\circ}03'38''$	$7^{h}55^{m}06^{s}.2$
陵園全圖	陵園	$32^{\circ}0'46''$	$7^{h}55^{m}1^{s}.22$

城垣

首都之有城．自越城始．

【肇域志】古越城．按宮苑記．周元王四年．越相范蠡所築．〔越臺在聚寶門外西南角．按圖經云城周迴二里八十步．在秣陵縣長干里．遺址類臺．恐即范蠡所築臺也〕在今瓦官寺南望國門橋西北．郡國志云．在縣南六里．東甌越王所立．吳王濞敗．保此城．復走丹徒．晉王含以水陸五萬逼溫嶠．燒朱雀航以挫其鋒．遂潛師渡水．大破含軍於越城南．盧循犯建康．劉裕恐其侵軼．周虞邱進計伐木柵石頭城．修治越城．齊崔慧景反．蕭懿入援．自采石濟岸．頓越城．梁武師次新林．遣王茂據越城．城東南角近故城望國門橋西北．卽吳牙門將軍陸機宅．故機入晉作懷舊賦．望東城之紆徐．卽此．實錄注云．越城．江上鎮．今淮水南一里半廢越城是也．今江寧縣尉廨後遺址尚存．與天禧寺相對．俗呼爲越臺．今聚寶門外報恩寺南小巷內是其地．

其次金陵邑城．卽石頭城也．

【肇域志】楚金陵邑城．周顯王四十八年楚滅越．乃因山立號．置金陵邑．今名石頭城是也．秦始皇二十六年改爲秣陵縣．乾道志金陵邑城在清涼寺西．去臺城九里．南開二門．東開一門．史記楚威王大敗越．殺王無疆．盡取吳故地．圖考今石城門北岡壟削絕．皆城故區．

【建康志】引江乘地記云．石頭山嶺嶂千里．相重若一．游歷者以爲吳之石城．猶楚之九疑也．山上有城．因以爲名．後漢建安十六年吳孫權乃加修理．改名石頭城．用儲軍糧器械．今清涼寺西是也．

【嘉慶府志】孫吳卽其地築城．曰石頭城．卽今石城門．近清涼門處．隋置蔣州城．唐韓滉五城．皆相去不遠．

其次丹楊郡城。

【肇域志】引宮苑記。在長樂橋東一里。南臨大路。城周一頃。開東南北三門。今武定橋東南有長樂橋。蓋自聚寶門城東角之外皆是。漢元封二年。置丹楊郡。至晉太康中始築城。宋齊梁陳因之不改。

吳築都城。規模始備。

【實錄】吳黃龍元年。徙都建業。築都城於淮水北五里。

南朝因之。益勤營作。有曰冶城。吳冶鑄之地也。

【建康志】金陵有古冶城。本吳冶鑄之地。世說敍錄云。丹楊冶城去宮三里。今天慶觀卽其地。　晉元帝大興初。以王導疾久。方士戴洋云。君本命在申。而申地有冶。金火相鑠。不利。遂移冶城於石頭城東。　梁紹泰元年。陳霸先使合州刺史立柵於冶城。

有曰東府城。晉宰相之所居也。

【建康志】晉安帝義熙十年冬。城東府。在青溪橋東。南臨淮水。周三里九十步。去臺四里。簡文爲王時舊第。後爲會稽王道子宅。道子錄尚書事。以爲治所。時人呼爲東府。

【同治上江志】自後常爲宰相府第．今通濟門左右是其地也．

有曰西州城．晉刺史之所理也．

【建康志】卽古揚州城．漢揚州治曲阿．晉永嘉中遷於建康．王敦始爲建康叛立州城．卽此城也．案建康實錄所置．西則冶城．東則運瀆．

【同治上江志】晉揚州刺史治所．胡氏曰．揚州刺史治臺城西．故曰西州．或曰城在臺城西．故名．宋大明中以東府爲諸王邸．西州爲丹陽尹治所．今府學西望仙橋一帶是也．　有烏榜邨．建康志引圖經云．初立西州城．未有籬門．但立烏榜．遂以名邨．

有曰東宮城．宋太子之所宅也．

【肇域志】古東宮門．按宮苑記．南面正中曰承華門．直南出路東有太傅府．次東左詹事府．又次東左率府．路西有少傅府．次西右詹事府．又次西右率府．東面正中曰安陽門．西對溫德門．西面正中曰則天門．西直對臺城東華門．東率更寺．西家令寺．次西太僕寺．更西有典客省．

有曰倉城．宋儲蓄之所資也．

【建康志】在石頭城內。宋元嘉二十七年魏人至瓜步。丹陽尹徐湛之守石頭倉城。即此。

皆不出都城之內。

都城經東晉齊梁未嘗改築。城周凡二十里一十九步。在覆舟山南。淮水北五里。

【建康志】引宮苑記

有門十二。

【史若川六朝故城圖考】都城南面四門。中宣陽門。一名白門。次東開陽門。後改津陽。最東清明門。最西陵陽門。後改廣陽。一名尙方。北面四門。中廣莫門。陳改北捷。次西玄武門。齊改宣平。最東延熹門。最西大夏門。東面二門。中建春門。後改建陽。南東陽門。西面二門。中西明門。南闔闔門。案史廣言六門。而宮苑記之門迺有十二。建康志所謂六爲正門。六爲偏門者是也。　吳是儀宅在西明門外。晉杜姥宅在宣陽門內宮門外。晉成帝杜后母裴氏所居。又宋沈慶之宅在淸明門外。

【肇域志】古都城門。晉書成帝作新宮。繕苑城。修六門。實錄注云。六門都城門也。晉初但有陵陽門。

改爲廣陽門。內有右尙門。世謂尙方門。次正中曰宣陽門。本吳所開。對苑城門。世謂之白門。晉爲宣陽門。門三道。上起重樓懸楣。上刻木爲龍虎相對。皆繡栭藻井。南對朱雀門。相去五里餘。次最東曰開陽門。宋元嘉二十五年改爲津陽門。東面最南曰清明門。門三道。對今湘宮寺巷門。東出青溪橋巷，尙書下舍在此門內。正東曰建春。後改爲建陽門。門三道。（晉書安帝紀。盧循入寇。廣武將軍劉懷默屯建陽門。庾亮傳。蘇峻反。亮與戰於建陽門外。）正西曰西明門。門三道。東對建春門。卽宮城大司馬門前橫街。是最南曰閶闔門。南直對東陽門。詳考宮苑記。陵陽宣陽開陽三門。與實錄所嚮皆同。惟清明門在南面最東。而實錄乃在東面最南。今以宮苑記北對延熹門證之。卽實錄誤。又實錄云。正東曰建春。正西曰西明。宮苑記乃在東西面之最北。其最南又有東陽閶闔二門。（晉書康帝記。葬成皇帝於興平陵。帝跣行至閶闔門。升素輿至於陵所。）蓋實錄都城止六門。而宮苑記之門乃十有二。宋紀獨載元嘉二十五年新作閶闔廣莫二門。其餘延熹玄武大夏東陽四門。不見建立之始基。實錄元嘉二十五年四月新作閶闔廣莫等門。改先廣莫曰承明。開陽曰津陽。然則此六門皆同時作。史略之爾。然東西二門相對。實錄宮苑記皆云大司馬門前橫街。則知東西舊止二門。各正所嚮。後又增立二門。故以南北別之也。又按宋元凶劭作亂。閉守六門。於門內鑿塹立柵。齊建元中始立六門。都牆。梁侯景濟江。韋黯屯六門。皆止言六門。而元凶劭傳云。同逆先屯閶闔門外。臧質從廣莫門入。乃知六門爲正門。後所立六門。皆便門也。故史不載。閶闔廣莫等門作於元嘉二十五年。元凶之亂乃三十年云。　宣陽門本洛京舊名。今中正街府軍營內小橋。當是其處。晉書成帝紀蘇峻反。庾亮敗於宣陽門內。孝武帝紀太元十四年秋七月甲寅。宣陽門四柱災。南史宋明帝時有人謂宣陽爲白門。以爲不祥。甚諱之。明帝紀宣陽門民間謂之白門。上以白門之名不祥。甚諱之。尚書右丞江謐嘗誤犯。上變色曰。白汝家門。謐稽首謝。久之乃釋。　西明門宋武帝紀徐羨之往西州。高祖嘗思之。便步出西掖門。及羽儀絡繹追之。已出西明門矣。　廣莫門洛京舊名。晉書成帝紀成康元年三月癸丑。帝觀兵於廣莫門。王曇首傳元嘉四年車駕出北堂。使三更竟開廣莫門。宋書臧質傳率所領自白下步上。直至廣莫門。

內爲宮城。卽世所稱臺城也。周六里一百十步。有門八。

【方輿紀要】引建康宮闕簿云。吳大帝所築苑城也。晉咸和中修繕爲宮。謂之宮城。世曰臺城。

【方輿崖略】孫吳六朝宮城在漢府珍珠河之間。

【肇域志】臺城一曰苑城．本吳後苑城．晉成帝咸和中新宮成．名建康宮．卽世所謂臺城也．圖考今西十八衞以南．玄津橋大街以北．皆是在上元縣東北五里．周八里．濠闊五丈．深七尺．今胭脂井南至高陽樓基二里．卽古臺城之地．盡爲軍營及居民蔬圃．實錄注苑城卽建康宮城．吳之後苑地．一名建平園．又云．臺城南正中大司馬門．南對宣陽門．相去二里．宣陽卽苑城門．則臺城在苑城內明矣．宮苑記云．古臺城卽建康宮城．本吳後苑城．晉咸和中修繕爲宮．晉書成帝紀．咸和四年兵火之後．宮闕灰燼．以建平園爲宮．輿地志云．都城南正中宣陽門．對苑城．其南直朱雀門．正北面宮城．無別門．乃知苑城卽宮城．在都城內近北．明矣．臺城南面開四門．北面二門．東西面各一門．宮城內有所立宮牆．周迴五百七十八丈．南面開二門．北面二門．東西面各一門．第三重宮牆．南面一門．東西面各一門．又云．同泰寺南與臺城隔路．今法寶寺及圓寂寺．卽古同泰寺之基．故法寶寺亦名臺城苑．以此考之．法寶圓寂二寺之南．蓋古臺城地也．晉書成帝時．蘇峻作亂．焚燒宮室．溫嶠以下．咸議遷都．王導固爭不許．咸和五年作新宮．始繕苑城．六年遷於新宮．卽此城也．唐史張雄使別將趙暉據上元．暉負其才．欲治臺城爲府．是此城唐末尙存．至楊吳時改築而城遂廢矣．〔陳同甫言臺城東環平岡以爲安．西城石頭以爲重．帶玄武湖以爲險．擁青溪秦淮以爲阻．而地當南唐宮之東北．

在今上元縣東北府庫倉花牌樓等處。陳魯南金陵圖考證六朝司馬門在中正街。按六朝都城東阻於白下橋。卽今之大中橋也。中正街距大中橋甚近。臺城偏倚一隅。恐難立址。記又言六朝都城北距雞籠覆舟等山。亦恐誤。晉元明成哀四帝陵。並在雞籠山下。若城帶諸山。恐無倚城起陵之理。余臆斷六朝都城。亦當如南唐。北止北門橋之南岸。玄圃華林樂游諸苑。或是城外離宮。未必盡括城內也」

建康宮。晉成帝咸和七年新宮成。名曰建康宮。開五門。南面二門。東西北各一門。宋文帝元嘉二年於臺城東西開萬春千秋二門。陳宣帝太建二年改作雲龍神武二門。按建康實錄注。南面二門。正中曰大司馬門。世所謂章門。拜章者伏於此門待報。南對宣陽門。相去二里。夾道開御溝。植槐柳。世或名爲闕門。近東曰閶闔門。後改爲南掖門。門三道。世謂之天門。南直蘭臺宮西大路。出都城開陽門。其北面平昌門。則上有爵絡。世謂之冠爵門。南對南掖門。宋永初中改宮城北平昌門爲廣莫門。元嘉二十五年改先廣莫門曰承明門。又云南面端門。夾門南大鼓在兩塾之南。並三丈八尺圍。用開閉城門。日中晡時及晚。並擊以爲節。夜又擊之以持更。東西二門。考之實錄。已不可見。可見者惟南面二門。與北面一門而已。又按宮苑記。晉成帝修新宮。南面開四門。最西曰西掖門。門三道三重樓。正中曰大司馬門。門三道。起三重樓。直對宣陽門。次東爲南掖門。宋改閶闔門。陳改端門。南直對津陽門。北對應門。最東曰東掖門。門三道。南直對蘭臺路。東面正中曰東華門。門三道。晉本名東掖門。宋改萬春門。（宋文帝元嘉二十八年正月於臺城東西開萬春千秋二門。）梁改東華門。北面最東曰承明門。門三重。（宋元嘉二十五年四月乙巳新作閶闔廣莫二門。改先廣莫曰承明。開陽曰津陽。）本晉平昌門。南直對東掖門。東掖疑即南掖。最西曰大通門。門三重。西面正中曰西華門。晉本名西掖門。宋改千秋門。梁改西華門。凡八門。比建康實錄所載多五門。梁天監十年初作宮城門。三重樓及門三道。又按宮苑記建康宮城內有兩重宮牆。南面開二門。西曰衙門。隱不見。南直西掖門。東曰應門。晉改名止車門。南直對端門。即晉南掖門也。東面正中曰雲龍門。北面正中曰鳳莊門。近西曰鸞掖門。西面正中曰神武門。凡六門。第三重宮牆東直對牆。南面正中門曰太陽。晉本名端門。宋改爲南中華門。東面正中曰萬春門。直東對雲龍門。西對千秋門。西面正中曰千秋門。西對神武門。東對萬春門。凡三門。建康實錄皆不載。以宮殿證之。雲龍門是第二重宮牆東面門。對第三重宮牆萬春門。神武門是第二重宮牆西面門。對第三重宮牆千秋門。東西相望。按圖可考。足以想見臺城門闕之盛。然晉成帝時已有雲龍門。蘇峻作亂。前將軍羊曼率文武守此門是也。大司馬門。今西華門西大街。當是大司馬門處。（梁紀湘東王曰。六門之內。自極兵威。注臺城六門.大司馬門萬春門東華門西華門太陽門承明門〕三國典略侯景攻臺城.燒大司馬門.後閤舍人高善寶以私金千兩賞將士.直閤將軍宋思領將士數人踰城出外灑水.久之火滅.景又遣持長柯斧入門下.斧門將開.羊侃鑿爲孔.以槊刺倒二人.斫者乃退.　南掖門.宋書臧質傳.薛安都程天祚等亦自南掖門入.與質同會太極殿.生擒元凶.升平五年南掖門馬足陷地.得銅鍾一.有二四字.楊公則自越城移屯領軍府壘.北樓與南掖門對.　雲龍門.晉蘇峻之亂.丹楊尹羊曼勒兵守雲龍門.宋劉湛初入朝.善論政道.幷前代故事.聽者忘疲.旦入雲龍門.御者便解駕.左右羽儀分散.不夕不出.侍中司徒尚書令謝朏足疾.不堪拜謁.乃角巾自輿詣雲龍門.　神武門.一曰神虎門.晉書海西公紀.帝著白袷單衣.步下西堂.乘犢車出神獸門.晉書孝武帝紀.寧康三年十二月甲申.神獸門災.宋書傳亮傳.永初元年.爲中書令.直中書省.專典詔令.以亮任總國權.聽于省見客.神虎門外.每旦車常數百兩.宋書鄭鮮之傳.詣神虎門求啓事.齊陶宏景爲高諸王侍讀.奉朝請.旣而脫朝服.掛神虎門.上表辭祿.詔許之.宋武帝紀.性尤簡易.常著連齒木屐.出神虎門逍遙.　平昌門.今成賢街南口.當是平昌門處.宋劉延孫爲尙書左僕射.疾病不任拜起.上使乘舟自靑溪至平昌門.入尙書下舍.

【六朝故城圖考】臺城南面四門．中大司馬門．次東南掖門．梁改端門．最東東掖門．次西西掖門．北面二門．東平昌門．宋改廣莫．又改承明．齊改北掖．西大通門．東面一門．中東中華門．梁改東華．西面一門．中西中華門．梁改西華．其第二重宮牆．南面二門．東止車門．西衙門．北面二門．中鳳莊門．西鸞掖門．東面一門．中雲龍門．西面一門．中神虎門．其第三重宮牆．南面一門．中晉端門．宋改南中華．梁改太陽．北面一門．中徽明門．東面一門．中萬春門．北面一門．中千秋門．

吳時宮門．南臨淮水．有朱雀門．夾路台省相望．列植槐柳．

【肇域志】古朱雀門．宮苑記．吳立．初名大航門．南臨淮水．北直宣陽門．去臺城可七里．又按地圖．去宣陽門六里．名爲御道．夾開御溝．植柳．南渡淮．出國門．去國門五里．晉成帝咸康元年．更作朱雀門．對朱雀浮航．南渡淮水．宋大明五年．立馳道．自閶闔門至朱雀門．六年．又新作大航門．孝武太元三年．又起朱雀門．重樓皆繡栭藻井．門開三道．上重曰朱雀觀．觀下門上有兩銅雀．懸楣上刻木爲龍虎．對立左右．宋大明五年．改爲右阜門．梁大同三年．復改朱雀門．以金陵圖考之．當在今鎮淮橋北左南廂． 吳時自宮門南去．夾苑路至朱雀門．七八里．府寺相望．吳都賦列寺七里．廨署棊布．見諸志者曰三臺五省故事三臺在城東南一里宮苑記蘭臺在杜姥宅東南端門街東逼東陽門橫街謁者臺御史臺並在其內故事五省在三臺路北苑城記三臺五省悉列種槐木

又淮水南北兩岸自晉以來設籬門五十六所謂之郊門亦曰籬門

【建康志】引宮苑記舊京邑南北兩岸籬門五十六所蓋京邑之郊門也江左初立並以籬爲之齊高帝建元元年有發白虎樽言白門三重門竹籬穿不全帝感其言爲立都牆本紀建元二年立六門都牆是也而世仍謂爲籬門東籬門本名肇建籬門在古肇建市東西籬門在石頭城東南籬門在國門之西北籬門在覆舟山東玄武湖東南角有亭名籬門又有三橋籬門在光宅寺側白楊籬門石井籬門在護軍府　西籬門外路北齊東昏時陳顯達舉兵官軍敗之於西州斬於籬門側始安王遙光據東府反使左興盛屯於東籬門梁書何點與陳郡謝瀹吳國張融會稽孔稚圭爲莫逆友從第遁以東籬門園居之稚圭爲築室焉園內有卞忠貞家點植花冢側每飯必舉酒酹之崔慧景與江夏王寶玄舉兵東昏遣將軍左興盛率臺內三萬人拒慧景於北籬門梁高祖起義命陳伯之進據籬門天監八年新作緣淮塘南岸起後渚籬門達於三橋

渡淮五里有國門.

【肇域志】古國門. 江寧圖考.宋于朱雀門之南.渡淮五里.又立國門.在長干東南.以示觀望.梁天監七年作國門于越門南.在今高座寺東南.澗橋北.越城東偏.

望國門.

【肇域志】古望國門.南史侯景反.帝令羊侃率千騎頓望國門.其地在越城東南.

此六朝建置大略也.

隋平江南.城邑宮室.並從剗削.其遺蹟鮮有存者.

【建康志】隋開皇九年平陳.詔建康城邑宮室.並平蕩耕墾.

楊吳時跨淮立城.周圍二十五里.凡八門.

【五代史】梁貞明六年.徐溫遣陳彥謙城金陵.後唐長興三年.徐知誥復廣金陵城.周二十里.爲八門.東西南北四門.而外泝淮水而東者爲上水門.沿淮水而西者爲下水門.西之南曰柵寨門.又西南爲龍光門

【建康志】建康府城周二十五里四十四步。上闊二丈五尺。下闊三丈五尺。高二丈五尺。內臥羊城。闊四丈一尺。楊吳順義中所築也。六朝舊城在北。去秦淮五里。故淮上皆列浮航。緩急則撤航爲備。楊吳沿淮立柵。前史所謂柵塘是也。至楊溥時徐温改築。稍遷近南。夾淮帶江。以盡地利。城西隅據石頭岡阜之脊。其南接長干山勢。又有伏龜樓在城上東南隅。自開寶尅復昇州。城郭皆因其舊。今府城八門。由尊賢坊東出曰東門。由鎮淮橋南出曰南門。由武衛橋西出曰西門。由清化市而北曰北門。由武定橋泝秦淮而東曰上水門。由飲虹橋沿秦淮而西出折柳亭之前曰下水門。由斗門橋西北出曰龍光門。由崇道橋西出曰柵寨門。

【肇域志】引乾道志云。柵寨門在城西門近南。鑿成立柵。通運瀆。後置閘以洩城內水入江。

內爲子城。

【方輿紀要】周四里有奇。亦曰牙城。有東西南三門。而無北門。

蓋稍遷近南矣。

南唐都城因楊吳之舊。改子城曰宮城。

【建康志】晉天福二年徐知誥改牙城曰宮城．

【客座贅語】南唐故宮．在今內橋北．上元縣中兵馬司盧妃巷是其地．相傳內橋爲宮之正門所直．南宋行宮亦在此地．改內橋爲天津橋．而橋北大街．東西相距數百步．有東虹西虹二橋．東虹自上元縣左北達娃娃橋．有石嵌古河遺跡．西虹在盧妃巷西．穿人家屋而北達園地．亦有石嵌河蹟．土人言此南唐護龍河者是也．自盧妃巷北直走里許．又有一橋．亦名虹橋．而東虹西虹兩橋北達之水．環絡交帶．俱綰轂於此．想當日宮內．小河四周相通．形蹟顯明．第近多湮塞．不復流貫耳． 南唐都城．南止於長橋．北止於北門橋．蓋其形局前倚雨花臺．後枕雞籠山．東望鍾山．而西帶冶城石頭．四顧山巒．無不攢簇．中間最爲方幅．而內橋以南大衢．直達鎮淮橋．與南門．諸司庶府．拱夾左右．垣局翼然．當時建國規模．其經畫亦不苟矣．

【肇域志】南都城高堅甲於海內．自通濟門起至三山門止一段．尤爲屹然．聚寶門左右皆巨石砌至頂．高數丈．吾行天下．未見有堅厚若此者也．陸游老學庵筆記言建康城李景所作．其高三丈．因江山爲險固．其受敵爲東北兩面．而濠塹重複．皆可堅守．至紹興間已二百餘年．所損不及十之一．按志言國初拓都城．自通濟門東轉北而西．至定淮門．皆新築．通濟門以西至清涼門．皆仍舊址．然則前所言堅固巨石者．當猶是景之遺植也．

宋室南渡．號子城曰皇城．略加修治．規畫不改．

【建康志】紹興初略加修固．乾道五年留守史正志因城壞復加修築．增立女牆．景定元年大使馬光祖以開濠之土．培厚城身．創硬樓四所．一百七十八間．又於柵寨門創甕城及硬樓七間．門六扇．皆裹以鐵．圈門一座．址以武石．臺二座．鐵水窗二扇．

城浚濠四千七百六十五丈有奇．以深丈五闊三十丈爲率．城之外．濠之裏．皆築羊馬牆．其長如濠之數．

明洪武二年始建都城．六年八月工成．迺益廓而大之．東連鍾山．西據石頭．南阻長干．北帶後湖．凡周六十有一里．

【南京之地理環境】南京城周舊稱九十六里．其實祇有六十一里．但其長度已爲世界第一．城之高度有在六十呎以上者．最低亦有二十呎．平均在四十呎以上．垣頂之闊．除一小段外．皆在二十五呎以外．最廣處達四十呎．且已鋪石爲道．城以花岡石爲基．巨磚爲牆．又以石灰秫米錮其外．故

任指一處擊視之皆作純白色是以崇垣屹立歷數百年巍然無恙

【肇域志】引提督劉良佐疏城周五十七里五分垛口一萬三千六百一十六個窩鋪二百座

有門十三

【洪武京城圖考】惟南門大西水西三門因舊更名聚寶石城三山

南曰正陽門

【南都察院志】本門衝要東至朝陽門界西至通濟門界長九百零八丈垛口一千三百二十六座

城下門券一層月城一座

正陽之西曰通濟門

【南都察院志】本門衝要東至正陽門界西至聚寶門界長五百一十一丈七尺垛口七百四十四座城下門券四層

又西曰聚寶門

【南都察院志】本門衝繁東至通濟門界西至三山門界長九百五十三丈五尺垛口一千二百零

二座。城下門劵四層。

西南曰三山門。

【南都察院志】本門衝繁。南至聚寶門界。北至石城門界。長七百一十五丈。垛口八百六十四座。城下門劵四層。右邊水關一座。

曰石城門。

【南都察院志】本門衝繁。南至三山門界。北至清江門界。長三百九十七丈。垛口六百五十四座。城下門劵二層。

西曰清江門。

【南都察院志】本門幽僻。東至石城門界。西至定淮門界。長七百二十五丈。垛口一千五十座。

清江之右曰定淮門。

【南都察院志】本門幽僻。南至清江門界。北至儀鳳門界。長一千七十五丈。垛口一千五百二十八座。

曰儀鳳門.

【南都察院志】本門衝要.南至定淮門界.北至鍾阜門界.長五百八十丈.垛口八百座.城下水洞二座.

由儀鳳門迤邐而北.曰鍾阜門.

【南都察院志】本門荒僻.南至金川門界.北至儀鳳門界.長五百十四丈五寸.垛口七百五十座.

又北曰金川門.

【南都察院志】本門衝要.東至神策門界.西至鍾阜門界.長七百三十五丈.垛口一千零五十座.

曰神策門.

【南都察院志】本門荒僻.東至後湖小門界.西至金川門界.長九百九十五丈.垛口一千五百五十九座.西邊方垛六十四座.以鎮後湖.下沙外面甃城方垛一百零八座.以映北固山.

曰太平門.

【南都察院志】本門衝要.東至朝陽門界.西至後湖小門界.長八百四十五丈.垛口一千三百二十

七座.本門券上城垛實砌垛口三十一座.

【南都察院志】本門僻靜.南至正陽門界.北至太平門界.長七百五十四丈五尺.垛口一千零五座.

城下水關一座.

東曰朝陽門.

【金陵古今圖考】自舊東門外截濠爲城.沿淮水北崇禮鄉地.開拓八里.增建南出者二門.曰通濟正陽.自正陽以東.而北建東出者一門.曰朝陽.自鍾山之麓.曰龍廣山.圍繞而西.抵覆舟山.建北門.曰太平.又西據覆舟雞鳴山(卽雞籠山)緣湖水以北.至直瀆山而西八里.又建北出者二門.曰神策.金川.自金川北繞獅子山(卽盧龍山)于內.雉堞東西相向.亦建二門.曰鍾阜.儀鳳.自儀鳳迤邐而南.建定淮.清涼二門.以接舊西門.而周.東盡鍾山之南岡.北據山控湖.西阻石頭.南臨聚寶.貫秦淮於內外.橫縮屈曲.計周九十六里.

外垣倍焉.

【肇域志】引明太祖實錄.洪武二十三年四月庚子.置京師外城門.

【南京之地理環境】外郭周圍約一百二十里。今岡阜絡繹。俗呼爲土城頭者卽此。

門有十八。東六。曰姚坊。

【同治上江志】有慈仁寺。舊名戒壇院。宣德二年重建。見南都察院志。今廢。

曰僊鶴。

【同治上江志】有僊鶴觀。南都察院志。漢建。萬曆間重修。今廢。

曰麒麟。

【同治上江志】有本業寺。實錄梁天監中建。本釋靜玉捨宅。南唐保大間重修。有唐乾德中碑。謝靈運墓在焉。惠運墓亦與寺相近。又有普濟寺。金陵新志載實錄梁頭陀寺。在蔣山頂。後徙置山下。宋治平間改額普濟。今寺名正同。而地亦相近。或卽古頭陀寺也。今並廢。又張莊節公可大墓在侯家塘。坦然先生周文煒墓在鎖石邨。並麒麟門外。

曰滄波。

【同治上江志】有隱靜寺。黃楊樹高丈許。大可數圍。僧云。建寺時所植。寺創自劉宋時。見朱應昌洗影樓集。今廢。

曰高橋。

【同治上江志】有神祇壇。又有莊嚴寺。呂志案謝尙捨宅造莊嚴寺。在城中竹格渡。宋大明中路太后別造莊嚴寺於城西南樂園。改謝寺爲謝鎭西寺。謝寺經陳太建元年燬。宣帝敕改興寧寺。不知何年徙此。今並廢。又有陳高祖萬安陵。在高橋門外。古彭城驛。今名沙子崗。又名石馬衝。石獸見存。見朱緒曾北山集。

曰雙橋。南六。曰上方。

【同治上江志】有玉虛觀。舊說吳時建。南唐保大構殿宇。明萬曆重修。今廢。

曰夾岡。

【同治上江志】有明國子監司業景瑒墓。袁志有到駕橋。因明祖駐蹕得名。俗呼爲宋家橋。

曰鳳臺。

【同治上江志】有元費太初。明鄭國公馮國用。忻城伯趙彝。太子少保童軒。僉事沈琮諸墓。又有白雲寺．一名永寧寺．金陵瑣事有蒼蔔花一叢．迺三寶太監西洋取來者．花瓣似蓮花．淡黃．佛經云蒼蔔花作金色者是也．又有白家湖．去鳳臺門外十里．見客座贅語．

曰馴象．

【同治上江志】有馴象街．佟志．洪武中牧象於沙洲鄉．道經此．故名．一名宰相街．相傳王溥曾居此．後爲經廠庵．明永樂皇后建．賜碧玉鎮殿．西洋槐二株．刻藏經板貯內．今廢．又有竹西書院．萬曆中余中丞大成立．見金陵詩匯．

曰大安德．

【同治上江志】有天隆寺．寺內有象皮鼓．甚大．見北山集詩注．又有浙東會館．今廢．

曰小安德．

【同治上江志】有普化寺．夏國公顧成墓在焉．又有南寧伯毛元．安慶守備楊銳諸墓．

西南二．曰石城關．曰江東．

【同治上江志】舊有黃侍中祠．見杜岕些山集．又有崇明會館．

北四。曰外金川。曰佛寧。曰觀音。

【同治上江志】有上元縣丞署。今未建。又有清真寺。乾道志云。舊名清元寺。梁大通年建。後廢。唐大中間復建。有梁時佛像。宋建炎中燬。明重修。今廢。

曰上元。

【同治上江志】有新設長江水師金陵營參將署。

案金陵古今圖考僅載十五門。志雙橋石城關外金川三門。肇域志安德不分大小。無石城關。爲十六門。今依同治上江志引南都察院志。

郡城之東。鍾山之陽。皇城奠焉。

【肇域志】皇城居極東偏。正門曰洪武。與都城正陽門直對。在宋元東城之外。燕雀湖地。其西安門以北宮牆。卽古都城之古址。東出青溪橋處也。

【鍾南淮北區域志】洪武初將建宮闕。卜地于山陽。塡前湖而築之。〔前湖卽太子湖。一名燕雀湖。梁昭明遺迹也。今旣塡塞。猶留一泓於城外。〕周以紫禁城。正南曰洪武門。〔今圮。以正陽門當之。〕

轉而向東者曰長安左門．再北曰東華門．向西者曰長安右門．再北曰西華門．正北曰北安門．俗稱厚載門．此外圍之六門也．宮門向南第一重門曰承天門．內東太廟．西社稷壇．二重門曰端門．端門

明故宮瓦當

北有左右闕門．右曰象魏．三重門曰午門．午門以內爲大內．由魏闕中分而東西者．曰左掖門．右掖門．轉而向東者曰東安門．向西者曰西安門．正北曰玄武門．此內圍之六門也．午門前後有護城河二道．橋其上．數各五．曰內五龍橋．外五龍橋．其在東長安門外者曰青龍橋．在西長安門外者曰白虎橋．以象天津之橫貫焉．午門之內曰奉天門．左曰東角門．右曰西角門．門皆有樓．東角之南曰左順門．西角之南曰右順門．左順門之

南有文淵閣。再東有文華殿。右順門之西有武英殿。奉天門內居中向南者曰奉天殿。（明方正學孝孺被刑時血迹石數塊。今已起立而以屋覆之。）殿旁左向西者曰文樓。右向東者曰武樓。南北連屬穿堂上有滲金頂者曰華蓋殿。殿旁東曰中左門。西曰中右門。再北曰謹身殿。殿後居中向南。爲乾清宮之內門也。門外左右金獅各一。門內丹陛數重。爲乾清宮大殿。殿左曰日精門。殿右曰月華門。殿之東西有斜廊。廊之後左曰東暖閣。右曰西暖閣。皆南向。再北則穿堂。居中圓殿曰交泰殿。滲金圓頂如華蓋殿式。再北曰坤寧宮。皇后所居也。又有二殿曰柔儀春和。別殿也。（以上故宮規制。皆據陳沂南畿志舊志及酌中志。）太子講學處曰大本堂。疑在文華殿之側。前朝後寢。宮城之大概如此。成祖北遷燕京。宮室猶彷彿金陵之制焉。

清設省。治閉清涼鍾阜定淮金川四門。

【新京備乘】按明季金川鍾阜儀鳳門塞。清初神策清涼（即清江）門亦閉。順治間總化鳳開神策門。殲海寇。因改名得勝門。同時他將開儀鳳門出迄今二門開。金川鍾阜清涼仍塞。定淮門道光中塞。光緒末端匋齋制府建寧省鐵路。軌線由下關貫金川門。直達中正街。故金川復開。

廢皇城爲駐防城。于其西一面起太平門。沿舊皇城至通濟門。添造城垣。闢二

門以通出入。爲滿州官兵屯駐之所。〔據新京備乘〕

【鍾南淮北志】本朝定鼎。宮闕既廢。午門以外。遂改爲駐防營。順治中建將軍都統二署於中。滿洲八旗分屯左右。各立屋宇。星羅棋布。

太平天國築堅壘于鍾山。號曰天保城。又於迤西北築地保城。

清末於清江定淮二門間。闢草場門。神策太平二門間。闢豐潤門。

【新京備乘】清宣統二年。江督端方就城北建公園及籌辦勸業場。特闢一門以通後湖。後張人駿繼任江督。竟其功。張豐潤人。故以豐潤命名。

外郭舊多頹壞。惟高橋滄波江東二三處尚存。同光後但見高阜絡繹。〔據新京備乘〕

辛亥革命。駐防城燬。僅存午朝西華二門城券而已。民國十年開海陵門。十八年就武定橋迤東闢武定門。廿年就石城門迤北闢漢中門。而改聚寶曰中華。正陽曰光華。朝陽曰中山。太平曰自由。神策曰和平。儀鳳曰興中。豐潤曰玄武。

海陵曰挹江．並加修建．民間多呼正陽爲洪武．聚寶爲南門．三山爲水西．石城爲漢西．（或作旱西）其本名反鮮知者．蓋自明建城至今．歷五百餘年．尙巍然無恙．稱世界雄城之冠．豈不懿哉．

首都志卷二

街道

名稱	原有街名（名稱仍舊者不錄）	現有官署學校及各機關	事蹟
中山東路	中山路二段	第一警察局	
大隍城巷			有毘盧閣
國府東街			
籠子巷			
小獅子巷			
東箭道			

小隍城巷			
學堂巷			
宗老爺巷		行政院	崇禎中學政宗敦一居此故名金陵詩匯明季宗氏有二一爲宗名世南人也萬曆進士賜第于杏花邨一爲督學宗敦一北人也居城之北今石板橋旁有宗老爺巷乃北宗也
四興里			
國府西街			
西箭道			
滋大里			
黃泥巷			
國府路		國民政府　第九區黨部　文官處　參軍處　主計處　行政院	
闈閣祠			

行宮東街	中山路二段	第一警察局大行宮分駐所	呂志向爲織造廨聖祖南巡時駐蹕于此乾隆十六年大吏改建行殿有綠靜榭聽瀑軒判春室鏡中亭塔影樓彩虹橋釣魚臺諸勝
右一局一所			
碑亭巷			待徵錄八月梅花草堂在碑亭巷侯康衢太守宅中梅樹八月開花花皆綠萼梁聞山以名其堂又有褒勝閣青甫廣文所建見湯貞愍公詩今廢又鍾南淮北區志清豫親王初下江南秋毫無犯城人立碑於巷以誦功德用亭覆之
荷花巷	荷花塘	第一區黨部 國際勞工局中國分局	有城守左營白下瑣言城守營副將頭門大堂宅門三處皆有石獅而形相大于他處其地爲岐陽王府故制度不同如此
如意里			
如意橋			程綿莊先生居此見小倉山房文集
梅花巷			
石板橋			有督標左營守備署又有關中表忠祠見南都察院志今廢
國府路	大倉園	實業部	明大倉在此故名

石婆婆庵	石婆婆巷		
一枝園			
楊將軍巷		新疆省政府駐京辦事處	
鳳儀村			
浮　橋	浮橋南		
網巾市			
北捕廳			明鹽政分司署也有題名石碣李成式記門前二池毗連舊有橋曰鹽渡橋今圮見待徵錄
觀音閣		通賢橋分駐所觀音閣派出所	
通賢橋	一枝園	第一警察局通賢橋分駐所	地近明國子監故名有羅公祠祀宋羅明德先生朱之蕃顧起元撰碑見陪都察院志
右一局二所			
洪武街			驥城志引南畿志洪武街在北門橋東北直通西十八衛洪武中開拓北城始闢此路故名有興武衛守備署舊在雙龍巷乾隆中移此即熊孝感相國故宅也今未建

新安里			
新民坊			
魚市街			
吉昌里	協昌里		
虹板橋			
雙井巷			
小紗帽巷			
嚴家橋			
將軍巷		第一警察局將軍巷分駐所	
老虎橋		江蘇第一監獄署	
三星里			
成進里			

居安里			舊有樸園熊孝感别墅韓慕廬以爲有武陵柴桑之勝是也後爲里人朱瀾所得改曰亦園見待徵錄瀾莊恪公曾祖也
唱經樓			明永樂仁孝皇后建
安樂里			
沙塘園		國立中央圖書館	
周必由巷			
天安里			
北門橋	北門橋北		
長康里			
都司巷	尖角營		
寧興里			
蓁巷		察哈爾省政府駐京辦事處	

成賢街		教育部 中央研究院 自然歷史博物館	肇域志引南畿志在國學前東西街皆有石坊集賢庵側遺址尚存又有浴賢庵成賢庵皆明太學諸生會文之所
成賢里			
浮橋	浮橋北		
通賢橋			
蓮花橋			其北有春水園曹愷堂別業也湯貞愍詩蓮花橋北石橋東是也
大紗帽巷			有潘思穀公宅又有湯貞愍公琴隱園有十二古琴書屋琴清月滿軒畫梅樓還讀我書齋吟改齋延綠山房商彝周敦漢瓦晉甎之室雞鳴長伴讀書聲淩雲閣幽篁裏五十年尚友之齋默龕琴臺百步廊黃花逕梅門藤蘿薛荔柏戲鴛池度鶴橋鸚鵡冢淩雲峯十三峰七賢峰諸勝見貞愍琴隱園雜咏今廢
衛巷			
三眼井			白下瑣言在北門橋東

右一局三所

韓家巷		揚子江水道整理委員會	
薛家巷		陸軍大學	有妙相庵曲檻臨風，空亭枕雨，疏花幽竹，明瑟有致。亂後園林此爲獨完。兩壁石刻甚多，爲威毅伯曾公國荃生祠
張家菜園			
估衣廊	沐府西街（一部）	交通部南京無線電台　韓家巷分駐所　估衣廊派出所	有安樂侯府，見南都察院志。白下瑣言：城內有三故衣廊，一在花市之南，一在斗門橋之西，一在北門橋之南。其地多故衣鋪，故名。今惟北門橋之南故衣廊尚仍舊名
中山路	中山路三段	司法院　司法行政部	
唱經樓西街			
國府路	半邊街		
陸家里	陸家巷	第一警察局韓家巷分駐所	待徵錄：陸家巷有耿天臺祠，祠後有依仁齋，施愚山有記。今廢
北門橋	北門橋南		北門橋西，古武勝坊也，一曰清化市。藏海詩話云：樂天和興賀庫王四十郎酒肆王廿四郎陳角梳結詩社于此。有明吳交石尚書宅，見客座贅語。有庵曰定林，焦弱侯先生讀書處也。又有義井石刻。北門橋東舊有元帝廟，相傳聖像乃南唐北門橋上所供者，後移像于此。見客座贅語。今廢

燕慶坊			
中山路	中山路二段		
興樂里	鴨子塘		
興業里			
右一局四所			
花家巷			
廊後街		南京市第一區公所	
吉兆里			
吉兆營			
匯文里	堂子巷		
同仁街			
焦狀元巷			

糖坊橋	沐府西街（一部）		糖坊橋東有炳煦邨司馬退圃糖坊橋西有臨淮侯府見南都察院志
國府路	沐府西街罵駕橋	第一警察局國府路分駐所	東接黔寧王府故名
上乘庵		計政學院	康熙中里人何夢篆等修邑志于此
安將軍巷			
泰平里			
鄧府巷			以寧河王鄧愈府得名
永貞里			
相府營		青海七呼圖克圖駐京辦事處	
雞鵝巷			明馬士英宅在此
鄧府巷後			
田吉營			
肚帶營			

街道　　九七

虹廟	踹布坊		
廊東街	廊背後		
同慶里			
香鋪營			
覺成里			
白井廊			
青石街			
青村			
青雲里			
右一局五所			
抄紙巷			
中山東路	中山路二段		

淮海路	老王府後改		
劉軍師橋	糖坊橋		
天印庵			
忠林坊			
鐵湯池		全國經濟委員會 財政部鹽務署	里人淩志珪書額
洪武路			
羊皮巷		第一警察局羊皮巷分駐所	
壽康里		首都新聞檢查所	
中正路			
廖家巷			
三益里			
景賢里	老王府後		

破布營			
同賢里			
正洪街			
決醒里			
右一局六所			
王家巷			
銅井巷			舊說銅井庵在鑾駕庫東庵有井以銅爲底下通大江中水如鼎沸魚鱓隨水上下焉疑即此處國朝何左車李居此有依綠園見金陵詩匯
淮海路	龔家橋松濤巷	京市食鹽覆查所	
玉池里	中山路二段		
金湯里			
中山東路	中山路二段	財政部	

二郎廟		警廳東路消防分隊	祀蜀清源神江灘撰碑見南都察院志鍾南淮北區域志其側有老湘軍所建定湘王廟湖南福神也不知其爲何時人
樹德坊			
雙塘巷			
延齡巷		金陵刻經處	
祠堂巷		財政部鹽務稽核總所	
小松濤巷			賊情彙纂殿前丞相正侍衛張維崑踞松濤巷前陝西鳳邠道查炳華之宅
雨花巷			
戶部街		陝西省政府駐京辦事處第一警察局戶部街分駐所	
蔡家花園		財政部關務署	
貳和里			
建福里	毛廁巷		

街　道

五老橋			
桃源邨			
三十四標			
右一局七所			
延壽里			
黨公巷		首都電話局	以内監黨存仁名見待徵錄引盛敏耕軒軒居集有督標左營游擊署　白下瑣言黨公巷中姓宅有樓極高相傳即百尺樓遺蹟乾隆初年猶存後燬于火
游府西街			
吉祥里			
太平路	太平街		
裕祿里			
楊公井			

一〇一

壽星橋		第一警察局壽星橋分駐所	唐仲冕僑寓于此有小東園園有連樹仲冕詩序金陵山館購餘十年有木瓜樹雙幹聯枝花似海棠而香落實甚夥百年前物也今始見其連理之奇因以名軒
白菜園			
太平路	吉祥街　花牌樓		吉祥街本名義祥俗曰吉祥花牌樓常府西牌樓也一名雍睦里道光中李太守璋煜以其守更嚴肅改是名
松蔭里			
和平里			
洪鑫里			
文昌巷			
文華里			
文壽里			
紅花地		警廳醫務所	
磨盤路	磨盤街		

水巷			濱淮
鷹坊巷			
利濟巷			舊離子巷也在西華門街南衞巷西有大陽溝
耕心里			
瑞麟里			
科巷			舊有游擊守備二署
大楊村			
右一局八所			
大悲巷			
太平里			
半山園			
中山門後街			

太平橋		
太平橋南		第一警察局大悲巷分駐所
黃家塘		
鼎新里		
大高里		
培裕里		
馬標		
砲標		
西華巷	狗兒巷	建設委員會招待所
漢府街		呂志明洪武初封陳友諒子爲漢王建府西華門外後徙高麗永樂封子高煦爲漢王居之清爲織造局
又一村		

竺橋	大悲巷分駐所竺橋派出所	客座贅語武定侯竹園在竹橋西漢府之後
水晶台		
桃源新村		
雍園		
黃埔路	內政部衞生署　中央陸軍軍官學校	
紫禁城		
寧澹邨		
梅園新村		
右一局九所		
珍珠橋		跨珍珠河故名有清林古度宅金陵詩匯古度舊家華林園側有亭榭林泉之美後別卜數椽珍珠橋南陋巷掘門蕭然自得
御史廊		一作御賜吳梅邨遇南岡叟詩里正持府帖僉在御賜廊是也

武廟閘		即後湖水入城處
九華村		
荷包套		
北儀門		
軍校和平里		武志小教場俗呼小營古樂遊苑也清爲綠營訓練之所及三年大比閱試諸生藝勇于此康熙二十三年聖祖南巡閱鎮將射于教場二十八年南巡賜江寧文武將士宴于教場有御製詩乾隆十五年教場中有閱兵臺十六年至三十年高宗四次奉皇太后鑾輿南巡及四十五年四十九年皆于此閱武
太平門	警廳太平門稽查所　太平橋北分駐所太平門派出所	甕城志太平街在太平門南
花紅園		
顧家巷		
打靶場		

演武廳			
太平橋北		第一警察局太平橋北分駐所	
飲水橋			
蘭園	覽稼新村改		
晒布廠			
文昌橋		太平橋分駐所文昌橋派出所	
文德里			
富貴山			
大影壁			清督標中營都司署
楊家胡同			
半山園			
皇城角			

佛心橋			
太平橋			
磨坊巷			
九華山			
藍家莊			疑以涼國公得名
草棚大院			
後宰門			
右一局十所			
五福巷	五福街		
棉鞋營			鍾南淮北區域志有管孝廉同宅其書室名因寄軒今皆不知其處
馬路街		雲南省政府駐京辦事處	朱緒曾北山集裒古香居馬路街家有臥雪堂三層樓皂角樹高與樓齊又黃虞稷亦居此築千頃堂藏書數萬卷有千頃堂書目　賊情彙纂地官又正丞相羅苾芬住馬路街前江寧布政司理事吳景周宅

馬府街	南京女子中學	待徵錄引澹墨小紀鄭相本姓馬家于此故名有新安會館
三畏里		
細柳巷	南京女子中學分院	
福安里		
三山里		
太平巷		
忠義坊		
敦厚里		
申家巷	警廳申家巷分所	
繡花巷	第二警察局	
城左營		
益元坊		

九蓮塘			
上理邨			
新晉里			
槐蔭里			
沙塘灣			
右二局一所			
白下路	中正街		賊情彙纂北王韋昌輝先住富室李姓家移住中正街前湖北巡撫伍長華新宅 又國伯韋元玠住中正街前河南巡撫潘鐸之宅
八府塘	西八府塘 東井巷	第二區公所 第二院 南京中學	有永康侯宅見南都察院志疑此爲章槃傳之舊塘
西八府塘			
邀貴井			
鍋底塘			

街道 二二

葛家菜園			
傅家菜園			
東昇里			
東井里			
斛斗巷			
手帕巷			
復興巷		訓練總監部	
仁昌里			
立法院街	斛斗巷	立法院	張侯府在大中橋襲府巷內蓋前明襲國公故府今桐城劉氏賃居之侯諱勇康熙間以征三藩功封侯世襲（按侯府後爲張鳳綸購居民國來屢次駐兵今爲立法院址係向張氏後人租賃者）
西井巷			
琥珀巷			

祥瑞里			
文正橋			
右二局二所			
建康路	淮清橋　太平里	實業部國貨陳列館	
釣魚巷	西釣魚巷		舊有木匠坊飲酒亭洪武中立今廢見南都察院志
東釣魚巷		警廳釣魚巷分所	
西釣魚巷			
岩巷			
致和街			肇域志致和街舊名清平橋街又有務公街和寧街時雍街存義街里仁街今不能定所在
東文思巷			有布政司理問署
西文思巷			
九兒園			

東玉壺坊	小水巷	
西玉壺坊	玉壺坊	
察院巷		
三建康北巷	淮清橋	有察院理事同知諸署又有織造署昔織造曹完翁築亭課子樹楝其側名曰楝亭今諸署皆重建又有丁清惠公祠舊有遺迹樓陵項事太祖造遺迹樓見人博弈者養食鳥者遊手耗食者拘置樓中使之見遺迹樓皆餓死樓在淮清橋東北北臨河後爲驟王廟又有息園顧尚書璘別墅即江總故宅也尚書息園記曰園袤五十步廣半之中取環徑通步修竹後挺嘉木前列闤南有賓圃數十頃頗雜池沼達于青溪欃榆蒲柳掩映森蔚有載酒亭乃趙松雪門人俞和篆書又有見遠樓高三十八丈巋然凌空構造不施寸磚四面八窗飛檐深廣郡城內外屬之一覽嘉慶中樓猶存見待徵錄　賊情彙纂殿前丞相左一檢點林紹保踞江寧織造署又衛天侯黃玉崑住察院署又殿前丞相右六檢點李壽暉踞江寧察院署
四建康北巷	淮清橋	
五建康北巷	淮清橋	
文正橋		

右二局三所

門簾橋		南京中學	有鍾山書院
五馬街			
曾公祠		蒙藏委員會 盧妃巷小學	
衙缺巷			
牙巷			
廣藝街		警廳廣藝街分所	繁城志引南畿志廣藝街在上元縣治西舊名細柳坊一名武勝坊南都察院志舊有存心堂耜純公書在上元縣右今存廣藝街又有福建莆田文獻會館明嘉靖中立今廢廣藝街口有添儲倉乾隆中建鍾南淮北區域志街北有斗姥宮爲道士禮星之所
閨奩營			
昇平巷		內橋郵政支局	
中正巷	中正街		

昇平里	水巷		
廣藝巷	衛巷		
廳後街		江蘇教育經費管理處	
寧中里			
穆家巷			
李家實巷			
南首巷	宰猪巷		
北首巷			
昇平橋		昇平橋小學	有鍾山坊在昇平橋東
晒廠			
馬號		江蘇國民黨直屬江寧自治縣執行委員會	
白下路	中正街 昇平橋 珠寶廊	警廳特務第二中隊 警廳特務警廳司法科	

		察大隊　警廳保安警察大隊　警廳白下路東段分所	
太平路	門簾橋	蒙古各蒙旗聯合駐京辦事處　寧夏省政府駐京辦事處	
中正路		警廳偵探隊部　警廳偵探第一組	
洪武路	盧妃巷		金陵詩彙明世宗妃盧氏所居故名一名美人巷見應天志舊有敎園全椒江氏所栽園中石甚奇見王嘉言緘庵詩鈔今廢
朱雀路	四象橋		舊有董文恪公祠今廢
建鄴路	珠寶廊	賑務委員會	明曰珠市一名大市街舊名來道街本名石城坊又名敦化街　賊情彙纂國兄洪仁發賜珠市前四川布政使李宗傳宅
中華路	內橋		古天津街也甲志居詩話方正學薦山陰唐之淳拜侍讀同纂鑑戒錄舍于此
右二局四所			
小火瓦巷	堂子巷		
壽寧邮			

程閣老巷			明閣老程國祥居此故名見日下瑣言
宰牛巷			
火瓦巷		南京市食鹽覆查所	
李家巷			鍾南淮北區域志程閣老巷旁爲一鷄李家巷閣老家素貧父死無以爲葬鄰人李姓以地與之閣老報以一鷄故有此名
八條巷			
紫金坊			
長治里			
娃娃橋		南京市第二區黨部	
養濟院			
金鑾巷			
武學園		南京市財政局屠宰稅東區徵收處　貴州省政府駐京辦事處	野獲編明初請建未行立武學自建文始今廢爲園嘉慶中尚有留都師帥額

西方菴		財政部關務署辦公處 警廳龍王廟分所	
濟生里			
平安里			
太平路	太平街		
和會村			
洪武路	盧妃巷		
中正路			
右二局五所			
四條巷後			
頭條巷			
二條巷			
瑜園			

蕉園			
三條巷		首都警廳三條巷分所 青海省政府駐京辦事處 三條巷小學	有文昌宮 賊情纂冬官正丞相賓福壽住三條巷前河南陝州李溟宅
四維里			
仁壽里			
四條巷		西藏駐京辦事處 大國師章嘉呼圖克圖辦事處	
復興里			
常府街			以開平王府得名見南都察院志有倭緞堂府舊址也 有九連塘呂志在常府北爲常府園池
非園			
小楊村			
四海里			
仁孝里			北山詩話趙拱辰性純孝居西華門之三條巷子自明孝感至皆以孝稱鄉人表其里曰仁孝

破瓦巷		
仁義里		
復成倉		南京市工務局材料處
慶雲坊		
文昌宮		
良友里		
樹德里		
安康里		
桐蔭里		
文昌里		
光明里		
六合里		甘肅省政府駐京辦事處

靜里	靜希里		
松園			
三益里			
春和里			
永安里			
光裕里			
右二局六所			
英威街	天津橋		
順德邨			
西華門			舊有忻誠伯府誠意伯祠王陽明祠許眞君祠崇德祠見南都察院志又有浙江會館
東廠街		導淮委員會　警廳東廠街分所	呂志舊有東西兩廠以閹寺爲之稱爲內守備兩廠相連在復成橋東
中山東路		建設委員會　建設委員會首都電廠　逸仙橋小學	

西華苑	西華門		
天津橋灣			
將軍署			
二門崗			
右二局七所			
東安門			
中山門前街	中山前街		
午朝門	紫禁城	警廳中山東路分所	
將軍署			
二門崗			
中山東路		南京古物保存所　警廳 中山門稽查所	
御道街			

李府街			以岐陽王居此故名
迴龍橋			
九板橋			
右二局八所			
大光路	光華西街	首都警廳大光路分所	
光華門		警廳光華門稽查所	
菜市口			
小栅口	小門口		
八寶前街		禁烟委員會	
市民住宅			
尚書里			
標營			

藍靛街			
大陽溝			自壽星橋來呂志謂此即青溪故道也
白虎橋			
五馬橋			
都統巷	雙龍巷		
生計處			
菜市巷	菜市口		
八寶後街			
尚書巷			明崇禎街也倪尚書岳居此故名
御道街			
光華東街			

右二局九所

公園路		監察院 江蘇省立南京民衆教育館 江蘇省立公共體育場 支那內學院	
體育里			
廣嚴里			
復成橋	公園路	市立歷史博物館 監察院	有復成倉故名
通濟門街		警廳共和門分所 警廳共和門稽查所	
一道街			
二道城圈			
三道城圈			
裘家灣			
濟水巷	水巷		
東關頭			

公園路後			
通濟門外大街			有先農壇又有製造火藥局舊有聽竹軒李疑所居方正學有記見北山詩注
米行街			
水巷子			
塘子巷			
吸水閘			
扇骨營			
東城根			
四方城			
新民村			
雙橋門			
七里街			

九龍橋			
白下路	大中橋	審計部　清潔總隊東路分隊　鐵路局中正街車站　大中橋小學	前有白下寺待徵錄寺久廢爲普濟禪院後江寧張茂才灤訪得舊額書白下寺建隆十四年諫議大夫寇準立乃復斯名
西城根			
右二局十所			
貢院街		市自來水工程處　市度量衡檢定所　第三警察局貢院街分駐所	舊爲蔡居厚宅南窗紀談云蔡寬夫治第于金陵青溪之南穴地爲池數尺之下見有瓦礫及朱櫞七筋數十又深尺餘釜鑊瓦錫之器甚多乃知前代此下皆人居也今爲貢院基白下瑣言貢院創于明永樂中乃籍沒錦衣衛同知紀綱宅又取懷來衛指揮陳彬家人陳通房字明德堂有應天府尹王弼碑可據紀綱見明史佞倖傳而呂志以綱爲元集慶路行省丞相與御史大夫福壽皆死葬于明遠樓下爲貢院土神非特時代譌舛抑且忠佞倒置朱緒曾有七古辨之甚詳見北山集大門外旁招俊乂登進賢良及內龍門東西文場諸大字皆程春海書闈門額後四篆字爲汪上舍金鉞書今爲曾文正公重書同治十二年以試生擁擠仿浙省五路點名之法更闢東西二門有搏鵬起鳳和鸞振鷺諸額
貢院西街			

市府路	明遠樓街 衡鑑堂街 文坊東西街	南京市市政府 局　市財政局 局　市築路攤費審查委 員會　南京市戲劇審查 委員會　第三區黨部 市社會 市工務	
建康路	奇望街	實業部國貨陳列館　奇 望街郵政局　西藏班禪 駐京辦事處　南京特別 市黨部	一名鍼工坊見肇域志有方敏慤公宅又有晉後 局
龍門街			
龍門西街			
仁元里			
夫子廟		南京市立圖書館　江寧 自治實驗縣建設科　及水 利工程處辦事處　夫子 廟小學	肇域志引南畿志夫子廟巷在織錦二坊舊名國 子監巷又名狀元坊一呼草巷俗稱竹木行客座 贅語云儒學明德堂後舊是一高阜嘉靖中都御 史陳鳳梧夷其阜建尊經閣于上自建閣後應天 中式數減萬曆乙酉丙戌間太常少卿濟南周公 署府篆公情玄女宅經謂儒學之文廟坐乾向巽 開巽門而學門居左屬震廟後明德草堂後尊經 閣高大主事廟門與學門二木皆受乾金之尅陽 宅以門為口氣生則衰尅則禍于是以坤爻換象 補泄之法修之于學之坎位起高閣曰青雲樓高 于尊經以泄乾金之氣而以坎水生震巽二木以

街道

教敷營			舊名橘夫為應業萃集之所見客座贅語
教敷營	堂子巷		
右三局一所			
自新巷			
義興巷			
秦淮河			助二門之氣又于廟門前樹巨坊與學門之坊並峙以益震巽之勢于離造聚星亭使譽巽二木生火以發文明之秀又以泮也河水不蓄于下造文德木橋以止水之流學門內舊有屏牆下令撤去之曰明年大魁出此無疑矣已丑焦竑果應其占按語出形家以舊俗栢沿姑存其概有綽楔三東南第一學里人秦大士書泮宮朱子書天下文樞金壇王澍書亂後重修率非舊蹟矣尊經閣下有尊經書院嘉慶十年因閣災而主講席者皆貫屋別居不復住閣下廟東魁星亭乾隆乙未建項本赤色後以多火災道光十年何水部汝霖以蓋磁項易之有思樂亭元李孝光有記見朱律嶰谷集詩注今廢廟內有玉兔泉外有大成泉上有石刻江寧縣學內舊有霜月齋迺元楊剛中所建見待徵錄

一二九

道署街	使署口	內政部蒙藏委員會　蒙藏政治訓練班　江蘇省政府駐京無線電台　南京長途電話交換所　中央組織委員會	白下瑣言鹽巡道署本爲按察使司署大堂側舊有碑署有懷幽閣有覘亭巡道方昂建姚鼐記署本徐中山王故邸待徵錄瞻園以石勝有最高峯最峭拔友松倚雲長生淩雲仙人卷石亦名稱其實石之下盤谷集祥伏虎仙姑三猿明涵垂雲諸洞盤紆曲逕足增幽況又有石坡梅花塢平臺抱石軒老樹齋北樓翼然亭釣臺板橋穉生亭竹深處諸勝亂後重建非復舊規矣匱內有音生泉上有石刻　賊情彙纂佐天侯陳承瑢盤踞道署又春官又副承着林紹璋先踞巡道署　江寧革命博物館
井子巷			
中華路	三山街　花市街　大功坊		花市街街東待徵錄引建康志層樓在府治南廂花行街咸淳重建榜曰江海奇觀元薩都剌詩半空雲氣層樓暗四月江南欲雨天是也樓今藝花行疑即花市街　大功坊街東金陵瑣事高帝以魏闕公達勛業非常于居第左右幣各建一坊榜曰大功以旌異之有南園本徐八公子所創在府第對門右曰西圖今司署內瞻園是也又有四錦衣東圖在大功坊下又有三錦衣北圖在府第東弄之申又有九公子家圖在府第對門寄以上諸圖此見弇州名圖記　三山街街東宦志古承賢坊也
何陋居	大功坊		

緯巷			
小全福巷	天豐僊巷		
大全福巷		偵探警察第二組 大全福巷警察分駐所 崇淑小學	有舊甘園本徐中山王舊園也後爲方來青宮保後園見待徵錄又有栝園在對門巷內亦中山王故園後歸周亮工門前老栝趙宧光題額今廢
小四福巷			
大四福巷			有藩司長盈庫大使署
大黨家巷			有旌德會館又有懷園待徵錄園爲車敏州公舊宅毗連義興巷早成廢圃
小黨家巷			有欝炤庵
藍家苑			
東牌樓	大水巷 瓦匠巷 小水巷 豆腐巷	江寧洋酒稅稽徵所 江蘇寧浦六菸酒稅稽徵分局 江蘇印花菸酒稅局駐京辦事處 江蘇印花稅江寧分局 江蘇寧浦六菸酒牌照稅稽徵分局	有石埭會館
補釘巷			

一三一

狀元境			待徵錄或曰因秦熺名嚮爲書賈萃止之所有金東華館鍾南淮北區域志宋秦檜父子居此皆舉狀元以醜其人故沒其姓氏但稱爲狀元境
右三局二所			
中正路	銅作坊　鐵作坊　絲市口	第三警察局鐵作坊分駐所	銅作坊明初聚銅工于此故名　鐵作坊古鐵洲坊也明初聚鐵工于此故名有尚書倪謙都督翁信諸宅又杜瓊宅亦在此見南雍志
秦狀元巷			白下瑣言秦狀元巷在江寧縣左澗泉殿撰未達時故居今爲家祠
許家巷	督糧廳　珠履巷	督糧廳小學	許尚書穀居此故名　署東有倉庫大使署舊有慧門道院　珠履巷有督糧同知署
金沙井	郭家巷		舊有金沙庵周櫟園之食舊德庵也有古桐一株壽藤一本今廢又有向張二公祠祠旁有崇善堂郭家巷道南廢圃徐氏四錦衣園舊址也
望鶴崗	文昌閣		
伏魔菴	窰子巷		
水倉巷	毛司巷		

街道

黑廊巷			
望鶴樓			鶴舊作火
集慶路	絲市口		即古東市鍾南淮北區域志絲市口向爲絲行所集今市已他徙矣
牛市			肇域志引南畿志牛市在飲虹橋東北西臨淮水有浙江會館有古槐又有古風盛宅古本繁昌人徙家居此世稱古子敬香皁汪天然包頭吳玉峯膏藥耿氏香糕楊君達海味仰氏紙扇伍少西壇貨皆以一物名其家而其招牌又皆名人手筆
顏料坊			袁志顏料坊在草鞋街之東即古西市有山西會館
上浮橋			有一葦菴
玉帶巷			白下瑣言上浮橋西玉帶巷舊指爲俞通海宅案南都察院志云成國公朱儀宅在上浮橋或即俞宅之誤
渡船口			古禪靈渡也
小彩霞街	雞鵝巷		白下瑣言小彩霞街聚星園中有太湖石頭銳旁張作款款點水之勢名曰飛燕投湖有梓樹今亡
大彩霞街			白下瑣言草鞋街在斗門橋南譌爲彩霞

弓箭坊	鳳凰井		舊志有弓匠箭匠二坊今曰弓箭坊白下瑣言弓箭坊内有半邊塔甎砌七級高一丈有奇倚牆而立僅露其半金身佛像一一俱全不知何時所創也塔今廢　鳳凰井舊有汪道隣宅有高樓曰絳雲樓面文榴繁盛花時朱英飛雪
崔妃巷			
黑簪巷			一名丫頭巷
洋珠巷		江蘇菸酒牌照稅第六區分局	
秤它巷			
銀作坊			宦志銀作坊在縣治東即古建業坊東通古御街
四聖堂	高家巷	江蘇省第一區寧句營業稅征收局	周櫟園宅也有高官蔭孝子牌坊
李府巷			待徵錄李府巷以岐陽王得名巷内小庵尚祀善長其後文定公裔亦居此巷東頭出弓箭坊有半邊甎塔因名其居曰半塔草堂案文忠善長非一族岐陽王所居乃城北之李府巷今城守署是也此處當是善長舊居岐陽王三字疑是韓國公之誤

右三局三所

中華路	府東街	賊情彙纂殿前丞相督理職營鍾芳禮踞府東大街前戶部廣東司郎中記名道甘熙宅
中華東巷	府東街	
朱雀路	四象橋　益仁巷	
朱雀西一巷	四象橋	
劉公祠		
舊王府		
潤德里		江蘇電政管理局 南京電報局 滬漢電報幹線第二區工務分處 潤德里郵局
李家苑		
胡家巷		
慧圓街		
慧圓里		

承恩寺		警察廳中路消防警察總隊 警察廳中路消防分隊 衛生局中路清道隊	南都察院志景泰二年內官王瑾住宅奏改爲寺賜額承恩客座贅語承恩寺踞舊內之右最爲繁華之地游客服賈蜂屯蟻聚而佛教之木叉刹竿蕩然盡矣
府西街		保安第二中隊 南京特別市第三區黨部第十三分部 市警察廳醫務分所 市立第一中學 府西街小學	江寧府署　賊情彙纂豫王胡以晄住江寧府署
大砂硃巷		砂硃巷小學	
小砂硃巷			
城隍廟後			
內橋灣			
裱畫廊			
錦繡坊			白下瑣言南唐御街在天津橋南直對鎮淮橋臺省相列夾以深渠東西有錦繡坊西錦繡坊在府治西其東有街通舊王府即東錦繡坊也
小王府園	王府園	第三警察局小王府園派出所	

貢院街			
右三局四所			
一建康巷南	奇望街		
二建康巷北	奇望街		
一建康巷北	奇望街		
建康路	黑廊街 奇望街 驢子市		
東王府園	王府園		
王府園		第三警察局王府園分駐所	元南臺遺址也明龍爲吳王居之新宮既成此稱舊內矣其南城址尚存有舊內之門四字今亡有繡春園本舊名宋端平三年高定子重築又有五畝園白下瑣言陽湖孫星衍始僑居舊內之五松園園有古松四株故名後復就築園隙地疊石穿池蒔花種竹日五畝園有觀園閣小芍陂廉卉堂留餘春館曬臺鷗波舫大觀臺蔬香舍蘆葭亭枕流軒綠斐英映雲亭奧室諸勝後殿爲茶肆俞陶庵太守台繡春園故址購爲鳳池書院爲童生肆衆之所今書院移在武定橋東而舊址遂廢
西王府園	王府園		

洞神宮			鍾南淮北區域志宋景定間制使姚希得作蜀三神廟於青谿側懸以洞神舊額宮有崇元閣三神者清源射洪梓潼也今則專奉雷祖矣
姚家巷		淮清橋小學	
桃葉渡			鍾南淮北區域志爲王獻之迎妾處
利涉橋	貢院街		
姚平巷	南姚家巷 北姚家巷	第三警察局姚家巷分駐所	
平江府街		南京市財政局筵席捐經收處	
劉家塘	針巷		
針巷		江寧句容江浦六合溧水沙田官產處　四區宣化 大師發禪行轅無線電台 第三台	有孫氏燕山侯祠
益仁巷			
小姚家巷			

利涉橋	東關頭		待徵錄利涉橋昔桃葉渡也寧陵衛人金雲甫好佛徙居渡口見渡者多溺捐建木橋太守李正茂名曰利涉後乂倡募改石雲甫死復建木橋祀金為橋神並其妻徐氏小像道光十九年重修遂稍廓之額曰金公祠里人朱緒曾作記今廢桐城方爾止宅在此
東關頭			有卹嫠米粥廠
大石壩街			呂志舊院址在東花園之右一河為界建長板橋以通行人後橋廢兩旁築石埂名曰石壩圍亦曰石壩街有貴池會館祀明侍中黃觀夫人翁氏及二女配焉有石坊臨淮水曰一門忠烈東城志略臺榭傍南岸者以合肥劉氏河廳為冠蓋在丁字簾前遺址左右或曰即丁繼之河水亭復社文會處也薛桑根傳繼箇之孺殆為此作歟若張士淪清瀾寓亦在淮上則無可考矣
秦淮河			
建康路	奇望街		
平江府北街			
平江府南街			
新姚家巷			

丁官營			
啞叭巷			
右三局五所			
東花園		第三警察局鷲峯寺分駐所　南京市第三區分所	舊有中山東園故名有鄰滿字節霞閣見待徵錄又王昊廬宗伯亦寓此藥紅薔山館見白門風雅集或云即孫興公故宅也又有劉旂錫宅後廢爲茶園今湮又王亦將性孤僻構東園非其素好不下樓一步見詩滙舊有因是庵又有孔雀庵待徵錄一名悟眞門外有玩月橋黃俞部詩所謂馬湘蘭宅作招提是也今廢又有小蘭若曰延變祠祀藩署庫神俗曰財帛司曰天喜長生祠祀瘟神曾文正公重修
烏衣巷			客座贅語當在剪子卷至武定橋一帶今得名者文德橋西一委巷耳舊有烏衣園在烏衣巷東王謝故居也一堂扁曰來燕馬光祖新之堂後植桂亭香中梅花彌望曰百花頭上其餘亭館皆佳又紀瞻宅亦在此東城志略巷中舊有法王寺隆安間晉帝延鳩摩羅什來居於此號三藏國師
泰安里			
管家巷			
寶塔巷			

高家菀			
鈔庫街		鈔庫街義務小學	明置寶鈔庫于此故名客座贅語木器南則鈔庫街北則木匠營　驍騎航實當其地晉紀侍中瞻之宅在焉又名東航　東城志略一曰沉香街以項子京焚沉香牀得名
文德橋	大石壩街　鈔庫街		客座贅語萬曆戊戌改造文德石橋掘橋洞下土得舊環子甲二領丙辰大司空丁公濬秦淮河于橋下又得環子甲一領銅鐘一口意是當年戰爭時墮水中者舊有督學陳公祠待徵錄祠本在水西門外康熙末移此後爲市廛秘酒肆名芥子河亭訟斷歸學復其祀
琵琶巷	堂子巷		
全福里			
長生祠	茉莉園	中央國醫館	東城志略茉莉園東園之所分也蔬圃菜畦地頗幽僻金陵俗中秋月夜婦女有摸秋之戲以得瓜豆爲宜男常往是間也
仁和巷			
烏衣里	瓦匠巷		
糟坊巷		江寧地方法院	

蓮子營			
罵駕橋			
武定門	平市住宅		
小石壩街			
東石壩街	小石壩街		
西石壩街	小石壩街		
興隆巷			
金陵閘			東城志略胡太守鐘之宅在其東朱太守緒曾之宅在其西
白塔巷			一名楊家巷見蔡戶部琳詩注白下瑣言遍光寺本在白塔巷萬曆間以近舊院乃移置東花園今巷中白塔猶存即遍光寺塔也塔今亡有桂園詹事王孟起別墅見帝里人文略又有倪園白雲名園記笑峰大師所構也後歸倪氏有亭三楹盧敏而遂修竹畝天清有守備卜世鑑康熙甲辰武進士死吳三桂難康熙四十六年南巡賜盡節邊疆額又樊圻與兄沂居遍光寺畔疏籬板屋二老吮筆作畫如神仙中人

小白塔巷	白塔巷		
生林里			
秦淮河			
右三局六所			
半邊營			
蔡板橋			
心腹橋			
小膺府			因英府得名
陶家巷			
大樹城			東城庶舊有明賈孝廉明道之園
倉門口			
小心橋		武定門小學	

小心橋東街	小心橋	南京市黨部第三區第十八區分部	
水佐營			
康樂里			
新路口		第三警察局新路口分駐所	
木匠營			
高安里			
蔡家苑			
箍桶巷			有蔡進士琳家祠
磊功巷			清郭孝子鴻居此有坊曰孝子坊東城志略謂明德玉堂舊課徙於此
千佛庵			梵剎志千佛寺在水軍所東北即千佛庵也今廢
飲虹園			
染坊巷			

正覺寺			待徵錄嘉慶丙子敕建今廢
長樂路	新廓街　小石橋	南京市黨部第三區第十六七區分部　警察廳武定門警查所　新廓小學	有鍾山書院後爲鳳池書院
石觀音			有李笠翁芥子園與周處臺相隣又有紀伯紫舊居去芥子園不數武見李漁寄伯紫詩序
仁厚里			
庫上			有明供應庫故名
八間房			
雙塘園	雙塘		
轉龍車			
轉龍巷			
右三局七所			
西街			

東河沿			
下碼頭			
五貴橋			
悅來巷			
大思古巷			
小思古巷			
西河沿			
紅梅巷			
桑樹園			
雨花台			
方家巷			
小市口			

循相里			一作馴象
珍珠巷		第四警察局珍珠巷分駐所	
窰灣街			有佟園白雲名園記在窰灣內本魏國家人建後歸佟滙伯水邊郭外地曠景饒屋宇參差林樹錯落牡丹芍藥各千百本池蓮岸柳高下咸宜又有寒山園韓敬修築與佟園衡宇相望水閣三楹流水周匝清竹萬竿濃陰布護有樓如鳥巢眺望極遠顏曰綠尖今並廢
蘆蓆巷			
上馬頭			
義倉巷			
中華門	循相里		
右四局一所			
南山門			報恩寺山門也
北山門			

馬家山			
製造局前			報恩寺後有機器製造局
雙橋門			
養虎巷		第四警察局養虎巷分駐所	
燕翅口			
掃帚巷			舊有齊宗侯卓吾園樓閣宏敞花竹蘙蔬見白雲名園記
雨花路	米行大街　中華門 外大街　南城崗	第四警察局　中央森林管理處　臨時乞丐收容所	米行大街古長干里也健康志在秦淮南吳都賦長干延屬飛甍外互金陵新志江東謂山壠之間曰干建康南五里有崗地平坦吏民雜居有大長干小長干東長干小長干在瓦官寺之南巷西頭出大江時寺在淮水南城外不與長干隔又今賽工橋西即是江水流處其後洲渚漸生江去城干還而楊吳築城圍淮水於內瓦官途在城中長外別開今濠乃與長干遠不相屬奏舊有顏家巷見顏之推觀我生賦注今運又帝里人文署云季先生克愛號處雲處士卜居于成外長干里之西晚年僉蕭散自與還李戲人張與公講學賦詩不倦號南郊三叟父田驚農構室長干曰南墅草堂火毀其半不復重葺　寰域志引南識志米市在聚寶門外有江寧縣丞署其相近有陳太占勺園今廢

街道

寶塔山			
寶塔根			
製造局後			
黃泥塘			
羊巷			
雨花台	南城崗		
金工里			
干長巷			
中華門	干長巷		
右四局二所			
中華門	中華門大街	第四警察局中華門分駐所	南門橋即鎮淮橋晉之朱雀航也實錄咸康二年新立朱雀航對朱雀門南渡淮水亦名朱雀橋又晉起居注云謝安置重樓並二銅雀於橋上以朱雀觀名之有夷齊廟舊傳本王謝祠宣和年改祀

			見小倉山房詩序又有神樓題巷舞衢歌四字後燬于火見白下瑣言又金陵瑣事英宗賜張文僖公府第在鎭淮橋東南門街東舊有武成王廟在鎭淮橋北見建康志又有嘉瑞樓本名鎭淮樓寶祐六年重建改今名今並湮廢
中華西巷	南宮坊		
中華路	中華門大街		
糖坊廊			
煤灰堆			
過街樓			
大百花巷			袁志北通層樓巷古採花市于此舊有忠烈牛公廟又有涇縣會館
小百花巷			
長樂街			
九兒巷			有魏國退朝時更衣別墅花石位極綺巧見陳毅金陵聞見錄今燬　賊偽纂殿前丞相右四檢點張潮爵住九兒巷前直隸按察使周開麒宅

街道

信府河			衞南帝里人物略京城南古桐樹灣今謂之信府河因信國公久居于此故名巷內舊有湯和祠今廢又有眞武廟白下瑣言廟前堅一石杆嵌鐵坎卦上立鐵鶴俗呼爲鐵老鸛正對蟒蛇倉赤石磯磯脈石骨崚嶒自城外穿濠而入盡于此色純赤並入因城中屢遭火患作此鎮之杆今廢信府河街北古長樂坊也有救生總局
黃狀元巷			
長樂路		江寧縣屠宰稅征收處 消防警察隊南路分隊	白下瑣言江寧縣署洪武初建爲宋東南佳麗樓故址元集慶樓總管府也 江寧縣署
牽牛巷			
張都堂巷			有明都御史張琮宅故名
實輝巷			
鞍轡坊			佟志在縣志南北通層樓巷南通鏇子巷
璇子巷			有明顧皇親宅見南都察院志
老王府巷			
瓦匠巷			

一五一

信府苑	石門檻		
軍師巷	槐樹灣　桂家巷	財政部江寧區硝磺局	白下瑣言諸葛祠在軍師巷一曰起鳳祠相傳和吳破魏時武侯曾駐節于此故立丞相祠堂而巷因以名
下江考棚		南京市第四區黨部　南京市清潔總隊　南京市立南路清潔隊　戒烟醫院	待徵錄引沈韓峯新亭聞見記云舊以抄沒內官私宅爲總督府武宗南巡居之因改督學署萬曆乙未移句容清康熙五十一年改歸城中有明學政題名碑右爲大程子祠待徵錄宋時爲明道書院在上元縣治右尊賢坊見建康志宋元平章阿术占昇棄塑像儒人古之學等告還復書院制見金陵新志明初移此始名曰祠清有熊賜履陳菁二碑祠今修左有後齋博夫茂才闔室殉難之宅額又有長牛庵木爲三學員設歷案宗師長生祿位之所繼奉令撤去遂爲僧庵見白下瑣言
右四局三所			
集慶路			
同鄉共井			
桃源巷			
庫司坊			白下瑣言阮大鋮宅在城南庫司坊即今小門口處俗曰褲子襠後陶孝廉湘居此小園老樹饒有古趣相傳即石巢園故址今廢

磨盤街			宦志磨盤街在保寧街東南飲馬巷西
飲高巷	三鋪兩橋　蔣家苑	西康民衆代表駐京辦事處	
水齋庵	荷花塘		有禹王庵額爲胡任輿八分書
王府里	小王府巷		鳳麓小志巷有車給事萬育之宅今以燬又有亳州福勝二尼菴其右有謝公祠已奉晉康樂獻武公因墓而祀者也墓今名謝公墩前有磚門榜曰六朝古蹟相傳地有古松下覆二石一曰柴烟一曰雞冠上刊宋人題字明朱尚書之蕃題曰六朝松石今杳不復見矣
侍其巷			金陵新志載慶元志舊爲侍其氏所居多善人今正南隅永安坊有雉雞巷恐即此而訛案今聚寶門內西南隅有閘門刻甎曰古侍其巷
桃棋巷			
荷花塘			有曾靖毅公祠
孝順里			李太守璋煜涖郡時有母訟其子忤逆太守親訓導之後化而爲孝太守嘉焉故有是名
孝子坊	五福橫首		

謝公祠			建康志在城西南隅之壇院側祀晉康樂公謝玄宋乾道間建明正德四年重建侍郎羅玘有記今廢
五福橫首			西園一名五府園本徐五公子所創在驍騎倉南正當此地橫首五福疑五府之譌也
小門口			
高崗里			
綠竹園			
陳家牌坊	綠竹園　梁家巷		
沙灣			袁志沙河街俗呼沙窩在秦淮南岸對竹街即古永安坊小巷內有同春園齊宗園也見客座贅語[illegible]今名□灣窩音轉也又有詩人劉然宅有玉穀堂友聲閣名流爭集爲絲行所萃之地魚市自鎮淮橋口至沙灣飲馬巷口半里而近夾道皆魚盆也見鳳麓小志
飲馬巷			
避駕營			
六角井	八角井		

響鈴巷			
釣魚台		第四警察局釣魚台分駐所　第四區公所	鳳麓小志有圓通菴有湖南會館館爲明孔閣部貞運宅俗呼孔天官家資碧園至今未圯也炳燭里談僞英王陳玉成居之曾忠襄駐節於此湘軍諸將購得之以爲會館
甘露巷			
歐陽巷			
中華門			
右四局四所			
六度庵		南京市工務局第九養路區	
皇册庫			明藏圖籍之所
泰平橋	太平橋		
太平街			
太平苑			

太平井			
小仙鶴街			
小府巷			
朱家苑			
仁義橋	如意橋		
玉振巷	雞鬭閘		
玉振街			
雙塘			
銅芳苑			
奋子巷			
五間廳			
小膠巷		第四警察局小膠巷分駐所	

大膠巷			鳳麓小志巷有牛隱菴
鴨池塘		南京市工務局第五養路區	
吉祥街			
嚴家井			
王府巷			
竇家園			
胭脂巷			來鳳泉在臙脂巷見待徵錄上有石刻有炳靈公廟南唐昇元中建今廢見南都察院志
小船板巷	堂子巷		
柳葉街			有一葦庵有學泉見南都察院志　白下瑣言明駙馬趙輝宅在常平倉西今爲民居猶呼趙府
船板巷		船板巷小學 盲啞學校	
地藏庵		南京市西路清潔分隊	
雙樂園			

下浮橋			
菱角寺		實業部中央工業試驗所 實業部全國度量衡局 度量衡檢定人員養成所 消防警察隊西路分隊	
陸府巷	陸家巷		鳳麓小志舊有明耿御史定向祠其中依仁齋當時築以居陳光廷者施愚山爲之作記也
崇恩街		南京市財政局屠宰稅征收處	
迴龍街			鳳麓小志有製造銀元制錢局光緒戊戌年所新創也
西關頭			
土橋			鳳麓小庵有禮拜寺回民之所萃也
井家苑			
施家巷			
老府橋			

右四局五所

五福街	第四警察局五福街分駐所	
毛家苑		
來鳳街		鳳麓小志有吳訓導繩之宅
撮箕巷		
金粟庵		鳳麓小志昔杜少陵詠顧長康所畫瓦官寺維摩云虎頭金粟影神妙獨難忘庵近瓦官故取金粟以爲名與
終所巷		
柏家苑		
倉坡		
倉頂	集慶路小學	鳳麓小志花盝岡一名倉山明驍騎衛屯糧之所也俗呼倉頂金陵瑣事云倉有一井與江河通大旱不竭井中四方有鐵金剛託之即此是已倉山旁有阮步兵籍墓籍生長中原而埋骨江左意者南渡之際舉族東遷與櫬以至與
營門口		

太平閭	太平里		
仙鶴橋			待徵錄大隱園徐公子元超居之在仙鶴街石白後集云先公爲闔廬皇代又云獨有此園氣蕭爽頗與故宮風景殊益經營于嘉靖中鼎革後猶屬徐氏也後歸張稼蘭若居之今廢
集慶路			
高家苑			
磨乃巷			
擱漏街			
花露崗			有遯園顧文莊公所築也有嬾眞草堂月鱗花徑郊曠樓劈花舫諸勝西爲卜太學味齋地飫高曠有樓三楹面東而峙遍覽城內外最爲登眺勝處又有何參知公露園舊藏有博雅堂扁宋張即之書亭館池樹參差多致與遯園東西相望遯園右爲李茂才園長榆數株清陰夾巷又有顧禹王園有池可種蓮高閣突兀延矚東南諸山又有顧周南園修竹數十竿小屋數椽繞有野趣又有顧太復園地平曠多蒔花竹其規模大槩如遯園今並廢又梁茂才素治宅亦在此有曠懷樓見待徵錄
鳴羊街			鳳麓小志鳴陽街亦以鳳儀而錫嘉名有胡氏愚園與何氏綠杏園中隔一巷花樹交柯矣

街道

鳳游寺			金陵詩匯葛雲蒸詠鳳游寺側有竹數百竿闢閣其中顏曰竹護又掘地得一巨石啟之泉出其下寺東有武文學園多花竹錯以山石見遯園名園記今並廢
杏花村			待徵錄明嘉隆間以杏花名遯園名園記湯太守熙臺閣在杏花村口地不甚廣而多佳樹亭子外老杏數株花時燦然若雲錦東有李氏園兩塘相漣樹瑩清泚隄上垂楊大可合抱又有方人學子中園中有牡丹甚佳今並廢鳳麓小志寰宇志謂爲杜牧之沽酒處信然元平章阿魯灰與明太祖師戰軍敗殲害於此見客座贅語
大沙井			鳳麓小志大沙井有鐵碑菴
小沙井			
蕭公廟			遯園名園記蕭公廟東有許無射園入門曲房宛折至迷出路轉入廟後地忽宏敞頗以竹樹繞之園北有張保御園有屋三楹清寂可人亦多佳樹又有海石園張莊節公別墅也海石高二丈許徑三尺有咫具四面相玲瓏透漏海氣所蒸五色斕然自廟島四山移此園中幽房曲室最爲雅觀小池迴廊不廢游覽見白雲私乘今並廢
瓦官寺			鳳麓小志寺本名集慶菴明嘉靖時詔毀私剎僧以瓦官扁其廬得免以與山上瓦官寺對故謂之下瓦官洎上瓦官改爲鳳游茲寺遂專瓦官之名

一六一

十間房			
豆腐坊	豆腐巷		
萬竹園			遯園名園記張太守孚之佚園舊爲徐公子萬竹園後張與王太守爾祝共分其地古樹深篁杳然異境又鄒允達利關別墅於此寫萬竹蒼烟卷後歸清鄧太史旭
黃土山			
貓魚市			鳳麓小志有準提菴有海會菴海會靜海寺之下院也
右四局六所			
積善里			
三條營			有李氏園
上江考棚	方家巷 三條營外口		舊有方家巷明世宗孝烈皇后居此故名見金陵詩匯賊情彙纂翼王石達開先住故明張侯第嗣住上江考棚
亂石堆			
三條營外口			

馬芳苑			
貴人坊			東城志略鬼門關以闃寂無人也今呼爲貴人坊從美稱也
邊營			白下瑣言邊營金氏膝園背城而立僅數十弓而池臺亭榭楚楚有致今廢
中營			
張家衙		第四警察局張家衙分駐所	舊名張家園明張莊節公可大宅在此有小東園見金陵詩匯
五板橋			
剪子巷	藏金橋	南京市救濟院婦女教養總所 婦女教養二分所 孤兒院 育嬰所 游民習藝所 養老總所	舊志周處街在普和坊南織錦一坊東今曰剪子巷待徵錄引私乘云韓𡡉字園在剪子巷中石山中峯高可二丈從徐氏東園購得宋賢題跋甚多舊有崇義書塾本淮商爲之爲無力讀書者肄業之所今廢又有普育堂育嬰堂
馬道街		馬道街小學	相傳富民沈萬三宅在此有廬州會館賊情彙纂春官又正丞相蒙得恩居馬道街前河南總督潘錫恩之新宅
龍泉巷		養老一分所	
			袁志油坊巷一名德慶巷有德慶庵故名巷左即翔鸞坊南唐盧絳感夢處也又皇甫繼暉子亦居此有翔鸞廟又有澪泉有石刻客座贅語市隱園在油坊巷即姚元白所涖者有玉林茶泉中林堂

大油坊巷	堆金橋		有清節堂
小油坊巷		婦女教養一分所	
宰猪巷	何家苑		
堆草巷	翱鸞廟		東城志略翱鸞坊南唐盧絳居此有廟祀盧大王重其忠節也皇甫繼勳與之爲隣
長樂路	武定橋 大夫第		武定橋東金陵瑣事梁僉庵尙書罷官後門庭蕭然與寒士不異同時管檢校子山亦罷官歸同在武定橋南北相向而住子山造樓居廣田產其門如市人反而稱之曰管尙書梁檢校又有讀樂園白雲名園記在武定橋石室之右有亭翼然八窗盧斂中貯藏書十二架以供翻閱又梁尙書材邢榜眼一鳳二坊並在此見白下瑣言武定橋西古武定坊也帝里人物略明監副貝琳居武定橋西庭植絲瓜一蒂相連而異瓣倪文僖公以文賀之又有賅博堂書影云茅元儀著武備志獻于朝崇禎以賅博稱因建賅博堂宋比玉書近武定橋　大夫第秦礪泉學士居此有園曰瞻園又有百子同居之堂相傳本何如寵賜第

思元室春雨畦觀生處容與蠶海月樓鵝羣閣鷗波洗硯磯柳浪隄秋影亭浮玉橋芙蓉館鶴逕華止居借眠庵諸勝見許尚書寶穀歸田集後南中爲元白孫憲副拓而大之北半歸何侍御仲雅改名足園矣清乾隆間屬熊編修本改名塔影園旁有借影園龔文思詩注云即江淹宅也又有快園明徐子仁築也翠篠清漣芳林幽砌臺曰振衣刻名公題咏下有麗藻堂稱白岩書晚靜閣文衡山書武宗南巡時曾幸晚靜閣釣魚得金鯉又失足落池中後園有宸幸堂浴龍池紀其實也今並廢

小西湖		小西湖小學	待徵錄小西湖宋屬青溪明屬市隱園呂志屬快園東城志略箍桶巷有徐霄仙霖快園前明武宗南巡時幸其家於晚靜閣下釣魚失足落水中園內有宸幸堂浴龍池皆紀實也後閣易主至國朝為淩州判霄所得今雖廢為邱墟而春水鴨欄夾以桃李土人猶呼小西湖焉
小西湖畔	鴨子塘		
油坊巷後	小西湖　小油坊巷		
膺福街	積玉橋		舊名英府以英國公張輔府得名同治五年署總督李鴻章易今名
大荷花巷			
小荷花巷	馬芳苑		
大井巷			
小井巷			
豆腐巷			
中華門	膺府街　貴人坊		

右四局七所

普安里	沈舉人巷		
同仁里	沈舉人巷		
華安里			
長庚里	高家酒館		
安樂里	高家酒館		
耀華里	礀銀巷		
淳德里	大豐富巷		
漢中路	老米橋　雙石鼓　螺絲轉灣　錮銀巷	實業部中央模範林區管理局　中央模範農業倉庫辦事處	
豐富路	欣欣園　破布營　三道高井		有馮晉漁舍人欣欣園今廢
華僑路	牛邊街　慈悲社		

石鼓路	破布營 天主堂街 小豐富巷 螺絲轉灣	第五警察局石鼓路東口分駐所 工務局第四養路辦事處	
永慶巷			
鐲銀巷			石城山志只雨後山水入澗其色如銀故也
盔頭巷			
陸家巷			
俞家巷			
南台巷		京市寧浦六食岸商巡緝私營本部	
小鐲銀巷			
大豐富巷		京市府衛生局中路清潔隊	明侍御何綸宅在此有白鶴樓見金陵詩匯
沈舉人巷			明舉人沈九思居此九思有學行生徒敬之名其里曰沈舉人巷見金陵詩匯
慈悲社	螺絲轉灣 沈舉人巷		

螺絲轉灣		廣豐備倉 天主教堂	客座贅語入石城門往東大街折而北路曲如環俗名螺螄轉灣或曰訛也路曲處乃鐵塔寺牆脚寺舊名羅寺此路值其隅角故曰羅寺轉灣案寺劉宋秦始中建本名延祚唐僧靈智生無目號羅睺和尚經論文字悉能明了時入稱有天眼爲建塔寺內故曰羅寺前舊有鐵塔二座宋乾興元年鑄故又曰鐵塔寺矣熙寧中賜額正覺王荆公嘗于寺西作書院有軒名鐸龍建炎三年以法堂西偏爲元懿太子攢宮後改爲虎貫左衞倉倉內有百丈泉見南都察院志一說鐵塔寺唐太宗時建有尉遲敬德監造磚塔頂有唐人所書經音塔毀時爲居人檢去邑人林必昌曾見數頁字極端麗二說不同豈唐曾重建耶
管家橋	雙石鼓		
鐵管巷	雙石鼓	工務局第三養路辦事處	
四達里			
新街口	大豐富巷		
明瓦廊			有陝西會館又有梅文穆公祠　賊情彙纂鎮國侯盧賢拔賜明瓦廊大街前戶部郎中梅曾亮宅天官又副丞相曾劍揚住明瓦廊大街前戶部郎中梅曾亮之宅夏官正丞相何震川賜明瓦廊大街前戶部郎中梅曾亮之宅功勳前夏官副丞相賴漢英賜明瓦廊前戶部郎中梅曾亮宅

高家酒館	慈悲社	東方大港籌備委員會	
五台山村	慈悲社	五台山小學	
乾河沿		金陵大學附屬中學 匯文女子中學	
雙石鼓			
豆菜橋	慈悲社		
豆菜園			
右五局一所			
會文里	富民坊		
富春里			
石榴園		第五警察局石榴園分駐所	
豐富路	頭道高井 二道高井	南京市衛生事務所 高井小學	
小板巷			運瀆小志小板巷中有隙地曰郭府園明武定侯之舊宅也

建鄴路	羊市橋 下街口 紅紙廊	中央政治學校	下街口舊有龍翔寺白下瑣言引金陵閩見錄謂下街口白塔巷一帶即其址元文宗時建案金陵新志載寺之原始甚詳並有圖東跨西虹橋西抵冶城是羊市橋紅紙廊皆爲寺地不獨下街口也明參議蔣滋宅在此存樓三間讀書其上見金陵詩匯 紅紙廊有織造司庫筆帖式庫使諸署筆帖式署舊在西華門街故明誠意伯祠今移建於此 賊情彙纂地官又副丞相劉承芳住紅紙廊前任四川布政使方積宅
貫橋市			金陵新志俗傳茅山二十六代宗師所建舊名欽化橋一曰欽化坊其西南有宋安遠樓和熙樓今廢又白下瑣言貫橋市爲金陵一勝正月初魚龍紛遝有銀花火樹之觀其中翦彩燈五色十光尤爲佳妙
木料市			
大香爐			白下瑣言曹都巷口有鐵鼎俗呼大香爐上有元時年號地捨龍翔寺名姓凡數十字又有白塔金陵瑣事裕民坊街心有白塔香火頗盛俗傳太祖活埋張士誠于下或曰士誠驍將因建塔以鎮之此說非也乃龍翔寺前舊塔耳
明瓦廊			
洪公祠		外國語研究所	
曹都巷			

街道

王府巷後	大王府巷 小王府巷		
小王府巷			
大王府巷			舊名皇甫巷南唐皇甫暉居此得名後爲元文宗藩邸故曰王府矣又改爲龍翔寺有冶城山館白下瑣言陽湖孫星衍買皇甫巷宅亭館池樹布置有法名曰冶城山館又有邢氏綠園修廊廣廈小亭短垣致尤靜逸今並廢
秣陵村			
秣陵路	崔八巷	實業部中央工廠檢查處 北平故宮博物院駐京辦事處 崔八巷小學	
富民坊			有養濟院
進香河			
張府園			疑舊屬靖逆侯府故名
三元巷		設計委員會	帝里人物略尹三元鳳家在白下橋下今三元巷疑因其舊居得名
跑馬巷			

一七一

郭府園			
右五局二所			
中正路	天青街 馬巷	第五警察局馬巷分駐所	肇域志引南畿志習藝東街南通三山街一名馬巷又曰馬市見袁志待徵錄王元倬宅在馬巷方爾止詩南中高士多元倬爲第一是也
昇州路	坊口街 行口街		
觀音庵			
踹布坊			
平章巷			白下瑣言舊名皮場巷有小庵祀明僉都御史景公清顏曰景公閣道光中居人修造閘門更名平章案今景公祠移在絨莊街
評事街		評事街小學	白下瑣言評事街一名皮作坊見金陵世紀今由打釘巷抵七家灣攻皮者尚比戶而居舊有尹僉事乘宅又沈處士琪宅亦在此有聽雲樓康海紀金琮書額評事街西舊有歐陽氏居此有宴園集文端公歐陽氏式好堂記云金陵評事街居人莫久于歐陽氏是也又有江西會館大門外花門樓一座皆以磁砌成尤爲壯麗見白下瑣言 賊情彙纂補天侯李俊良踞江寧評事街富室胡姓宅

大板巷		大板巷街東古習藝西街也肇域志引南畿志習藝西街在皮作坊東與習藝東街並列俗呼大板巷圖志舊名土街有甘氏津逮樓製仿范氏天一閣
定盤巷		
南捕廳	鍾英中學	
泥馬巷		運瀆小志俗傳宋高宗南渡遺跡齊東之談也
綾莊巷		
絨莊街	江寧縣牙稅局	運瀆小志宋有永寧驛
走馬巷		運瀆小志巷中道北有委巷曰瀋陽衛
老坊巷		
竹竿里		或疑此即竹格渚也肇域志曰竹格渡今竹格巷側袁志亦有竹格巷格竿聲之轉耳呂志謂近通濟門恐不可從有謝尚宅永和四年捨為莊嚴寺宋路太后改謝鎮西寺是其處矣久廢運瀆小志晉王含犯順之師嘗從此濟狼奔豕突間道出奇沿淮溯青此為要隘矣
甘露營		

白衣庵		第五區黨部第三區分部	舊爲水龍局總匯
古鉢營			
內橋灣			
右五局三所			
昇州路	講堂街 陡門橋 油市街	郵政支局	白下瑣言引金陵聞見錄見沙陳太守鵬年拆毀南市樓改講堂命父老於朔望講孝弟忠信禮義廉恥今斗門橋東名講堂大街是也二林居集康熙中總督阿山欲劾公諸摭無所得則以嘗逐娼建亭其中月朔宣讀聖諭爲大不敬劾之蓋即拆樓改堂之事也 斗門橋街南其西舊有華藏院建康志僞吳武義六年建初爲報先寺南唐改爲報恩禪院宋初改今額有此君亭王安石有詩有華光庵 油市街有定遠侯府隆平侯府見南都察院志今不詳所在又有姚氏園今爲安徽會館
評事街			
千章巷	紅土橋		
泰倉巷			

程善坊		第五警察局程善坊分駐所	
嘉兆巷			
南市樓			金陵瑣事引藝林學山云永樂中晏振之金陵春夕詩花月春江十四樓人多不知其事蓋洪武中建來賓重譯清江石城鶴鳴醉仙樂民集賢謳歌鼓腹輕烟淡粉梅妍翠柳十四樓於南京以處官妓蓋時未禁縉紳用妓也案金陵本十六樓有南市北市二樓今諸樓皆廢惟南市樓名尚存又攷城志引南畿志南市樓即宋安遠樓基
廁所巷			
安品街			白下瑣言安品街普利庵明天順間賜額後圮大門左右有二鐵獅光黝如漆俗呼爲鐵獅子街今亡
糯米巷			有中州會館
車兒巷			
雲台地			銀臺第通政司羅粟倫居此故名
徐家巷		徐家巷小學	有洞庭會館
登隆巷		西康諾那呼圖克駐京辦事處 登隆巷小學	

鄧府巷			以鄧愈所居得名
平安巷			
光華路	樓子巷　牛皮街 甘雨巷		白下瑣言乾魚巷在斗門橋右訛爲甘雨有太邑會館
小禮拜寺巷			
紅土橋河沿	草橋河沿 紅土橋河沿		草橋北乾道橋也白下瑣言崔筠谷妻黃氏壽百有六歲建坊於七家灣橋上即此
襪子巷			
鼎新橋			白下瑣言道光甲申疏濬支河于鼎新橋下掘地四尺得銅刀長三尺上有七星文下口綉龍首形無款識不知爲何代物里人伍光瑜有歌運瀆小志鼎新橋本名小新橋宋馬制使重建之因改今名
牛首巷			
竹架山			
小輝復巷			運瀆小志道北有圓通巷口北行數武舊通靈觀趙宋時之所建也
		山東省政府駐京辦事處	舊有通靈觀宋建見南都察院志旁有封崇寺建康志引圖經云舊報慈解院也俗曰臥佛寺今重

七家灣			修運瀆小志相傳明太祖於上元夜微行至此見有畫不纏足婦女懷抱西瓜以刺馬皇后者大怒令屠其里門有張燈者盡殺之僅餘七戶
富德巷			
打釘巷			運瀆小志巷北有禮拜寺回民之所奉也自草橋以至七家灣半為回民所居故有是寺
大輝復巷			
大常巷	小常巷		
醬棚營			
狗皮山	仁義里		
右五局四所			
石橋街			疑南唐西北城濠所經也
左所巷			
牌樓巷		漢西門小學	

五台山			
孝園			
永慶巷			有城守右營守備署 有永慶寺
虎賁倉			
百步坡			
石路鼓	石橋街　虎賁倉　牌樓街　漢西門街	第五警察局石鼓路西口分駐所　第五區黨部第二十區分部　漢西門郵局　警廳漢西門稽查處	牌樓大街有穀米倉舊豐備倉也又有虎賁倉在穀米倉之東
漢中路	左所巷　永慶巷　牌樓巷　校尉營　金家苑		
龍蟠里		江蘇省立國學圖書館　三民中學	有四松庵舊有六朝松四庵因以名邑人胡鍾書額周榘清涼小志云庵有三將軍像昔爲防禦巷戰死庵北有收兵壩此其證也旁有盋山園以形似名因山構宇遠隔塵世憑高俯眺心目曠然道光初年陶文毅公改名博山課諸生經史並建祠祀其先桓公又有明汪文毅公祠清曾文正馬端敏二公祠方望溪家祠上元節孝祠　石城山志顧晉公祠在烏龍潭上潭遮西有薛廬潭遮東有周幔亭榘故宅舊門有額題周幔亭先生讀書處

場門口		
韓家橋		
清涼山	自來水台	
蛇山		
百歲坊	警官高等學堂	有收兵橋
峨嵋嶺		有吉祥寺寺有井相傳雷所成也泉味獨勝今謂之雷泉金陵詩匯新安鮑山母羅氏夢梅而生金陵吉祥寺有古梅山母生而寺之梅萎迨卒則復擢五新幹權曲蟠地猶盤龍偃蓋然山見梅下拜謂母之魂歸于梅因建拜梅庵于寺中焦漪園爲之記以立春爲梅誕日八月初一爲梅浴日
校尉營		
城灣街		
金家苑		
棋盤城		

草場門		白下瑣言清涼山畔地名草場種菜者鋤地得大鐵鏃數十枚報官入庫地近石頭城為六代戰爭之所古物無疑
吳家巷		
虎踞關	警察訓練所	有懸仙庵老桂參天有生意相傳為六朝時種又有全眞堂今並廢其西北高岡舊有書堂洪武中建教故武臣子弟亦名武學堂見金陵詩匯
陶谷街		相傳以貞白居此得名後為浙人張氏園有古梅一株齊梁物也花開作旃檀味今廢
東瓜市	金陵女子文理學院	
合羣新村		
陰陽營		明鷹揚衛在此故名
隨園		
紅土橋		即南乾道橋也肇域志引南畿志有北市樓在南乾道橋南即宋和熙樓基　炳燭里談達官貴人來訪袁隨園者至橋屏去旗仗
胡家菜園		

闘雞閘			
潘家菜園			
徐府巷	徐家巷		
平倉巷			
收兵橋			
隨家倉			
清涼門			
廣州路	焦狀元巷 小桃園		焦狀元巷舊名豆巷客座贅語少橋張封公居北門橋之豆巷有一堪輿謂之曰君宅後之河自西而東所謂一灣辛水向東流也於法當出狀元後焦澹園先生移居其對門至萬曆己丑大魁天下其言乃驗今曰焦狀元巷鮑元方詩注云王僕服居辛水橋側按辛水橋今不詳所在豈取此一灣辛水向東流意乎
漢口路	犇家巷 闘雞閘	漢口路小學	
吉兆營			其西有旃檀林叢葦古桂致極幽逸

小粉橋			
陶谷新村			
小桃園	三聲雁		有玉樹堂待徵錄朱元介别墅也私乘云取境高而闢地遠堂前有玉蘭數株其相近有伏挺泉見呂志
趙家菜園			
右五局五所			
陶李王巷			
柏果樹			
漢西門街			白下瑣言石城門至通濟門長街數里舖石皆方整而厚洪武間令民輸若干予一監生謂之監石今被牛車輾之多破碎矣又袁小修記云南都街多青石故老云皆先朝豐石也予謂六朝舊地自多佳石故老所傳未足徵信見珂雪齋集二說不同並存俟考有張茂才繼庚宅 賊情彙纂東殿吏部三尚書侯淑錢郇學西門大街前湖南衛永彬桂道張營宅東王楊秀清初住藩署三日旋移將軍署後移旱西門前山東鹽運使何具輿住宅
陶李王後巷	陶李王巷柏果樹		

黃鸝巷	黃泥巷		古運巷也建康志運巷在今天慶觀相接即黃泥巷沈約自序曰高祖賜館於都亭里之運巷即此有何其興運使宅
宮後山			袁于令宅在此王漁洋詩所謂君家冶城下手把梅花枝是也又有蔣恭靖武生賜第在全節坊前見金陵詩匯
朝天宮			
倉巷橋			
三茅宮			
秣陵路	易家橋 宮後山		
天妃巷			
冶山道院			
侯家橋			客座贅語鐵塔寺倉前有橋俗曰後家故老言本名候駕其義惜無可考舊有朱氏西園後歸溧陽史氏 賊情彙纂大官正丞相曾水源踞候駕橋前廣東糧道易長華宅殿前丞相東殿吏部一尚書李壽春踞候駕橋前廣東糧道易長華之宅殿前丞相東殿吏部二尚書侯謙芳與李壽春同居

桃園			
四根桿子			
朝天宮西街		第五警察局朝天宮西街分駐所	府學大街舊有東籬門園梁何點所寓即今冶城西地一云即烏榜邨有金盤李園在卞忠貞廟西中山諸園之一見弇州名園記今廢　古城隍廟東建康志云天祐二年置在城西北即此北有華藏庵明宣德間創設爲接衆叢林內有明魏國公徐宏基清靜擘閣扁額有碑在大殿後見白下瑣言今廢又有船政倪公祠
羅廊巷			
堂子街		市府衛生局西路清潔隊　市屠宰場西區檢驗辦事處	
張公橋			
禮拜寺巷		崇穆小學	
禮拜寺後巷			
天主堂後			
大王府巷		首都警察廳第五警察局	

軍械局後			
石橋後			
南衙巷			
右五局六所			
止馬營			
犂頭尖			
韓家苑	十間房		
北灣子			
鐵窗欞			
公坊巷			
倉　巷		第五區公所 倉巷小學	
朱狀元巷		司法行政部法官訓練所 第五區黨部第六區分部	因明朱侍郎之蕃居此得名

大丁家巷			
小丁家巷			
文津橋			
安品街			
牙櫝巷			
月牙巷			
七家灣			
牛首巷			
木屐巷			
古巷			
昇州路	水西門街		賊情彙纂殿前丞相正總典聖庫吳可億踞水西門大街富宝姚姓宅　又殿前丞相副典聖庫譚順添與吳可億同居

街道		
水西門街	第五警察局水西門分駐所　警察廳水西門稽察處	有塌坊明初所立水西門外堆貨棧房也又有黄公祠舊在貫院康熙中拓號舍移置於此又有曾惠寺呂志在三山門外永樂間爲唱經僧天順間重修賜額每正旦百僚于此拜送表賤寺前有井上有石刻其相近有接待寺舊志在三山門外六里明洪武敕總接待十方今並廢有天妃宫即全閩會館也舊有廣濟坊在廣濟倉東南又有宋惠澤龍王廟在大軍倉東並見續康志今廢
大水巷		
小水巷		
下浮橋		
南灣子		
生姜巷		
右五局七所		
北瓦廠街		
蘆柴廠		
涵洞口		

涵洞口後	涵洞口		
漢西門外街			
鳳凰街		第五警察局鳳凰街分駐所	
紅土山		南京市政府衛生局屠宰場	
二道埂子			
右五局八所			
水西門外街		江寧縣濱江鄉區保衛團	
瓦廠街		第五警察局瓦廠街分駐所	
南傘巷後街			
上河街			
牌坊街			
瓦廠後街	瓦廠街		

金安里	興隆巷		
白骨塔			
鹽碼頭			
蘇碼頭	大水巷		
關頭巷		警察廳西水關稽查處	
北傘巷			
小莊子			
南傘巷			
西街頭			
下河街			
外關頭			

右五局九所

湖北路	鼓樓北　獅子橋 街橋　新菜市	外交部　鐵道部路警管理局　鐵道部職工教育委員會	獅子橋建康志在城北湘宮寺北當即此也
湖南路	新菜市	中央黨部　丁家橋郵局　第六警察局門樓上分駐所　警察廳特務大隊第四中隊	
山西路	傅佐園	國立編譯館　管理中英庚款董事會	
傅佐路			
獅子橋	丁家橋		
西　橋			
大方巷			
陳家巷			
鼓樓新村			
水井巷			

興皋巷			
鼓樓二條巷	二條巷	中央電影檢查委員會	
鼓樓三條巷	三條巷		
鼓樓四條巷	四條巷		
鼓樓五條巷	五條巷		
勤園			
忠信里	鼓樓北街		
忠實里			
合興里			
公明里			
福壽崗			
無量菴			

新泉里		
中山北路	大方巷 獅子巷	警察廳偵探第三組 首都警察廳警鈴管理處 第六警察局鼓樓北分駐所 最高法院 行政法院 最高法院檢察署 首都華僑招待所 交通部電話北分局 交通部無線電南京發報處 京市鐵路鼓樓車站
山西路新住宅區		山西路小學
江蘇路		
赤壁路		
珞珈路		
頤和路		
寧海路		
牯嶺路		

街道

靈隱路		
普陀路		
天竺路		
琅琊路		
莫干路		
寧夏路		
西康路		
北平路		
湖南路		
右六局一所		
金銀街	金陵大學農學院	
陰陽營		

培德里			
三省里			
鼓樓頭條巷		鼓樓幼稚園	
鼓樓東巷			鼓樓南都察院志在委字鋪洪武十五年建樓上大鼓二面小鼓二十四面雲板一面點鐘一面牙杖四根壺房銅釘一座三眼畫角二十四枝爲接王選妃迎送詔書等用鼓今亡上有聖祖御碑今日碑樓舊有江興公署今未建又有何參篆宅見金陵詩徵其東北僧舍日華嚴堂西北僧舍日大佛庵舊志云秦潤泉學士讀書於此今皆廢倒鐘廠南都察院志鐘樓在坐字鋪洪武十五年建樓上聽鳴鐘一口洪武二十四年四月二十日鑄造立鐘一口在樓前洪武二十五年十二月十四日造臥鐘一口在府軍後衛岡地方洪武二十五年十一月二十四日造樓今廢鳴鐘立鐘竝亡惟臥鐘見存案江寧黃山旂憶書軒稿詩注云臥鐘永樂二年僧道衍鑄不知何據
鼓樓南			
天津路	百步坡	金陵大學	
中山路		交通部鼓樓電報收發處　鼓樓郵局　鼓樓小學	

保泰街		第六警察局保泰街分駐所　警察廳北路消防隊　京市鐵路清潔隊第六區公所　中華女中學
百步坡		日本總領事館　首都民衆教育館實驗區總辦事處
	右六局二所	
老菜市		
四衛頭		
水佐崗		
馬鞍山		
吉祥寺		
篤義里		
修竹庵		
西倉		

虎踞關		第六警察局虎踞關分駐所	
陶谷街			
下午所			
黄瓜園			
劉家崗			
草場門			
右六局三所			
高樓門			
峨嵋路		比國公使館	
中央路			
百子亭			
湖南路			

高門樓		法國公使館	
西家大塘	高樓門		胥家大塘白下瑣言雞鳴寺之陰近臺城處有胥家大塘蓄水冬夏不涸環塘有田近百畝蔡友石觀察購爲屋舍名之曰晚香山莊今廢案顧文莊云雞籠山後沿水徑而入蘿木蒙翳初若無有豁然開朗別一世間池數十畝旁植楊柳中種荷芰水田郵舍仿佛桃源疑即胥家大塘也
富厚里			
北極閣		中央氣象研究所	
裴家橋			
立誠里			
仁愛里	裴家橋		
民蔭里			
志成里			
門樓上			

傅厚崗		土地委員會　河北省政府駐京辦事處
裕明里		
龍　園		
明志里		
承厚里		
玄武里		
玄武門		警察廳玄武門稽查所
和平新村		
	右六局四所	
模範馬路		
斜　橋		首都民衆教育分館
馬台街		膠濟鐵路理事會　第六警察局馬台街分駐所

三牌樓		第六警察局三牌樓派出所　軍政部　三牌樓小學	肇域志引南畿志三牌樓在鼓樓北
將軍廟		警察廳第六警察局　國際聯歡社　美國駐京總領事署	
西流灣			
虹橋			
謙豐坊			
湖南路			
湖北路	新菜市　馬台街		
新菜市		新菜市小學	
童家巷		第六警察局童家巷派出所	
中和里			
修德里			

馬家街			
永新里			
觀音菴			
黨部後	省議會後		
堂子巷			
司背後			
丁家橋	丁家橋南北		
龍倉巷			
大樹根			
右六局五所			
和會街		第六警察局和會街派出所　法國領事署	
校門口	和會街	中央大學農學院	

建業邨		
狗耳巷	京市衛生第六診療所	
中和街		
東門街	第六警察局靜界寺分駐所	
清涼古道		
童家山		
十字街		
中山北路	中央黨部留俄歸國學生招待所	
祁家橋		
三步兩橋		
古松里		
妙耳山		

迴龍橋		客座贅語在定淮門內與清涼四望山勢同顧故名
後所		
戴家巷		
歸雲堂	第六警察局歸雲堂派出所	
華嚴崗		
老虎洞		
水佑崗		
定淮門		
古平崗		
岳家巷		
晚市		

右六局六所

樓子巷		第六警察局妙鄉分駐所	
通海里			
三益村			
薩家灣	太平橋	新民小學	
雙門樓	武陵里	英國領事署 英國公使館辦事處	
南祖師庵	花家橋	北路清潔分隊	
妙峯庵			
金川門		第六警察局金川門派出所 警察廳金川門稽查所	
四村所			
中山北路		鐵道部 交通部	
霞公府			
龍池庵			

街道 二〇三

文安里		
望糧橋		
妙鄉		
挹江門山南		
右六局七所		
和平門	警察廳和平門稽查所（舊） 六警察局和平門派出所	
和平門外		
庫倫路		
和平東站		
小市		
黃家圩		
許家橋		

洪廟			
瓜圃橋	樓子巷		
新門口		第六警察局新門口分駐所	
菜家巷			
柏果園	柏果樹		
青石橋			
蘆蓆營		第六警察局蘆蓆營分駐所	
籌市口			
板井			
許府巷			
廖家巷			
三友里			

金川門			
鍾阜門			
小北門			
紫竹林			
北洲城根			
右六局八所			
環洲	長洲　亞洲		
櫻洲	新洲　歐洲		
菱洲	菱洲　澳洲		
翠洲	趾洲　非洲		
梁洲	老洲　美洲	南京市公園管理處第六警察局五洲公園分駐所	

洲城根			
右六局九所			
丹鳳街		第六警察局丹鳳街分駐所	
安仁街			
雙龍巷		雙龍巷郵局	白下瑣言唱經樓之北有雙龍巷創始已不可考巷口有二石龍頭屹然尚存
尖角營			
梧村			
黃泥崗			
保泰街		首都警察廳　警察廳特務大隊第一中隊	
保泰街後			
秋元坊			
試院前	武廟前	考試院　銓敘部	明國子監舊府學也有藏書樓又有光哲堂待徵錄在太學敬一堂後爲琉球官生受業所案南雍

雞鳴寺		中央研究院社會科學研究所　中央研究院地質研究所　中央研究院歷史語言研究所	志明太學最宏敞永樂中增倉閣拓號舍燈火相輝延袤十里正統間已漸圮廢今府學迤西人家壁上尚嵌風雲路三字又有奎光書院在府學內本名雞鳴余太守霈元易今名今廢
試院後	武廟後		
三多里			
中山路			
大石橋	寧安里　保康里	中央大學實驗小學	
荷葉巷	大石橋小巷		
四牌樓	海記里	中央大學	
石婆婆巷			
成賢街			

寧安里			
海記里			
南倉巷			
銀魚巷			
單牌樓			
右六局十所			
鮮魚巷			
京市路旁	寧省路旁		
壽昌里			
朝月樓			
城河邊			
綏遠路	興中門外	南京第七區黨部 興中門小學 下關電話局	

惠民橋北			
天賜里			
順興里			
德仁里			
電話局後			
湖南義地			
興安里			
利源里			
古后祠			
三多里			
靜海寺		第七警察局靜海寺分駐所　南京市關浦清潔隊　第七區公所　南京市人民自衞指導會七區	

楊家花園		
富潤里		
惠新里		
祥泰里		南京市政府衞生清潔所
惠臨里		
清眞寺		
繡球山		
右七局一所		
惠民橋南		
十座庵		
熱河路		
文德里		

鳳儀里			
聖公會			
永寧街		蘇浙皖區統稅局南京查驗所	
石　橋	石橋南		
正豐街			
正豐里			
青蓮里			
海壽里			
永盛里			
兆慶里			
黃泥灘			
中山北路			

乙興里			
甲興里			
東冰房			
復興街		第七警察局復興街分駐所	
復興街南			
右七局二所			
美孚街		第七警察局美孚街分駐所	
寶善街		江蘇省保安步兵二團駐京通訊處	
三汊河		江蘇第六區菸酒稅局三汊河查驗所	
仁德里			
裕安里			
湖北街南			

張家圩		
九家圩		
石樑柱		
右七局三所		
大馬路	金陵海關 郵政管理局	
惠民坊		
商埠街	南京市工務局下關辦事處 財政局下關辦事處 社會局下關辦事處 衛生局屠宰場下關檢驗所	
利達里		
毓善里		
慶康里		
升安里		

福陵里			
天保路		第七警察局天保路分駐所	
天保里			
天安路			
天光里			
天保路後			
公共路			
商埠西街			
商埠街後			
湖北街			
龍頭坊			
鐵路橋灣	鐵路橋河沿		

右七局四所

二馬路		第七警察局二馬路分駐所	
龍江橋			
公慶里			
三馬路			
天壽里			
河沿街			
石營盤			
升和里			
升順里			
興和里			
北安里			

江邊		下關電燈分廠 津浦路下關車站 招商輪船局	
營盤街			
華昌里	營盤街		
右七局五所			
虹門口後	虹門口		
家興里			
京滬站旁			
恕明里			
北三多里			
鄧府巷後			
京滬站前		京滬車站 京丹第一分段	
徐家巷			

虹門口		第七警察局虹門口分駐所　江寧下關製驗局　江寧印花局下關辦事處　江蘇省浦鎮柰牛檢查所　征收處　下關小學
鄧府巷		
河街	郭家巷	
恕德里		
龍江橋南		
鐵路橋		
龍江橋		
右七局六所		
寶塔橋		第七警察局寶塔橋分駐所
董家巷	橋東河埂	
和平里		

煤炭港		
東砲台		
老江口		
石牆外		
名士埂		
虹霽橋東		
虹霽橋	江蘇水上公安隊四區十七大隊一分隊 財政局屠宰稅下關區征收處	
右七局七所		
中山北路		
挹江門北山		
鹽倉橋西街		

桃源村			
驢子巷	當鋪巷		
北祖師菴		第七警察局北祖師菴分駐所	
花家橋	花家橋東街		
興中門街			
興中門南首			
祖師菴後	北祖師菴後		
小東門			
于家巷			
鹽倉橋東街			
鹽倉橋		總稅務司公署	

右七局八所

合成街		警察廳第八警察局	
裕豐里	小河南東街		
東四巷	小河南東街		
東三巷			
東二巷			
東一巷			
小河南	小河南東西街		
江沿街			
一道街			
頭道巷	江邊三道街		
二道巷	江邊三道街		
三道巷	江邊三道街		

四道巷	江邊三道街		
五道巷	江邊三道街		
六道巷	江邊三道街		
七道巷	江邊三道街		
二道街			
蘆洲灘			
利寰廠			
小河南後街	小河南西南頭		
通浦西路			
浦新里			
通浦東路		警察廳偵探隊浦口分所	
吉慶里			

黃泥灘		第八警察局小河南分駐所	
大馬路		郵政分局	
明遠里			
餘慶里			
鴻興里			
恆升里		江蘇寧浦六菸酒牌照稅稽征局江浦稽征所	
泉安里			
元興里		蘇浙皖區統稅局查驗所	
九洑洲圩新			
九洑洲圩老			
津浦馬路		津浦鐵路管理委員會 津浦鐵路浦利醫務段 津浦鐵路電燈廠 津浦鐵路港務課 津浦鐵路醫院分診所	

右八局一所

老江口		江蘇省水上公安隊第四區第十七隊第一分隊第三號巡船
河壩		
小河西		
東後河沿		第八區公所　津浦鐵路保安第一大隊第三分隊　南京市浦口清潔隊　南京市浦口辦事處　江蘇印花稅江浦縣支局浦口辦事處　南京市屠宰場浦口檢驗辦事處
小河西後街		
天橋東街		
進德里		
永生里		

長安里		
鐵路街	鐵路東西街	津浦鐵路消防隊 浦口小學
中興里	下碼　鐵路東	
下碼頭	下碼　鐵路東	第八警察局下碼頭分駐所
大塌		
江邊		津浦鐵路港務課駁運股 津浦鐵路港務課裝卸股 津浦鐵路材料廠 津浦鐵路浦鎮工務分段 浦口分廠
小河北		
泰吉里		
繼志里		
右八局二所		
天橋西街		津浦鐵路保安第一大隊部 浦口電報局 浦口

		電話局　交通部津滬電報幹線工務處	
西後河沿		第八警察局六股道分駐所	
義善里			
六股道			
耀華里			
森和里			
源昌里			
三岔河			
西河沿			
天橋街			
西一巷			
西二巷			

西三巷			
西四巷			
西五巷			
西六巷			
西七巷			
西八巷			
西九巷			
西十巷			
西十一巷			
西十二巷			
西十三巷			
西十四巷			

西十五巷	西十六巷	西十七巷	西十八巷	西十九巷	西二十巷	西二十一巷	西二十二巷	西二十三巷

南京城之東南隅（陸地測量局製）

考試院（陸地測量局製）

交通部（陸

勵志社（陸地測量局製）

新街口（陸地測量局製）

鐵道部 （陸地測量局製）

首都志卷三

山陵上

鍾山

首都之山．鍾山最高．在中山門外．拔海達千四百尺．

【建康志】周迴六十里．高一百五十八丈．東連青龍山．西接青溪．南有鍾浦．下入秦淮．北接雉亭山．諸葛武侯所云鍾山龍蟠者也．

有蔣山金陵山紫金山金山神烈山諸異名．

【同治上江志】六朝事蹟引吳錄．吳大帝祖諱鍾．漢秣陵尉蔣子文死事於此．改曰蔣山矣．或曰蔣山．古金陵山．楚以目縣焉．建康志引庾闡揚都賦注云．元皇帝渡江之年．望氣者曰蔣山上有紫雲．

時時晨見。世又謂之紫金山。藝文類聚引徐爰釋問略曰。建康北十餘里。有鍾山。舊名金山。蓋省紫名金矣。明嘉靖中詔改爲神烈山。則孝陵在焉。

三峯蔚起。第一峯高一千四百尺。稱北高峯。第二峯位於東南。高一千零五十尺。一稱茅山。第三峯高七百五十尺。一稱天保城。東西延長七公里。南北約三公里。全部位於城郭之外。而包於外郭之中。全山大部有紫色之負岩。遠望作紫紅色。山多古蹟。然存者實少。其見於載籍者。北高峯上有一人泉。

【建康志】僅容一勺。挹之靡竭。

有大愛敬寺。

【六朝事蹟】在北高峯上。侯景之亂。邵陵王綸赴援臺城。營於蔣山。因山巔深雪。乃引軍下愛敬寺。

中道爲彈琴石。

【宋書蕭思話傳】蕭思話從帝登鍾山北嶺。中道有盤石清泉。上使於石上彈琴。因賜以銀鍾酒。曰。相賞有松石閒意。

紫金山南坡　（陸地測量局製）

一人泉西爲黑龍潭。今深廣不數尺。潭上爲七佛庵。是爲蕭統講經地。庵後有太子巖，又名昭明讀書臺。〔參舉城志〕巖西有峴曰栽松。

【建康志】引金陵地志蔣山本少林木。東晉令刺史罷還都種松百株。郡守五十株。

【輿地志】宋時令刺史栽松三千株。下至郡守各有差。

又有楊梅巖頭陀嶺。皆巖西幽勝處。緣蔣祠有玉澗。

【同治上江志】祠祀蔣帝。帝卽後漢蔣子文也。嘗自謂骨青。死當爲神。吳大帝爲立廟於鍾山。封爲蔣侯。在六朝時禱焉。若有神。齊永明中封以帝號。南唐追謚莊武帝。有廟碑。徐鉉撰文。

【王安石詩】澗水無聲遶竹流。竹西草木弄春柔。茅簷相對坐終日。一鳥不鳴山更幽。

西折爲桃花隖。道光泉出其下。

【建康志】熙寧八年僧道光披榛莽得泉。故名。〔其後道光又得二泉。合爲一派。主寺者作屋覆其上。名曰蒙泉。王荆公有詩。〕

前爲宋熙寺。寺側有宋熙泉。陟左有東澗。

【石邁古蹟編】梁處士劉訏隱居之所。訏尤精釋典。嘗聽講鍾山諸寺。因卜築朱熙寺東澗。有終焉之志。

寺西有白蓮池。距寺可百許步。又有白蓮庵。

【同治上江志】昔策禪師退居於此。結庵其上。亦榜曰白蓮。

西巖卽第三峯天保城，浙軍紀念塔中央天文臺在焉。地爲歷代戰爭之所。

【南京之地理環境】鍾山據高臨下。易守難攻。南京歷代戰爭。輒以鍾山爲全城之鎖鑰。第三峯迫臨城郭。尤爲重要。第三峯南麓有一高阜名曰富貴山（卽古龍尾坡一名龍廣山）高度八十公尺。明初築太平門。（卽白由門）城跨其上。此歷代戰爭之所也。六朝之末。隋軍平陳。及同治時湘軍攻破金陵。皆在此處。太平軍於第三峯築天保城。又於富貴山設第二要塞。曰地保城。今天保城遺跡尚存。辛亥革命。浙軍克天保城。而南京遂下。有紀功塔。屹然峙焉。富貴山今有砲台。遊客不能上。中央研究院擬築中央天文台於天保山（按今已竣工）現正修築登山路。此路係由自由門外富貴山麓（俗名龍膊子）起。繞行山北。經紀功塔而達第三峯。第三峯山頂面積頗廣。卽將天文台圖書館暨職員宿舍合建一處。亦綽有餘裕。天文台高踞巔頂。風力過強。故建築材料決定完全採用石質云至應修之盤山馬路長約四里坡度約爲百之八至百分之十將來尚擬展築至第一峯山頂全路長十里鍾山風景夙稱奇偉正式之上山車路殆以此爲嚆矢

西巖下有招隱館

【宋書雷次宗傳】召詣京邑爲築室於鍾山之西巖謂之招隱館

又有周彥倫宅

【南史周彥倫傳】立隱舍於鍾山西王儉問山中何食對曰赤米白鹽綠葵紫蓼文惠太子問菜食何味最勝曰春初早韭秋末晚菘

後捨爲草堂寺

【高僧傳】時有釋慧約少達名理顒素所欽佩乃於鍾山舊館造草堂寺居之

山之南曰玩珠峯峯獨龍阜也梁釋寶誌墓在焉上有塔（明移東麓）

【六朝事蹟】梁天監十三年以錢二十萬易定林寺前岡獨龍阜以葬誌公上有塔五級永定公主造焉

【梅摯詩】珠峯塔影孤.

【南京之地理環境】獨龍阜高度一百五十公尺.

塔東爲落叉池.

【六朝事蹟】舊傳毘羅神隨梵僧密多至此.與神交戰.落叉於此地.因名.

塔西爲洗鉢池.塔西南爲木末軒.

【陸游入蜀記】其下皆大松.往往數百年物.木末取王文公詩木末北山雲冉冉之句以名之也.

塔後爲定林寺.

【同治上江志】定林寺是荆公讀書處.米元章榜曰昭文齋.李伯時寫公眞於壁.楊次公爲之贊.故定林之名特著矣.

寺後環屏風.前障桂嶺.明慶寺在其間.寺又前爲道士隖.

【應天府志】卽陳宣帝禮元靖滅兢處.

與隖相對曰靜壇.

【同治上江志】靜壇梁侍中周捨立。武帝問壇何如。對曰。風不鳴條。雲無膚寸。鹿巾黃帔甚多。白簡朱衣罕至。

中爲朱湖洞。一名紫霞洞。道書第三十一洞天也。其上曰茅草凹。

【同治上江志】有劉淵然告天石刻名投龍簡記。〔文載白下瑣言〕

【陵園小誌】紫霞洞在明孝陵東北一里許。直達有紫霞說法二洞。紫霞洞旁有懸瀑。銀濤倒瀉。直注方池。舊爲道院。今修葺爲遊人休息之所。紅牆顯露於松林叢翠中。恍若紫霞。今更於其地植楓樹紫薇紫荊碧桃梅花杜鵑石榴等。紅葩綠葉。掩映岩壑。又其地石頗嶙峋。於石隙多植適宜花木。作山石公園之佈置。當爲陵園中特著風景。雨後觀瀑。尤多奇趣。

前爲鍾山壇。

【同治上江志】引舊志。苻堅南寇。至壽春。孝武禱神祈助處。

下爲悟眞庵。庵西有兩翁軒。庵後八功德水出焉。

【梅摯記】鍾山之陽有泉曰八功德。梁天監中胡僧曇隱飛錫寓止修行。有龐眉叟謂曰。予山龍也。知師渴飲措之何難。人與口滅。一沼沸成。厥後西僧繼至。云本域八池。一已眢矣。其水一淸二冷三香四柔五甘六淨七不饐八蠲疴。水旱若初。澄撓一色。爲鍾山第一靈蹟。

【應天府志】洪武間移寺東麓。舊池就涸。從寺東馬鞍山下流出。卽今靈谷寺後泉也。

又有曲水。

【萬曆上元志】晉海西公疏以宴百僚。宋時以三月三日祓除於此。

鍾山水。

【建康志】引李衞公浮槎山水記云。李侯以鎭東留後。出守廬州。因遊金山蔣山。飲其水。旣又登浮槎。至其上有石池涓涓可愛。蓋陸羽所謂乳泉漫流者。飲之甘。則鍾山之水。與浮槎之水。其味同也。

霹靂溝。

【肇域志】在南麓。王荆公有詩。

並潆濙往復。流經鍾浦也。溝南有劉勔別墅。

【故書劉勔傳】在鍾山南。聚石蓄水。爲栖息地。朝士雅素者多從游。

又南有王騫墅。

【南史王騫傳】騫有墅八十餘頃與故舊共佃之墅在鍾山南。

自中山門至麒麟門路。俗曰九岡十八凹。第三孫陵岡也。

【祥符江寧圖經】吳大帝西陵在鍾山南麓。亦曰孫陵。晉咸和三年蘇峻至蔣山卞壼與蘇峻戰於孫陵。敗績卽此。

上有步夫人墩。

【吳志】赤烏元年追拜夫人步氏爲皇后。復合葬蔣陵。

前有商飆館。又名九日臺。

【建康志】引覽古詩注云。在縣北三里。齊武帝以九月九日宴羣臣。講武習射。應金風之節。

又東北曰白土岡。

【同治上江志】白土岡賀若弼擒蕭摩訶處也。方輿紀要引金陵記云。白土岡周十里。高十丈。鍾山之南麓也。圖經云。土色白故名。六朝事蹟引輿地志云。同夏縣西有白土墅。疑此。

又南曰南岡。

【陳書蔡徵傳】及決戰於鍾山南岡。勅徵守宮城西北大營。

上有開善寺。唐寶公院。南唐開善道場。宋太平興國寺。皆其地。明太祖時移寺於東麓。舊寺遂爲孝陵。〔馬皇后合葬。懿文太子祔於左〕

明太祖遺像

【屈大均孝陵恭謁記】孝陵在中峯下。自朝陽門入東行至下馬坊。有碑曰神烈山。肅皇之所封樹。以與夫天壽山並稱二嶽。而爲萬年之形勝者也。又有臥碑一。聖諭存焉。爲烈皇帝所立。數百步至大金門。有神功聖德碑。巍然高大。中當御道。則文皇帝所立。其文亦謂自文皇帝有御名焉。踰橋。橋下之水通霹靂溝曲水流波潺湲斜注於東澗。是曰御河。橋以北〔按當作橋西北〕有石獸六種。首爲獅子。次獬豸。次橐駝。次象。次麒麟。次馬。每種有四。皆兩立兩蹲。東西相向。森然若鹵簿焉。擎天柱二〔按此句上當

明孝陵一（陸地測量局製）

山陵上

明孝陵二 （其一見插頁）

二四一

明孝陵三

增折而東北句〕白如玉。雕鏤雲龍文。石人凡八。高可四五丈。四將軍。介胄執金吾。四文臣。朝冠秉笏。若祗肅而候鑾輅者。御道盡爲櫺星門。又踰橋。橋下之水西注于前湖。其流稍微。亦御河也。越百步有文武方門五。三大而二小。今塞其四。出入僅左一門。又大殿中門左右方門亦五。內神帛爐二。左右廡三十。門外御廚亦二。其左爲宰牲亭。右爲具服殿。皇帝所駐以具服者也。殿後則六部房。今皆亡矣。正殿有金榜曰孝陵殿。凡十一楹。中宮奉高皇帝高皇后神主。其中以黃紗幔覆之。非舊制也。殿後門者三。爲夾室數楹。皆用黃瓦。中官居之。以司香及灑掃焉。亦非舊制也。踰橋至隧道。上有明樓。樓後爲寶城。周遭完固。梓宮實葬其中。封之崇三四丈。望若崇丘焉。東有小山特起穹窿。與其南之獨龍岡相似。其下爲東陵。懿文皇太子之所葬也。

【瑣語】明朝南京孝陵內。蓄鹿數千。項懸銀牌。人有盜宰者抵死。崇禎末年余解糧往遊陵上。數見銀牌鹿往來林中。

【棗林雜俎】崇禎十年修孝陵。凡樹萬有二千九百五十七株。删枯樹五百八十六株。

【秣陵集】孝陵之建。有松十萬株。長生鹿千。今則林木僅有存者。鹿亦杳不可見。陵戶間有收得銀牌者耳。

【同治上江志】陵前寶城特起。巖巖造天。取象朱闕。享殿九楹。制極宏壯。殿後有平臺。供奉御座二。座前有案。並髹朱漆。案左匣中藏石龜。長可尺餘。昂首曳尾。約略可辨。右則配以空匣。〔詹事鄒濟有記。二年冬。於幕府山陽訪碑石。高廣中度。尋于龍潭山麓。鑿石求趺。既而神龜呈露。昂首曳尾。介文元蒼。乃於龜下遂得趺材。適與碑稱。卽此龜也。〕門外林木蔚茂。翁仲象衛之屬。羅列環拱。以數十計。鐵衣宵舉。石門晨趨。氣象可想也。舊設孝陵衛指揮屯兵守護。清室定鼎。設立守陵太監二員。陵戶四十名。撥給司香田地。乾隆十六年。裁陵監。但設陵戶看守。癸丑之亂。享殿燬。龜亡。樵牧靡禁。合抱之木。今皆濯濯。同治三年克復後。奉旨命疆臣修復。其陰有中山王徐達墓。〔高帝親製碑。見存。〕墓內有內使雲奇墓。〔卽發胡惟庸逆謀者。〕開平王常遇春墓。〔朱濂撰碑。今亡。〕岐陽王李文忠墓。〔董倫撰碑。見存。〕東甌王湯和墓。江國公吳良墓。〔公定遠人。諡襄烈。〕海國公吳楨墓。〔良之弟。諡襄毅。〕滕國公顧時墓。〔公濠人。諡襄靖。〕許國公王志墓。〔公濠人。諡襄簡。〕芮國公楊璟墓。〔公合肥人。賜葬。〕燕山侯孫興祖墓。安陸侯吳復墓。〔侯合肥人。諡威毅。〕汝南侯梅思祖墓。並以功臣陪葬茲壤。

【南京之地理環境】孝陵高度自七十公尺。遞升至一百公尺。最後穿隧道而登祭壇。壇後爲獨龍皋。松柏錯雜。卽明太祖埋骨處也。

又山之陽有漆園桐園椶園。皆明代種植處。

【方輿紀要】洪武初以造海運及防倭戰船。油漆椶纜。用繁費重。乃立三園。植椶漆桐樹各千萬株。以備用而省民供焉。今廢。

東折臨峭壁者爲定心石。又東爲道卿巖。

【建康志】慶曆中太守葉淸臣。嘗游鍾山之巖。在八功德水後。半嶺間可容數人。公字道卿。因名道卿巖。

旁有劉正肅公廟。宋建。山之半有應潮井。

【建康志】應潮井在頭陀寺後。又引蔣山塔記云。梁大同元年後閤舍人石輿造山峯佛殿。殿後有一井。其泉與江潮盈縮增減相應。

【酉陽雜俎】蔣山有應潮井。在半山間。俗傳與江潮相應。嘗有破船朽板。自井中出。貞觀中有牧兒汲水。得杉板上朱漆字曰。吳赤烏二年豫章王子駿之船。

【嘉慶江寧府志】按此井當在今茅草凹地。

下爲靈谷禪寺．

【萬曆上元志】靈谷寺在蔣山東南．宋元嘉中僧寶誌建．靈谷寺梁改名開善．宋改名太平興國寺．本朝洪武初徙建於此．更今名．自山門入松徑五里乃至寺．其中路履之有聲．鼓掌則聲若彈絲．俗呼琵琶街．梵王中殿不施一木．皆壘壁空洞而成．其殿廡規制．彷彿大內．有吳偉畫甚奇．後有浮圖．卽梁葬誌公幻身者．因移於此．石旁有古松偃幹．云高皇掛衣於上．至今蟲蟻不生．

【同治上江志】靈谷禪寺．本太平興國寺．舊在獨龍阜前．孝陵旣建．移改今額．寺蔥蔚深秀．中宏外拱．勝甲一邑．山門書第一禪林．入門行萬松間．蒼髯翠甲．拏攫夭矯．如虬如蛟．杳靄閒時．復戛戛作海濤響．如此五里．方達梵舍．世所稱靈谷深松是也．有放生池．植荷其內．或曰萬工池也．相傳鑿池時．曾役萬夫．故名．中有一殿．纍甓空構．自基及巓．都無寸木．名曰無量．俗以其宗桷弗施．呼爲無梁矣．右爲鐘樓．〔元泰定中鑄．制度精古．趙世延銘〕左爲說法臺．〔明成祖召番僧哈立麻哈思巴囉追薦高皇帝后於此．見野獲編〕臺前有街．俗名琵琶．拍掌相應．有聲如奏絃．臺後有八功德水．以竹爲筧．引水入寺．名曰竹漉泉．〔見吳雲靈谷志〕寺之東有梅花塢．靈芬豔雪．當春競融．寺後有寶公塔．高五級．爲誌公藏骨地．壁有三絕碑．又有鐵翦．吳雲志以爲隱天吳鎮之牟是也．〔翦上有天吳金三字」亂後塔燬。覆以亭。其東麓龍神祠。以禱雨有驗。故曾文正公重建焉。

【陵園小誌】靈谷寺在總理墓東三里。即今址也。基地五百畝。昔日殿宇如雲。浮屠矗立。建築宏大。可容千僧。清康熙乾隆二帝屢次南巡。親臨寺中。均留宸翰。代有高僧駐錫。實爲東南名刹。中經洪楊之亂。佛殿焚燬殆盡。惟半燬之無量殿。如靈光之巋然獨存。殿前建有大雄寶殿。金剛殿。無量殿後有誌公塔。瘞寶誌公處。其東有龍王堂。八功德水。乃昔人天旱祈雨之處也。自國府建都南京。就靈谷寺殿址。改建陣亡將士墓。原有之佛像。遷入龍王堂中。大雄殿基。移建於龍王堂之後。無量殿則改建爲陣亡將士祭堂。今昔情形。改觀。寺之名勝可述者。方丈後之牡丹。高四五尺。花時一本數百朵。如堆霞。如叠錦。萬工池之荷花。薰風起處。清香四溢。霜降之後。楓葉染丹。滿山紅樹。皆可供都人士探勝之資。足爲古寺生色云。

【南京之地理環境】靈谷寺高度七十公尺。遞升至一百公尺。寺後之屏風嶺。高度在三百公尺。屏風嶺碧石青林。幽邃如畫。寺前左右山田約六七十頃。滿種竹樹。彌望皆綠。寺燬於洪楊之亂。就現存之殿宇觀之。猶可想見當年之盛況。

山中道爲偃秀軒。

宋李忠定公有詩。

軒下爲茱萸隖。宋道士陸靜修餌茱萸處也。

【金陵新志】茱萸隖在蔣山平陂中。

又下爲東田館。齊文惠太子立也。

【齊紀】永明中太子立樓館於鍾山下。號曰東田。又於東田起小苑。營城包巷。彌亙華遠。建武二年詔罷東田及毁苑中興光樓館。

前爲博望苑。亦齊文惠太子立。

【沈約郊居賦】睇東巘以極目。心悽愴而不怡。昔儲皇之舊苑。實博望之餘基。

唐時輔公祏築以爲城。〔據元和志〕旁有沈約宅。

【南史】梁沈約遷尚書令。雖名位隆重。而居處儉素。立宅東田。矚望郊阜。

又有徐勉宅。

【南史徐勉傳】戒子書曰。聊於東田開營小園。

前有半山寺。

【萬曆上元志】半山寺。由東門至鍾山半道各七里。宋王安石故宅。捨爲寺。中有謝太傅像。本顧長康所畫。古汴趙希槩云。行都所見長康筆。縑腐色剝。幾不可觸。而阿堵瞭焉。有朱氏者刻石維揚。後摹刻於此。

【同治上江志】六朝事蹟。王荆公故宅也。（地亦名白塘。舊以地卑積水爲患。曁公卜居。乃鑿渠決水以通城河。）元豐七年。公請以宅爲寺。賜額報寧。由城門至蔣山。此爲半道。故亦名半山寺矣。寺前爲半山園。王安石示蔡天啓詩。今年鍾山南。隨分作園囿。卽此。寺後公墓在焉。

寺東里許有石阜隆起。相傳爲謝公墩。荆公詩所謂我屋公墩者是也。

【同治上江志】案治城亦有謝公墩。建康志。半山寺所在。舊名康樂坊。晉書謝玄封康樂公。至孫靈運猶襲封。恐是玄及其子孫所居。今並乏左證。兩載其說。以俟折衷。

旁有小庵。淸道光中滿州奎光營別墅焉。銅管水由此入城。疑卽吳鑿東渠遺蹟。與半山寺相望者曰忠節廟。

【建康志】張浚命邵宏淵收復宿州。宏淵將王珙戰死。立廟於此。賜額忠節。

又有東冶亭。

【同治上江志】晉太元七年立。爲六朝三吳士大夫餞送之所。王安石詩。遙望鍾山岑。知是冶亭路。謂東冶亭也。〔舊云在縣東八里。宋乾道五年留守史正志於半山寺前重建。有瑞麥知稼二亭。又有東園有鍾山堂。見墩亭草移亭見金陵新志〕

自茱萸隖博望苑謝公墩半山寺之屬。昔皆與山阜起伏相接。自明初築城。割入禁苑。淸時在駐防城之東北。乃與山敻絕矣。

自孫吳建都以至于梁。梵宮琳宇。窮極華麗。多至七十所。

【寰宇記】引丹陽記。

歷代以降。遞有廢興。如竹林寺。

見南史宋武紀。

藥王寺。

【南北朝寺錄】釋慧益精勤苦行。在鍾山誦藥王品自焚。宋孝武帝於其燒身之處。起藥王寺。

道林寺。

高僧傳寶誌公少出家。依于鍾山道林寺。常持一錫杖。杖懸刀尺及鏡拂之類。由是知名。

靈味寺。

見南史寶誌傳。

法雲寺。

見南史張讖傳。

延賢寺。

【高僧傳】杯渡和尚住。

飛流寺。

梁元帝有碑銘。

雲居寺。

庾信有詩.

興皇寺.

見南史孫瑒傳.

定嚴寺.翠微寺.興教寺.鍾山寺.

南唐李建勳有鍾山寺避暑詩.

崇禧萬壽寺.

元時爲寶誌公建.

白雲寺.

武志在鍾山頂.邑人於寺東懸崖構屋.奉宋蘇軾像.以軾曾遊鍾山.兼有寄全長老詩也.

清眞寺.又有知覺院.

南唐李中有宿鍾山知覺院詩.

龍泉庵.

庵後石刻甚多。有淳熙己酉字。又有陸游題名字。

霜筠庵。雪竹庵皆成荒草凉煙矣。

其至聖廟。

【建康實錄】晉太元十一年立仲尼廟。在丹楊郡城前路東南。又引輿地志齊移廟過淮水北。蔣山置之。

通天臺。

【宋書】孝武大明七年。鍾山通天臺成。飛倒散落山澗。

三教會宗堂。

晉謝尚齊朱應吳苞孔嗣之。梁阮孝緒劉孝標並隱此。唐大曆中處士韋渠牟亦隱此。號遺名子。顏魯公題其堂曰三教會宗堂。

沈彬別業。

五代史補云。南唐金部郎中沈彬別業。在鍾山。庭有古柏。可百餘尺。一日爲迅雷所擊。自成四片。用爲棺．及葬．掘地有石槨．篆文四字云．沈彬之槨．

湖陰先生楊德逢宅．

【輿地紀勝】引王直方雜記．德逢號湖陰先生．丹楊陳輔．浙西佳士也．每歲過金陵．上冢事畢．則至蔣山過湖陰先生之居．淸談終日．歲以爲常．案楊德逢名驥．

擁翠亭．

【金陵瑣事】明太祖登鍾山．詞臣扈從擁翠亭．給筆劄賦詩．

儒林淸趣軒．

明祭酒黃棨別業．有門近鍾山景自妍句．

並遺跡蕩如．莫能實其所在．而如晉五陵．

【建康實錄】康帝崇平陵．簡文高平陵．孝武隆平陵．安帝休平陵．恭帝沖平陵．皆在鍾山之陽．不起墳．

宋武帝陵．

【建康實錄】宋高祖葬初寧陵。隸丹楊建康縣蔣山。

宋文帝陵。

【建康實錄】文帝葬長寧陵。圖經云。與武帝陵相近。

宋文帝元后陵。

【南史】宋元嘉十七年葬先皇后於長寧陵。卽文帝陵也。

南宋學士張孝祥墓。

在鍾山淸果寺側。董道輔有拜墓詩。見建康志。

少保王德墓。

【白下瑣言】在鍾山淸眞寺側。有神道碑。

元貢士王君墓。

【草廬集】在上元縣鍾山之原。有墓誌銘。

明靜誠先生陳遇墓。

舊志在鍾山．

太常寺卿呂本墓．

舊志在鍾山．

清林古度墓．

【待徵錄】古度有別墅在溧水乳山．曾營生壙於此．而不克葬．後卒．周櫟園助以貲．葬鍾山．

亦以抔土無徵．僅識其名而已．

蓋鍾山之衰也久矣．自國府奠都．茲山劃爲總理陵園區．積歲經營．邪許相聞．規制閎麗．彌望鬱藹．殆突過于六朝矣．

總理陵

總理陵籌備于十四年．

【南京之地理環境】中山先生以民國十四年三月十二日卒於北平旅邸．遺囑歸葬於南京紫金山．至四月十四日．總理葬事籌備委員會成立．遵總理遺言．勘定鍾山東部茅山南坡爲墓地．其地岡巒前列，屏幛後峙，左鄰孝陵，右毗靈谷，氣象極爲雄偉，五月間採用建築師呂彥直氏警鍾形之圖案，測地炸石，鳩工庀材，於十五年三月十二日舉行盛大之奠基禮，陵墓所用石材，或爲蘇州金山之花岡石，或爲香港之花岡石，全部工費一百五十萬元，由墓道至中山門馬路約六里，至民國十八年六月一日迎櫬南下，以中國國民黨名義葬總理孫先生于此地，陵墓建築，首爲甬道，其次爲陵門，自陵門以遞達祭堂大平台之石道，凡分十段，石級數三百三十九級，其高度由一百二十公尺遞升至一百八十公尺，石道之兩旁有平坡，共可容萬五千餘人之衆，最上部爲大平台，中央建立祭堂，前面作廊廡，支以方柱四，祭堂後壁之中央闢墓門以通墓室，大平台之南面護以石欄，台之東西兩旁，擬建立高約四丈之華表，極森嚴之致，民國十六年十月間總理葬事籌備會已劃定鍾山四周界線延長四十餘里之地，闢爲總理陵園，〔面積約一百三十方里，卽四萬六千畝，〕冀使陵墓得天然美景之擁護，而壯麗其鉅觀，稽科學建築之擴充，而深宏其紀念云，

興工於十五年春，迄十八年六月奉安，規制略備，

【陵園小誌】中國國民黨總理孫先生，於中華民國十四年三月十二日上午九時三十分逝世於

北平。治喪畢。在平中央執行委員會。於十四年四月四日推定張人傑汪兆銘林森于右任戴傳賢楊庶堪邵力子宋子文孔祥熙葉楚傖林業明陳去病十二人爲葬事籌備委員。四月十八日。葬事籌備處正式成立於上海。推定楊銓爲主任幹事。孫科爲家屬代表負責辦理葬事。關於墓地選擇。遵總理遺言由夫人孫宋慶齡子孫科及委員代表實地勘察。於四月二十三日。議決以南京紫金山之中茅山南坡爲建築陵墓地點。劃定墓地範圍約二千畝。徵求陵墓圖案結果呂君彥直得首獎。即聘爲陵墓建築師。主持計劃建築詳圖。及監工事務。旋登報徵求陵墓第一部工程開標結果。姚新記承包十五年一月開始興工。三月十二日爲總理逝世一週紀念舉行奠基典禮。後以時局不定。工程時輟。迨十六年春。國民革命軍底定南京。孫中山先生葬事籌備處亦由滬遷寧。加推蔣中正伍朝樞鄧澤如古應芬吳鐵城楊銓爲委員。另聘夏光宇爲主任幹事。同時今國府主席林森。鑒於陵墓範圍。局於一隅。未足表揚孫總理偉大之精神。提議將紫金山全部。建設中山陵園。爰於民國十七年一月。函請江蘇省政府將江蘇省立第一造林場紫金山林區移轉管轄。幷請傅煥光爲主任技師。規劃執行陵園布景及園林建設事宜。嗣後陵墓第二第三部工程相繼進行。陵園道路及給水設備。次第舉辦。造林布景及農林生產等工作。陸續實施。迄十八年六月一日總理奉安。

陵墓工程及陵園建設。已楚楚可觀矣。

設陵園管理委員會保管之。

【陵園小誌】總理陵園管理委員會。直隸於國民政府。十八年七月成立。委員爲胡漢民張人傑蔣中正李煜瀛蔡元培林森于右任宋子文戴傳賢孫科陳果夫孔祥熙葉楚傖劉紀文吳鐵城。已故委員譚延闓古應芬楊銓林煥廷。民國二十二年九月十三日中央政治會議改推汪兆銘居正張繼馬俊超。常務委員爲林森葉楚傖孫科劉紀文。管理委員會之辦事機關。原設總務警衛二處。總務處又分設文牘會計事務三課。及工程園林二組。警衛處設警衛大隊二隊。總務管理二課。查組織條例。總理陵園管理委員會之職責如左。

一　護衛陵墓。

二　管理陵園。

三　辦理陵墓工程及陵園建設。

四　辦理陵園農林事業。

五　指導陵園內新村之建設.

陵園經費.自民國廿二年度起.由財政部月撥一萬八千元.充總務警衛工程園林各部經常費.八月起又撥二千四百元爲植物園經費.園林組爲造林及管理便利起見.分全山爲七區.警衛組則有派出所十二處.其地點爲陵墓中山門龍脖子太平王家灣岔路口上下五旗青馬馬羣邵家山靈谷寺及中央體育場.

陵在茅山南陂.介孝陵靈谷寺間.自墓道口行二百四十呎達墓室.

【陵園小誌】總理陵墓.在紫金山之南陂.左鄰明孝陵.右毗靈谷寺.墓室位於五百四十呎高度處.高出明孝陵三百餘尺.自墓道口上達墓室.平面距離約二千三百尺.高低相差約二百四十呎.故自下仰望.極爲崇高.全部建築.採用故呂彥直建築師之圖案.融合中國古代與西方建築之精神.莊嚴簡樸.自大路端上石階.經大石牌坊.過一千四百五十呎之水泥地墓道.達陵門.越碑亭.上石階.凡二百九十級.達祭堂平台.祭堂位於平台之上部.墓室在祭室之後.

墓室于次最後.

【陵園小誌】墓室形如覆釜．直徑五十四呎．高三十三呎．外部以香港石鋪面．中部爲鋼骨混凝土．自室內觀之．圓頂作穹窿狀．飾以砌磁之黨徽．四壁爲妃色人造石．鋪地爲大理石．室之中央爲大理石壙．直徑十三尺．圍以大理石欄杆．高二尺九吋．壙之中央．設長方形之墓穴．爲總理靈櫬奉安之所．墓穴上．覆以總理大理石像．室中之通風採光及隔潮等裝置．均極周備．墓室之門凡二重．內設機關．門上刻孫中山先生之墓七字．外門二扇．係銅製．門外以黑大理石砌成外框．上有橫楣．刻總理手書浩氣長存額．平台兩側有側門．可通墓後．其狀爲半圓形．分高下二重．第一重爲水泥步道．闊十五尺．第二重由東隅石階上．爲草地．闊七十五尺．內外植廣玉蘭及法國冬青各一匝．中間散植梅樹．墓後圍牆高八尺．

外爲祭堂．

【陵園小誌】墓門之外爲祭堂：堂長九十尺．廣七十四尺．自堂基至脊頂高八十六尺．堂之外部．全用香港石砌成．頂爲藍色琉璃瓦．簷下各築石拱斗飛簷二層．堂門凡三．門圈拱形．用香港石砌成．上刻花紋．各門設鏤花空格之紫銅門二扇．門楣上分刻民族民權民生之陽篆．民生門上嵌總理手書天地正氣直額．堂四隅．各建堡壘式之方屋．備庋藏紀念物品．及謁祭人員休息之用．堂中間供總理全身石像．高十五尺．底邊闊七尺．四面鐫總理革命故事．像前供鮮花等事．堂中左右前後．有直徑二尺六寸之青島黑石柱十二根．四隱八現．各以大理石盤礅承之．堂頂作斗形．其上施以雕刻．鑲花砌磁．鋪地全用白色大理石．四壁之上半部．純用人造石粉飾．下半部均用黑色大理石爲護壁．壁上分刻總理手書建國大綱．蔣中正及胡漢民所書總理遺訓總理遺囑．及譚延闓手錄之總理告誡黨員演說詞．左右護壁上有紫銅窗各八．休息室有窗各一．以通光線．

堂前有平台．

【陵園小誌】祭堂外爲大平台．闊百尺．長四百五十尺．分左右兩方．北部及左右均爲花岡石擁壁．前爲石欄．台之周圍．鋪草地．寬四十五尺．草地內周爲蘇石步道．左右平台各鋪草．中間勻植雪松各四株．擁壁下勻植龍柏四十餘株．台之南端草地．列植盤槐八株．台之中央分立華表二座．用福州石建成．高三十八尺．直徑下部六尺．上部三尺．柱身刻古式花紋．平台前石階邊置十尺高石座二．上置古銅鼎各一．高七尺．直徑六尺．

平台下至碑亭有石階八段。

【陵園小誌】自平台下至碑亭有石階八段。共計石階二百九十級。均採用蘇州花岡石。最上三段石階旁均置石欄。中部幷建築圍欄。欄中地位。用以設置盆景。或紀念物。全部石階兩旁。築成斜坡。鋪大草坪。東西各約十五畝。坡之上部。分植檜柏四行。楓樹一行。石楠三行。楓樹一行。海桐三行。坡之四周。建大圍牆。沿圍牆內種白皮松。圍牆外建虎皮石護坡。

碑亭在石階下。

【陵園小誌】碑亭在陵門之內。石階之下。形式與祭堂相彷彿。高五十六尺九寸。闊四十尺。全部石建。頂用琉璃瓦。中立黨碑。高二十七尺。闊十六尺。福建石製。上勒中華民國十八年六月一日中國國民黨葬總理孫先生於此。

其外爲陵門。

【陵園小誌】陵門在碑亭之外。有天下爲公額。高四十九尺六寸。闊八十尺。深二十六尺六寸。爲三拱形門。全部以石建。頂用琉璃瓦。陵門外左右有半環之擁壁。與陵墓之圍牆相連。門前有混凝土地廣場。左右兩旁各建衞士室一所。內有衞生設備。

出門爲墓道。

【陵園小誌】自陵門石級而下。則爲墓道。長一千四百五十尺。闊一百三十尺。分闢三道。中道闊四十尺。爲鋼骨水泥路。路外草地各闊三十尺。植檜柏各二行。計二百六十八株。左右二道。寬十五尺。係石子路上澆柏油面。外植銀杏一行。墓道之南端。建三門。大石牌樓一座。高三十六尺。寬五十七尺。採福州石建。中門之橫楣。鐫總理手書博愛二字。再下則爲大廣場。以備停放車馬之用。場間有花台六座。中間四座。各植雪松二株。旁邊二座。種大黃楊各一株。廣場之東。接靈谷寺路。西接陵墓大路。直趨中山門。

墓道開放。歲有六日。

一月一日。(國慶日)

三月十二日。(總理逝世紀念日)

五月五日。(國慶日)

六月一日（總理奉安紀念日）

十月十日（國慶日）

十一月十二日（總理誕辰）

祭堂啓閉日有定時。

三月至十月每日上午八時至下午五時。

十一月至二月每日上午九時至下午四時。

謁陵有定儀。

【陵園小誌】謁陵規則。凡參謁總理陵墓者。須遵守下列規則。

（一）入祭堂須脫帽致敬。入墓門。須靜默致敬。

（二）不得攜帶手杖雨傘及照相機等件入內。

（三）不得喧嘩。不得隨意涕吐。不得踐踏草地。攀折花木。

（四）不准帶犬或其他動物。

〔五〕不准塗抹牆壁.

〔六〕不准吸烟.

〔七〕不准在地上拋擲果皮紙屑等物.

國內外團體代表來京謁陵者須預先通知總理陵墓管理委員會.以便諭知警衞組引導參謁.

陵北小茅山頂爲永慕廬.

【陵園小誌】當總理陵墓第一部工程行將告竣之時.前孫中山先生葬事籌備處.於總理陵園小茅山頂萬福寺古刹之旁.擇地建築總理家屬守靈處.題名爲永慕廬.以備總理家屬守陵之用.永慕廬建築.採用東方式.內設客廳一間.臥室四所.旁設廚房一間.下室四所.房屋之外.佈置花圃.周以石牆.風景清幽.建築古樸.工程設計者爲陳均沛建築師.承造者新金記康號營造廠.民國十七年冬開工.四閱月告成.

墓道前列寶鼎.

【陵園小誌】總理墓前廣場之南.戴季陶先生與中山大學同學.捐建寶鼎一座.由陵園代爲設計

建築。計紫銅寶鼎一座。重萬斤。高十四尺。腹徑四尺。鼎內藏六角形銅碑一。刻戴母黃太夫人手書孝經全部。此鼎金陵兵工廠翻沙鑄造。價約一萬三千元。鼎安置於石台上。石台爲八角形。共分三層。下層直徑四十八尺。中層三十八尺。上層十二尺。石台用鋼筋混凝土建之。面鑲蘇州石。台邊俱圍有二尺半高之蘇石欄杆。三層石台共高九尺。自地至鼎尖計二十三尺。石台部分之造價約二萬二千元。於二十一年興工。二十二年秋完成。

寶鼎東爲音樂台。

【陵園小誌】音樂台位於陵墓前廣場之南。寶鼎之東。爲美國三藩市華僑與遼寧省黨部合貲捐建。由基泰工程司設計。二十一年秋興工。二十二年夏落成。價九萬五千元。全部建築。純爲鋼筋混凝土之結構。其平面圖樣爲半圓形。圓中心處爲台。廣六十六尺。寬四十尺。高出地面十尺。台後建大壁。以彙集音浪。壁寬五十尺。高三十四尺。用水泥假石鑲面。壁頂端刻迴龍花紋。下有石塑獸頭三。內導水管。水由獸口噴出。直下壁底之水槽中。台前邊緣作波紋形。築成層階。內實土以栽花木。台之兩翼。築有平台。台上豎鋼筋混凝土作成之花棚。台下闢室。隔爲休息盥洗廁所儲藏等室。台

山陵上

音樂臺

前爲聽衆集坐之處．其地勢原作盆形．就原址加以整理．築成百分之二斜坡之半圓形草坪一大片．圓半徑爲一百七十尺．可容三千人．草坪間隔有六尺寬之混凝土走道．半圓形之外緣地勢較高．在邊緣上築有十八尺闊之混凝土走道一．周長四百五十尺．上架花棚．寬十尺．所有支柱橫樑桁條等俱用鋼筋混凝土爲之．支柱實入四尺見方之大花盆．盆中栽花草．沿柱上中植紫藤．藤枝扶柱而上．攀繞全棚．棚上安置電炬．棚下置石櫈．可以坐憩．台前鑿有彎月形之荷花池．半徑三十八尺．池底原有伏泉．終年不涸．

陵墓西南有行健亭.

行健亭建於陵墓之西.當陵墓大路與明陵路轉角處.便遊人駐足.亭爲方形.廣寬各二十八尺.高三十六尺.亭內地面用水泥方磚鑲砌.亭角支柱四根.四角共十六根.柱樑及上層窗格等.俱用鋼筋混凝土砌成.外施油漆.並彩畫.椽用方木.屋面蓋藍色琉璃瓦.亭四周安有水泥石花欄杆.高尺許.可供坐憩.是亭爲趙深建築師所設計.造價約一萬元.廣州市政府捐助.二十二年夏落成.

永豐社.

【陵園小誌】陵園樹苗花草之產量日趨豐富精美.外界爭相購取.爰於二十年春.在陵墓西行健亭南建屋一所.以便發售各項園產之用.屋名永豐社.廣三十六尺.寬二十四尺.屋內闢爲陳列招待出納數部.室內櫃檯門窗等.採用上等柳安木.屋蓋黑色筒瓦.屋內外樑柱平頂等.俱着色施以彩畫.外牆用磨光青磚砌築.不加粉刷.屋前闢花壇.鋪草地.全部工程.落成於二十二年春.造價計九千元.中央陸軍軍官學校擔任.

奉安紀念館.

【陵園小誌】總理奉安紀念館。在四方城東北。往陵墓所必經。其房屋原係江蘇省立第一造林場經造。後作中山陵園辦公處。屋分二層。上下十間。陳列先總理北平所用遺棺。及十八年舉行奉安時各方獻贈之銀銅磁器雕刻繡件土產花圈等紀念品二百四十餘件。內有先總理親製之國旗一方。最足寶貴。他若朱培德王均贈送之建國大綱江西磁屏及磁相。亦爲紀念品中特色。規定每星期開放六天。時間上午九時起。下午六時止。逢星期二停止開放。

遺族學校。

【陵園小誌】學校校址在四方城前。鍾湯路之北高岡。佔地四百餘畝。校舍建築。以樸實實用爲原則。大致平房採取中國式樣。計大禮堂一。小學部教室九。中學部教室五。特殊教室二。學生宿舍平房四。樓房一。膳堂二。教職員宿舍二。教職員家眷宿舍二。圖書館一。醫院一。牛乳房一。農舍一。辦公室六。廚房一。盥洗室二。浴室二。廁所二。洗衣室二。會客室二。平民學校教室二。校工宿舍一。工場一。理髮室一。門房一。汽車間一。共計大小房屋三十八座。另設運動場一。網球場籃球場足球場各一。中學部先辦農科。特設農場於校舍南部。佔地約一千畝。分農藝園藝畜牧三部。農藝種重要作物。

及畜用飼料園藝分觀賞及生產園藝二種．生產園藝又注重罐詰．畜牧已辦乳牛場．又將添設雞場．乳牛多純種．極注意衞生．

革命歷史圖書館．

【陵園小誌】陵墓西行健亭東之一帶地段爲圖書館博物館建築地址．預計建築費各設一百萬元．現以無款可籌．爰於圖書館地址之後．闢地百方．先建規模較小之革命歷史圖書室一所．收藏關於革命歷史之史料及書籍．全部圖案．計前排屋兩層．爲閱覽室．長八十尺．廣四十五尺．後排屋三層．爲藏書庫．寬廣各四十五尺．閱覽室中做四寸半厚鋼筋混凝土地板．上加一寸半厚之磨石子一層．書庫做六寸厚之鋼筋混凝土地板．閱覽室中之門窗．用上等柳安木．書庫中則全爲鋼窗．屋面蓋漢陽紅瓦．中部闢地下室．設男女廁所及儲藏室等．全部建築之造價計五萬五千元．一切設備不在內．廿一年冬開工．廿四年春落成．

溫室．

【陵園小誌】陵園溫室．建於陵園石像路之北部．苗圃之中央．前後共二所．其一於十八年秋季興

山陵上 温室

工．成於十九年春．係漢口總商會所捐建．並附有平房七間．造價計共大洋二萬五千餘元．又熱水管加温裝置．計費四千餘元．并架棚架等共約三萬元．該温室佔地約三十英方餘．計分七室．中央一室較高．爲培養高大熱帶植物之用．其兩翼各分爲三室．內設花架．爲培植各種熱帶植物．及盆栽花卉之用．鍋爐室位温室之後．設於地下．其全部結構．除底脚側壁花架外．餘均用鋼鐵玻璃．用二分之厚者．故構造極爲堅固．加温裝置．採熱水循環式．計裝二寸放熱鐵管二千五百餘英尺．在冬季最寒冷時．室温可保持華氏五十餘度．此外四周及屋面窗戶．均裝有齒輪開閉器．可以自由調節温度．及空

二七一

氣之流通。其二於二十一年秋興建。是年冬即行落成。係汪精衛陳璧君陳公博何敬之唐孟瀟朱益之宋子文顧孟餘黃季寬朱騮先諸先生所捐建。造價連加温設備計共一萬四千元。面積約亦爲三十英方。計分三室。後部一室。高而寬。爲供白蘭茶花等高大花木越冬之用。前部左右二室。低而長。其兩側均設栽植床。花卉可直接栽植其內。充冬季培養各種切花及蔬菜促成栽培之用。中央一部設栽植床。一部設花架及繁殖箱。俾便冬季之繁殖。此温室之構造。亦全部用鋼架及厚玻璃。惟因建築費之限制。故鐵材較細小耳。加温亦採熱水循環式。裝二英寸放熱鐵管二千英尺。冬季可保温至五十五度左右。因室較低矮。且後部高室未裝鐵管。故室温反較前者略高。四周及屋頂窗戶。亦附開閉裝置。可自由啓閉。以上兩所温室。前者以供培養盆花爲主。後者則專充切花培養蔬菜栽培及繁殖之用。温室之附屬建築。有蔭棚兩座。約二千餘方。水泥温床八只。木造温床八只。辦公及貯藏室平房七間。職員及工人宿舍平房七間。以上均在温室後。温室東建有水泥柱紫藤架一座。長約二十餘丈。温室前有水泥圓噴水池一個。

蓄水池。

【陵園小誌】紫金山少溪流河塘。山溝又峻斜。一遇大雨。積水盈滿。數日以後。即行涸竭。自陵園建築以來．八口激增．花木蔬果．時須灌溉．須要水量衆多．乃先後鑿自流井四口．用電抽水．並在陵墓西南開大蓄水池二．用鉛管通達各處用水之地．於是給水之問題解決．

西有天文台．

【陵園小誌】去天保城數武．籬垣逶迤．樓閣相接．則紫金山天文臺也．或更泛舟玄武．橫覽山陰．有長衢自山麓蜿蜒而上．迺天文台路也．台與路皆國立中央研究院天文研究所所建置．爲陵園區內名勝之一．而天文研究又爲區內重要文化事業．天文台路．起自首都城垣之東北隅．厥名龍脖子．循北麓向東紆迴而進．沿途植立欄杆．塗以白堊．里許則爲地磁台．再前行里許．峯迴路轉．有亭翼然．遊人得於此處小憩．自此折而西行．經里許．又一轉捩．峻峭嶙峋一巨石．側視之．宛如埃及人像．眉宇酷肖．奕奕如生．天文台人士戲呼之曰多祿某．多祿某爲古代埃及著名天文家．此處有廣場．位於山脊．左顧右盼．山陰山陽．風景胥收眼底．循大道復東北進．爲程約半里．達浙軍陣亡將士紀念塔．復折而西南進．直達天文台．全路姿態．宛若之字形．路寬二十二英尺．車馬馳騁．恢乎有餘．造價凡二萬三千餘元．落成已數年．天文台衡宇相望．自東端起．首爲職員宿舍．其北爲小赤道儀室。再西爲大赤道儀室。屋頂皆作半球狀。可以旋轉。小赤道儀室在建築中。大赤道儀室已落成。每當夕陽斜映時。圓頂輝煌。光耀奪目。再西爲子午儀室。屋頂作方形。環以石欄。儼若宮闕玉墀。室中屋頂洞開。覆以鐵蓋。有機括以司啓閉。運轉自如。南北裝活窗。開闔亦用輪軸旋轉。再南爲變壓器室。全台所用電力此爲總樞。再向南行。則天保城在焉。近又於大赤道儀室前。築辦公圖書各室。甫在經始。工竣更後將添築變星照像鏡室焉。天文台內大小儀器數十件。茲僅記其犖犖大者。俾窺一斑。大儀凡三。一曰六百公厘徑迴光鏡赤道儀。一曰二百公厘徑折光鏡赤道儀。一曰一百三十三公厘徑超人自記子午儀。迴光鏡赤道儀係向德國蔡司公司訂製。購價十二萬六千餘馬克。此鏡在國內堪稱巨擘。卽在遠東各天文台。亦占重要地位。附石英分光鏡。及觀測升降機一具。升降機係最新式者。能上下起落。及四周旋轉。發縱咸用電力。活動自如。爲蔡司工廠最近之創作。折光鏡赤道儀。形製與此髣髴。所異者物鏡一爲凹面反射鏡。一爲凸透鏡是也。此儀亦蔡司公司所製。購價約三萬七千馬克。附日月攝影鏡一具。子午儀係瑞士物理儀器工廠所製。購價約八萬七千瑞士佛郎。此儀爲國內最大之子午儀。附水準較驗儀及印字記時儀各一具。天文台內除儀器設備甚完外。圖書之儲藏亦頗富。有尤以舊天文雜誌蒐羅最富。天文台工作範圍頗廣。除承歷代台官舊制。掌篹編曆授時外。並有研討近代天文之職責。尤測量於參加國際之工作。如經度測量。如太陽研究。如變星觀測等皆是。紫金山天文台。乃指此鍾山第三峯上此學府之一切建築而言。至其機關之名稱。則曰天文研究所。隸國立中央研究院之下。現有專任職員八人。所長爲余青松氏。

東有光化亭。

【陵園小誌】光化亭。在陵墓東首小山上。係集合總理奉安時華僑贈賻款項建築。亭之全部。純爲福建花岡石構成。係劉士龍建築師所設計。用石八百五十噸。合一百四十五萬斤。以容積計。約爲一萬一千立方尺。是項工程。由蔣源成石廠以六萬五千元之包價承造。二十年七月開工。原定十五個月可以完成。嗣因水災及滬戰影響。延至二十一年底始得着手工作。石亭爲八角形。亭下有平台兩層。下層平台。對邊距六十六尺。高五尺。台邊築斜坡植草皮以接地面。上層平台。對邊距三十八尺。四周圍以石欄杆。亭內地面。復高出平台一尺。平台四周築有石階。石高四十尺。對邊寬三十尺。亭柱十二根。圓形。直徑爲二十寸。所有屋脊屋面簷椽几斗樑柱雀題藻井等。全用大石雕塑而成。花紋至細。刻工至巨。爲陵園最精之工程。凡謁陵者至墓道頭。卽可見該亭之頂現露於蒼松間也．

仰止亭．

【陵園小誌】仰止亭．建於陵墓東首二道溝北之梅嶺上．其地林木茂盛．風景幽靜．嶺下左右溪流．匯注成塘．塘中植荷．環嶺植梅．間以青松．葉遐庵先生捐建．計豁地植梅費一千元．築亭費四千元．亭爲方形．劉士龍建築師設計．邊寬十五尺．高二十尺．亭內爲磨石子地面．亭邊階石用蘇州金山石鑲砌．屋面蓋藍色琉璃瓦．亭之柱樑欄杆雀題簷椽藻井等．俱用鋼筋混凝土爲之．外着色．施以彩畫．甚雅麗．是亭建於二十年．落成於二十一年秋．

流徽榭．

【陵園小誌】紫金山第一峯東之一高峯曰茅山．茅山之麓有溝二道．凡陵墓東靈谷寺西一帶山坡之水．皆彙流于此．至靈谷寺路之南．復合而爲一．其名二道溝．陵園於此築壩蓄水．成一小湖．面積凡二十四畝．環湖植垂柳碧桃石榴等．湖中建一長方形亭．一邊傍陸．有石階達岸上．名流徽榭．廣四十二尺．寬三十尺．四周圍以三尺高之水泥石欄杆．所有地板樑柱欄杆屋架簷椽等．俱用鋼筋混凝土．外加白漆藍紋地鑲紅色八角形小磁磚．屋面蓋淡黃色琉璃瓦．極爲樸素．設計者爲前陵園工程主任顧文鈺先生．造價計一萬一千元．中央陸軍軍官學校捐．民國二十一年冬落成．

桂林石屋．

【陵園小誌】廣州市政府於民國二十年捐款三萬元．爲陵園紀念建築之用．旋經決定造紀念塔一．石屋一．石屋建於陵墓與靈谷寺間一高阜上．二十年春着手建築．全屋佔地二十四英方．計兩層．正屋一層．地下室一層．正屋中隔爲陽台起居室餐室臥室浴室客舍陽光室等七間．地下室作爲廚房及僕室之用．四周牆壁俱用青龍山石條石板疊砌之．屋面蓋紅瓦．陽台上之一部．屋面改築水泥平台．外圍石欄．可以蓄聚屋面雨水．備供日常之用．屋後築有虎皮石砌大明溝．防阻山水之侵襲．屋前砌石階凡一百七十級．長十丈．達山下大路．屋周種植桂花．故名桂林石屋．計造價約二萬元．

藏經樓．

【陵園小誌】中國佛教會發起．募建藏經樓於總理陵墓之東靈谷寺西山谷中．藏經樓圖樣．爲盧奉璋工程師設計．樓之本身．長九十五尺六寸．寬六十三尺六寸．分三層．第一層爲講室．幷有夾樓．聽座．二層爲藏經閱經及研究室．三層爲藏經室．樓之後進爲僧舍．全部建築爲中國宮殿式．建築費預計約二十萬元．已募得半數．不久陵園可增一崇偉淸寂之研究經典所矣．

陣亡將士公墓革命紀念塔．

【陵園小誌】中央執行委員會於民國十七年十一月建議設立建築陣亡將士公墓籌備委員會．現任委員爲陳果夫葉楚傖劉紀文黃爲材趙棣華蔣中正何應欽王柏齡熊斌傅煥光夏光宇劉夢錫．常務委員爲陳果夫劉紀文傅煥光夏光宇．祕書爲張熙齡．會中組織分事務工程藝術三股．聘請許政爲事務幹事．劉夢錫爲監工工程師．梁鼎銘爲藝術專員．分任各股事務．

建築設計

本會建築公墓．地點在陵園界內之靈谷寺舊址．經建築師茂菲設計．建築公墓三座．第一公墓居中．在無量殿後之五方殿舊址．第二第三公墓．則在無量殿東西各約一千尺之山坡上．三墓地位適成一極鈍之三角形．至墓外建築．卽以萬工池北首原有大門地點爲公墓之正門．兩旁闢偏門．

陣亡將士紀念塔（陸地測量局製）

添築石片馬路以通車馬．並建立牌坊一座於天王殿原址．原有之無量殿．修復原狀．改爲祭堂．其前之大雄寶殿內佛像．移置於東屋之龍王殿中．其後建紀念館一所．館之北首．原有之誌公塔．加以建修．改爲六角式亭。以留古蹟．再後約六百尺．造紀念塔一座．此爲公墓之終點．玆將各部建築分述於左．

正門 彷古代建築．上鋪綠色琉璃瓦屋面．下闢拱門三．兩旁設守衛室各一間．左右築圍牆二百六十餘尺．距牆之左右兩端二十餘尺．另闢偏門各一．以通車馬．

牌坊 自正門循甬道直進．以達牌坊．約四百餘尺．牌坊凡五楹．上鋪綠色琉璃瓦．樑柱均用鋼骨水泥建築．其座基外面．鑲以花岡石．平台及前後台級．則用青石．

祭堂 原有之無量殿凡五楹．廣十四丈．高六丈六尺．全部以磚砌成．故俗名無樑殿．雖經六百年之久．略有塌坍．但其內外牆壁．什九尙完好無損．且因搆造獨異．自宜保存．經決議修復原狀．改爲陣亡將士公墓之祭堂．

公墓 祭堂以北．第一公墓在焉．墓地周圍面積．計八萬三千四百方尺．內闢蛛網式小路．分列墓穴一千左右．建立墓碑．第二第三公墓面積各五萬九千九百方尺．其形式同第一公墓．雖已工竣．尙待佈置．

紀念館　館凡九楹．上下兩層．全部以鋼骨水泥構造．屋面遍鋪綠色琉璃瓦．外有迴廊．內部採仿走馬樓式．樓上下遍設架櫃．用以陳列革命先烈之遺物著作相片器械等件．現正登報徵集．

紀念塔　塔係八角式．全部以鋼骨水泥建築．塔高凡二百英尺．〔塔身一八一尺五寸．塔頂一八尺七寸〕分九層．每層以綠色琉璃瓦爲披檐．外有走廊．圍以石欄．塔之中部．建螺旋式扶梯．直貫九層．每層八門．間以石碑四方．鐫刻孫總理黃埔軍校開學詞．北上時之告別詞．及蔣介石先生黃埔軍校同學錄序．下設八角式大平台爲塔基．周圍石欄．四面分闢石級．以便登臨．

刻碑

祭堂內原有法圈三個．擬各嵌石碑一方．中碑鐫刻國民革命陣亡將士之靈位．左碑刻北伐誓師詞．右碑則勒祭文．四壁鐫刻北伐抗日及剿匪諸役之陣亡將士姓名階級．以誌紀念而垂永久．誌公塔附近原有三絕碑一方．上鐫聖僧寶誌遺像．爲吳道子手筆．李太白贊．爲顏眞卿所書．及寶公菩薩十二時歌．爲趙子昂所書．碑名三絕．以此也．惜年久碑碎．特摹仿原狀．重勒石碑．嵌於修復之誌公塔後牆內．以存古蹟．

紀念塔碑石．每層四塊．每塊內外刻字．向外第一層．刻蔣介石先生所書精忠報國四大字．第二層刻蔣先生所撰遺阡表全文．第三四層刻蔣先生所撰黃埔軍校第五六期同學錄序各一篇．第五六層刻第三四期同學錄序各一篇．第七八層刻第一二三期同學錄序各一篇．向內第二三四層刻孫總理北上時之告別黃埔軍校詞．第五六七八層刻孫總理黃埔軍校開學詞．第九層未嵌石碑．以便高瞻遠矚也．

調查營葬

調查陣亡將士姓名．及埋葬地點．均根據各師部隊呈報名册．由本會派員實地調查．淞滬抗日陣亡將士忠櫬一百二十八具．均於本年六月二日遷運來京安葬第一公墓．計分一百二十八壙穴．每一壙穴用厚磚及三和土鋪底砌牆．上用鋼骨水泥蓋．所有十五年至二十年北伐國民革命軍陣亡將士名額衆多．公墓未能全數容納．經本會决議．用代表葬．並根據各師部隊呈報名册．計六十個部隊．共陣亡將士三萬三千二百二十四人．以師爲單位．用抽籤法．每一階級．抽代表一人．於本年三月十八日．請由軍委會軍政部諸代表．暨本會各常務委員．分組抽籤．抽定代表六百另三人．誠恐各代表忠櫬．間有不能尋着者．並於各該部隊階級內．抽定副代表五百二十二人．以備補充．旋卽編塡調查表．遣派墓地調查專員三十二人．持本會公函．分赴抽定各代表墓地所在之十七省境內．請各省政府指示．並請飭屬協助調查．而墓貼散漫．三月於茲．查着忠櫬未及全數之半．擬再酌延調查時間．以冀查着較多．不久卽擬起運來京安葬．此外尙有長城抗日及剿匪諸役之陣亡將士忠櫬．現正籌畫調查辦法．實行調查．爲期不遠矣．

繪畫

民國十九年春．蔣委員爲欲表揚革命先烈犧牲奮鬬之事蹟．以供後人瞻仰起見．經本會決議．仿照歐洲油畫院辦法．繪製惠州汀泗橋南昌濟寧濟南大汶口歸德諸戰役壁畫數幅．是年四月間．遂由本會藝術專員梁鼎銘．開始負責繪製．及一二八淞滬戰後．又增加廟行戰役一幅．前後共爲八大幅．至去年底．惠州戰役已完全繪成．此畫高二丈．寬七丈．爲八幅中之最大者．其餘七幅．均高二丈．寬二丈四尺．現仍進行計劃．或將懸奬徵求海內名家擔任繪製．正在籌議中．

譚墓．

【陵園小誌】譚墓位於靈谷寺之東北．國民政府行政院院長譚延闓先生國葬處也．起建於民國二十年九月．落成於民國二十二年春季．由宋子文呂苾籌李特僧諸先生主其事．設計者爲基泰工程司關頌聲朱彬楊延寶等．就山勢之高下．風鑑家指定之部位．布置墓穴祭堂墓道碑亭牌坊等．得幽深曲折之趣．總理陵墓建築得陽剛之美．譚墓構造得陰柔之美．全部建築約二十餘萬元．初建時頗有人提議設國葬院．凡全國之政治家科學家文藝家有大功於國社者．死後均得占一席之地．所以節經費而規遠大．當局意旨不一．未能實現．良用可惜．譚墓全部工程．可分五部．

一　龍池　由國民革命軍陣亡將士公墓入．經靈谷寺東行．路南爲龍池．北爲墓碑．池十四尺三寸見方．圍以石欄．池中鑲龍頭二．一出水．一入水．有泉源．終歲不竭．碑後石牌坊一座．南湖石製．

二　廣場　入牌坊．經深長之墓道．越橋．達廣場．沿溪流．二旁樹木蒙密．秋色尤紅豔．場中有橢圓形花台．便轉車之用．場之東北有大牌坊．爲荷葉清白石所建．西北有白石大牌．均北平古物改製．廣場上山坡樹國葬命令碑．四周鋪雨花台石子路．花木布置可觀．

三　祭堂　在廣場之上。爲三楹宮殿式祭堂。由地基至屋脊。皆以水泥鋼骨建成。屋頂覆北平琉璃瓦。全頂中黑綠緣。頗雅麗。式樣皆照古例。尺寸全有遵循。堂之天花椗樑牆壁椽檐等。皆貼金粉繪。工筆畫彩。華麗輝煌。白壁朱柱。亦甚壯嚴。祭堂正中立大理石圍屏。前供譚公遺像。堂中陳列安葬時賻贈紀念物。琳瑯滿目。地板及下牆。鑲黑白相間之雲石。窗門皆仿古內外雕菱花。扣以金釘。披蔴油朱。儼若一新古宮。堂前平台均石砌。階下墓道左上入墓。右下達廣場。

四　寶鼎　循祭堂東北上。經大理石砌之牡丹台。轉向北。越水池。流泉所蓄也。譚公墓全部呈露目前。墓爲圓形。高十尺。徑三丈。周以平台。墓前祭台。爲圓明園古物。相傳爲法國所貢。台下階陛。鐫九福花紋。因譚公以九福名堂。階下石獅華表。樹立於花木綠草中。皆北平古物。左右方亭。爲行政院及國府文官參軍主計三處捐建。環墓蒼松翠柏。風景如畫。由墓至祭堂下廣場道。均水泥建築。長約七百尺。由廣場至龍池。均石片路。長約一千丈。

五　墓園　譚墓藉紫金山原有森林建築。完成即深秀可觀。且由龍池而上。溪流蜿蜒。至廣場橋口。又有左右二溝之水。瀉注如銀。溝西浙江省政府捐款二萬元。營墓園。有虹橋臨瀑閣水亭心亭香竹芳紀念亭諸勝。沿溪之堆石。及枯樹爲欄之橋。尤饒別趣。園之東南部有別墅一所。

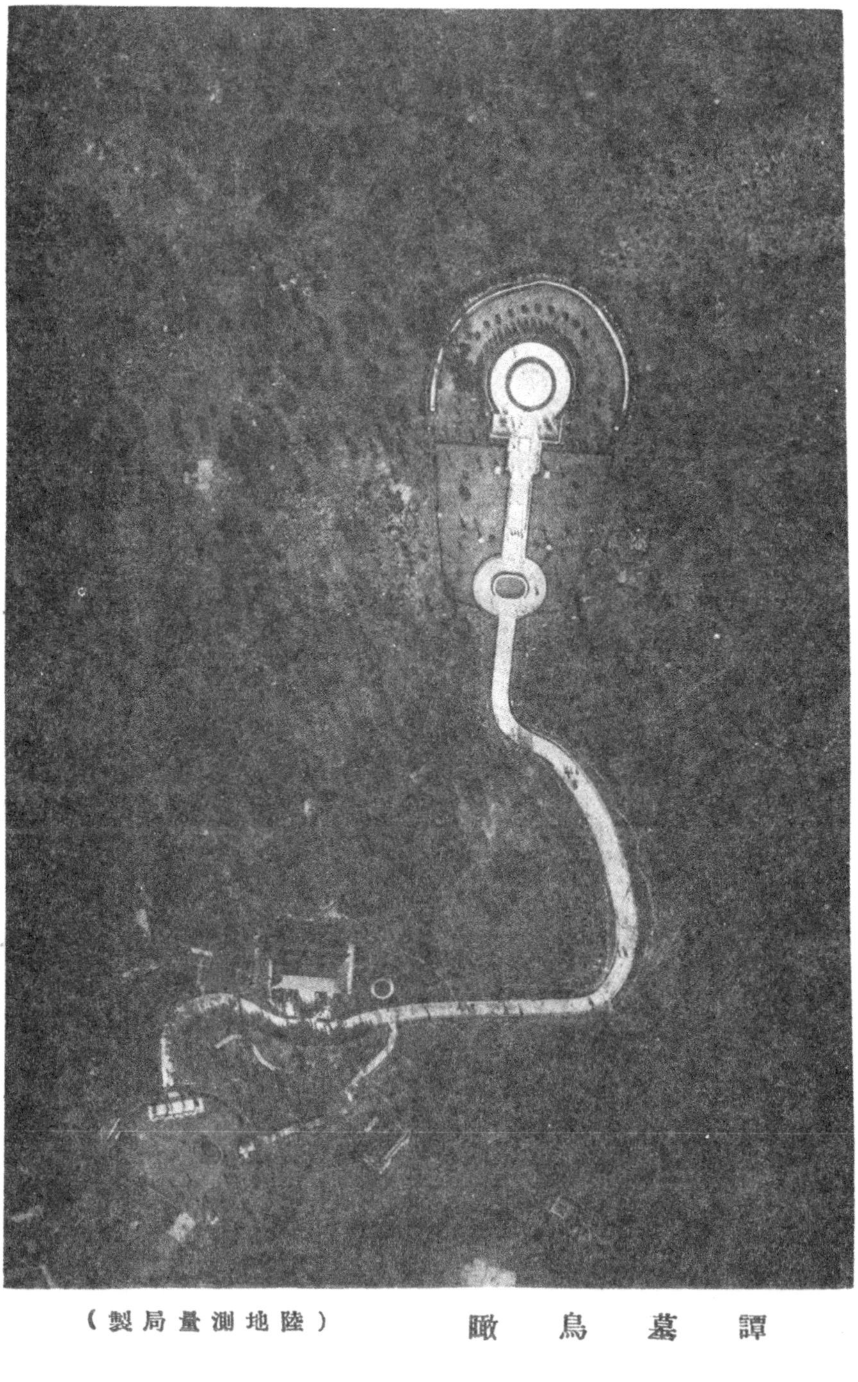

譚墓鳥瞰　（陸地測量局製）

山陵上

二十二年全國運動大會會場全景（陸地測量局製）

爲守墓之廬．

東南有中央體育場．

【陵園小誌】中央以籌備民國二十年全國運動大會．於十九年四月間．由國民政府令派林森等九人爲籌備委員．旋公推林森爲常務委員．主持會務．並派夏光宇爲主任幹事．擇定總理陵園界內．靈谷寺南部盆地一千二百畝爲場址．二十年二月將工程招標．結果利源建築公司以八十四萬九千三百十一元承造．添工加賬設備不在內．越時七閱月告竣．

全場概況　中央體育場在總理陵墓

二十二年全國運動大會游泳池觀衆　（陸地測量局製）

之東。靈谷寺陣亡將士公墓之前。距中山門約八里。地勢四周高而中平廣。全場分爲田徑賽場。游泳池。棒球場。籃球場。排球場。（兩場合用一場）國術場。網球場七部。各場皆有看台。總共可容觀衆六萬餘人。田徑賽場位於各場之東。其西北爲游泳池。棒球場在池之北。爲扇形。籃球場爲長方形。國術場爲八角形。皆在田徑賽場之西。

中央國術體育傳習所

【陵園小誌】所址係租用總理陵園地畝十六畝五分九厘。建築校舍。於本年七月間建築完成一部份平房計六十間工料價洋三萬六千元暫作教室寢室及辦公室近復興工建築三層樓房辦公廳一座女生宿舍廚房浴室廁所計四十間工料價洋三萬元

陵園新村

【陵園小誌】陵園新村在總理墓之東南占地千畝除道路溪澗園林及遊憩地外劃成二百餘住宅區每區占地三畝均有小道可通自來水電燈電話均已裝置凡本黨忠實同志皆有領地資格

東晉及宋刺史郡守罷還都者皆種松鍾山垂爲令典明時香柟松杉千霄蔽日靈谷深松尤爲世所豔稱累經亂離砍伐之餘一望濯濯惟靈谷寺萬福寺紫霞洞孝陵有殘林數處而已民國初元義農會于山之西北部及茅山坡植樹惜西北一部森林於十六年春莠民盜伐殆盡民國六年江蘇省政府設造林場于四方城一帶闢苗圃植林木面積約二千畝十六年省令義農會歸併于造林場十七年國民政府劃紫金山全部爲中山陵園計劃全山造林事宜

陵園苗圃

分全山爲陵墓區南區西區東區東北區北區西北區七區.各設事務所.分部育苗造林.數年以來不下千萬株.

【陵園小誌】民國十六年來育苗造林表

年度	株數
十六年度	三二二八八五株
十七年度	五九七六二六株
十八年度	八九〇一四六株
十九年度	一五三五五九〇株
二十年度	一六一一三一三株
二十一年度	一三〇五四七四株

明陵碑亭前櫻花

陵園海棠

育苗

年度	播種產苗數	移植苗數
十六年度	一一八二五四一	二六四九〇
十七年度	二一〇一七〇六	二〇二五三九
十八年度	三八七一一八九	六八七〇四五
十九年度	三〇三〇九五三	一三八一八六
二十年度	一四七九六三四	二八〇七五六二
二十一年度	幼苗秋後可得正確統計	一四八二一五

廿二年春育苗約三百萬株。除小苗不能上山須另行移植外。如經費充裕。可種樹一百五十萬株以上。又陵園歷年開闢道路。兩旁均種行道樹。歷年各大馬路種植。列表如次。

行道樹

年度	株數
十七年度	二〇三五

十八年度	一四九一
十九年度	六六七九
二十年度	六五七
二十一年度	七二八

竹林

竹林之經營．爲點綴風景．及生產材料竹筍等．俟材料長成後．教導農民製造竹器．爲農家之副業．十八年來陸續種植竹樹．列表如此．

年度	株數
十八年度	一三〇〇
十九年度	五〇〇
二十年度	一二四〇
二十一年度	一一〇〇

分區　山陵上　一六〇〇

造林完成之後．逐年補植闊葉樹種．以減少病蟲害．同時整理林相．測驗生長．期成一東方完美之森林．

而果園

【陵園小誌】果園自十八年着手進行．歷年擴充．至二十二年．栽培面積達二百餘畝．分東西二所．東果園位於小紅山官邸之東北．面積約六十畝．西果園位於石像路南部．約一百二十餘畝．另石榴園一所．位於奉安紀念館東北．約四十餘畝．就所栽果樹之種類言．桃及石榴最多．各四十餘畝．梨蘋果李等次之．各二十餘畝．此外柿栗葡萄等各十餘畝．梅杏櫻桃及胡桃等．僅少量栽培而已．果園創舉之初．擬分試驗栽培與經濟栽培二部．前者注重品種之徵集．各項之試驗．後者注重生產之收入．以營利爲目的．嗣因經費關係．關於試驗方面．未能積極進行．將來擬由植物園方面闢地規劃．俾科學試驗．與經濟栽培．得以同時進行云．南京氣候．夏季溼潤多雨．是以生長於乾燥氣候之果樹．如梨蘋果歐洲種葡萄及西洋櫻桃等．栽培不甚適宜．惟果園管理方面．對於果樹品種之選擇．肥料之配合施用．果樹之整枝修剪．砧木之種類選擇．以及病蟲害之防除等．均甚注意．故乾燥氣候生長之果樹．對於南京環境．雖不適宜．尙能獲相當成績．園內果樹栽植．早者僅四五年．遲栽者僅一二年．故大部分尙未結果．已屆結實期者．僅桃及葡萄二項．桃中之蟠桃及各種水蜜桃．葡萄中之黑漢及玫瑰香．均風味甘美．品質優良．博購者之贊譽．一二年後．其他著名果品．如嘉興檇李肥城佛桃．黃里石榴等．將漸次結實．名產益多．產量亦將與年俱增．

果園已經徵集之果樹品種．計梨及葡萄各四十餘種．桃三十種．李及蘋果各二十餘種．梅十餘種．其他果樹品種數十種．就中頗多各地珍貴著名之品種．果園最近工作．對於優良果樹之繁殖．甚爲注意．因優良果品之生產．首藉系統正確之純良種苗．各界人士對於果園面積之廣大．品種之宏富．函請分讓果苗者甚多．故果園亦樂於推廣也．果園繁殖果苗時．所選母樹．甚爲認眞．必須已經結實．品種正確．而又品質優良者．方可採用繁殖．其未經結果品種．尙未確定．或產品不甚優良者．概不繁殖．且所培育之果苗．對於病蟲害之防除．均甚注意．故所培果苗．甚爲可靠云．

蔬圃

【陵園小誌】蔬圃位於石像路南部．面積約五十畝．以西瓜百合草莓爲大宗．計三十畝．此外二十

陵園花圃

畝．栽植四季中西蔬品．羅致品種甚富．選其風土適應產品優良者．採收種子．分讓推廣．以應各方之需要．

花圃

【陵園小誌】花圃位於石像路之北．吳王墳之東．分溫室花卉及露地花卉二部．露地花卉凡七十餘畝．其花卉以牡丹芍藥菊花月季大麗菊唐菖蒲風信子等栽植最多．品種亦最富．此等品種．皆多年搜集中外各地陸續羅致而來．當春秋佳日．衆卉齊放．萬紫千紅．蔚爲大觀．四方城畔車水馬龍．勝地名園．奇花異卉．殊足令人流連．（溫室二座．見上

文）

茶圃

【陵園小誌】茶圃於十八年開始進行．面積約五十畝．第一區在東溝之西．第二區在東溝之東．第三區在小紅山官邸之東．第一年用苗床播種．第二年定植．此後概用直播方法．取其茶苗發育較旺．定植形式分二種．一種三角形．一種長條形．

南京氣候．對於茶作尙稱合宜．惟冬季嚴寒．春季稍遲．前者植防風林．及用毛草包扎．以資補救．後者出品略遲而已．茶苗年齡未至採摘時期．廿二年春擇大叢者．試製數斤．其味其色．均不減龍井．此後茶圃．擬向東溝北部擴充．待茶苗有三百畝以上時．卽採用機器製茶．其他各分區苗圃．因造林將次完竣．亦擬改爲茶圃．茶圃內附植滁州白菊及玫瑰花．滁州白菊爲名貴飮料．市上售者價値昂貴．茶圃特在滁州購來菊苗．試植三畝．發育甚佳．製成乾花．色味均優．紅玫瑰現栽一畝．焙製花乾出售．

魚塘

【陵園小誌】陵園魚塘共計二所。一在中山門外馬路旁。爲昔之城濠。以曾栽蓮藕。又有荷花塘之稱。面積約百餘畝。水深自三四尺至八九尺。南部較深。北部遞淺。一在半山寺城外。謂之前湖。因在鍾山南麓也。湖面廣狹靡定。水位深淺不一。視山澗來源之大小而定。西南二面瀕城牆。南部城牆下有水閘。通半山寺謝公墩。城牆年久失修。湖水滲漏殊甚。故天旱易涸。二塘均供養殖之用。飼養鰱鱓鯖鯉之類。均甚滋長。前湖水性流動。所產鯖魚。尤爲味美可口。惟該湖俟植物園成立後。擬闢爲水生植物區云。

植物園。

【陵園小誌】於陵園西南部劃地三千畝爲植物園。園址。其地南涵前湖。後包孝陵。有山阜。有土地。有溪流。各種植物可因地制宜。於民國十八年開始籌備。從事徵集種苗。向國內外著名種苗公司定購。至稀貴之種。委託專員代辦。並與中國科學社。中央研究院。金陵大學。北平靜生生物研究所。廣東中山大學植物園等合作。每年派員至國內各省山林之區。採集種苗。分別培養。並與世界各大植物園交換。彼等極歡迎中國之植物。一聞我國有植物園之組織。爲將來國際交換種苗之中心機關．無不樂意合作．故四年來徵集種苗．已三千餘號．惟重複者多．故實際上祇一千餘種．統計所收到之苗木．及由種子培養所得之苗木．總數約五萬餘株．同時園藝方面．亦極力搜集各種果木．觀賞植物一千五百餘種．兩處合共有二千五百餘種．

星羅棋布．旖旎輝曜．都人士女往遊其間．俯仰天地．念總理精神之博大．革命締造之艱難．其思振發奮起．而不徒以爲耳目娛娛之資乎．

鍾山之支．迤邐而南．隱然隆起者．爲龍廣山．卽古龍尾坡．又名富貴山．爲歷代戰爭之所．太平天國於其上築地保城．

【肇域志】太平門左．有高山如圓釜立者．名龍廣山．國初置大理寺於此．後乃徙至門外．門直達於北．曰太平堤．堤左沿鍾山有小湖．曰燕尾湖．

【同治上江志】其山之西北麓．曰龍尾．歷代戰爭之所也．齊書崔慧景傳．竹塘萬副兒善射獵．能捕虎．投慧景曰．今平路皆爲台軍所斷．不可議進．惟直從鍾山龍尾上．出其不意耳．梁書敬帝紀．齊濳軍至蔣山龍尾．隋書隋平陳．賀若弼於蔣山龍尾洲築壘．皆此處也．通鑑注．自山趾築道坡陀以登

山。曰龍尾。今曰龍廣山。有崇聖祠。明崇禎中閣人于周服建。門額四大字曰道德忠鏡。有熊昌遇
元飆二碑。

城北諸山

由鍾山入城而右。曰覆舟山。在自由門內。亦名龍山。又名龍舟山。

【建康志】引舊志在城北七里。周迴三里。高三十一丈東際青溪。北臨眞武湖。狀如覆舟。因以爲名。

宋元嘉中改名玄武山。以其在城之北也。

據建康志。

有東陵。

【同治上江志】晉成帝紀。蘇峻至蔣陵覆舟山。又卞壼傳。峻至東陵。詔以壼督大桁東諸軍事。通鑑

劉裕討桓玄。劉毅等軍至蔣山。元使卞範之屯覆舟山。使桓謙屯東陵是也。

西有藥園壘。更名樂游苑。

【同治上江志】藥園壘劉裕築以拒盧循者也。宋元嘉中以其地爲北苑。更造樓觀於覆舟山。後改

曰樂游苑。十一年三月禊飲於此。會者賦詩。范蔚宗所謂藺池清夏氣。脩帳含秋陰。遵渚攀蒙密。隨山上嶇嶔者也。

宋孝武大明中造正陽林光殿於內。侯景之亂。焚毁殆盡。陳氏立國。更加修葺。

宣帝立甘露亭。

【陳書宣帝紀】太建七年閏月甘露頻降樂游苑。丁未輿駕幸樂游苑。採甘露。宴羣臣。詔於苑龍舟山立甘露亭。

苑內有西池。一名樂游池。

【同治上江志】樂游池本吳宣明太子所創。又名太子湖也。晉元帝即位。明帝爲太子。多養武士於池內。築土爲台。時人呼爲太子西池。

上有藏冰井。

【建康志】宋大明中鑿以藏冰。齊梁陳皆因之。

此山又有白水苑閬風亭瑤臺諸勝。

見宮苑記。

下有法輪寺。

【同治上江志】齊崔慧景園宮城。頓法輪寺對客高談處也。方輿紀要在府城東北覆舟山下。

龍光寺。

【同治上江志】晉恭思皇后褚氏所立。本種靑處。因名靑園寺。高僧傳竺道生還都。止靑園寺是也。

後有龍異。改名龍光。

今並湮廢。山之陽有山簡墓。

【建康實錄】晉永嘉六年征南將軍荆州刺史山簡卒。歸葬建康覆舟山之陽。

【輿地志】山簡墓在樂游苑內。

覆舟山西二百餘步。爲雞籠山。（據輿地志。）一名龍山。

【建康志】高三十丈。周迴一十里。

【寰宇記】西接落星澗。北連栖玄塘。宋改名龍山。以黑龍常見玄武湖。山正臨湖上。故名。

【南京之地理環境】鼓樓岡之東有欽天山．高度七十公尺．

又名雞鳴埭．

【同治上江志】齊武帝射雉鍾山．至此聞雞鳴．故亦稱雞鳴埭矣．

宋有儒學館．文帝立．以居廬山處士雷次宗者．

【寰宇記】元嘉十五年立儒館於北郊．命雷次宗居之．次宗因開館于雞籠山．

【宋書】明帝立九州廟於雞籠山．大會羣神．

齊竟陵王置士林館于此．

【寰宇記】竟陵王子良嘗移居雞籠山下．集四方學士．抄五經百家．爲四部要略千卷．

南唐建望湖亭．明於山巔置儀表．以測玄緯．名觀象臺．更名欽天山．康熙年間儀器始移入北平．

見萬曆上元志．

【江寧府志】觀象台．元至正元年建．明改爲欽天台．劉樹聲云．幼時猶見有小方銅架．中插方柱．近

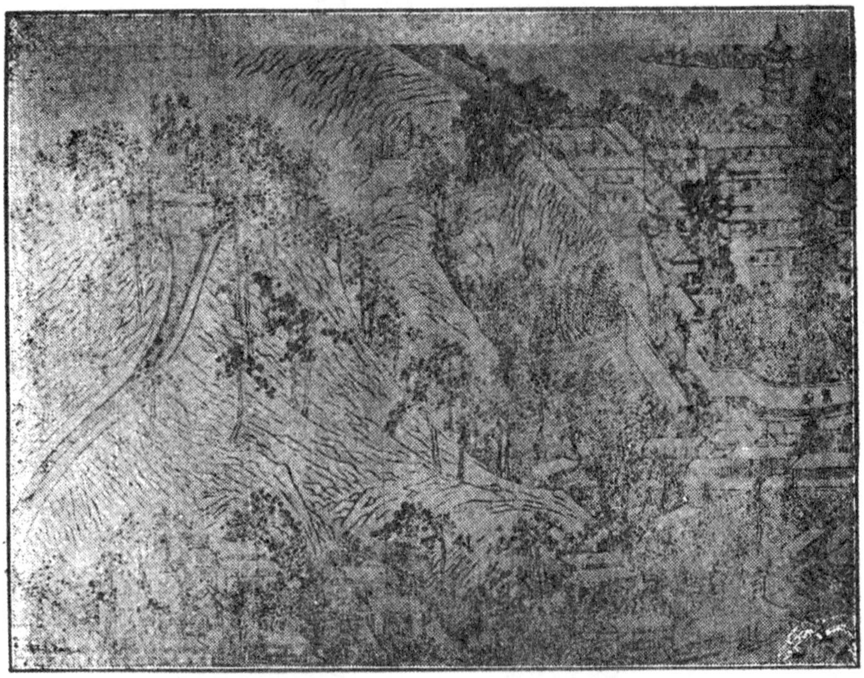

明雞鳴寺觀象臺

丈。爲量世尺。又有大方銅架。懸渾球。
又有矮銅架。鎖斷足銅龍。

【南京天文台記】一二八〇年十一月。元天祖詔修正曆法。欽天監諸臣具奏。開封府先朝遺留天文儀器甚多。然無一足裨實用。帝於是重造渾天儀日規及其他儀器。〔按元史天文志孚自靖康之亂。儀象之器。蓋歸於金。元與定鼎於燕。其初襲用金舊。而規環不協。難復施用。於是太史郭守敬者。出其所創簡儀仰儀及諸儀表。皆臻於精妙。即此文所稱重造渾天儀之事也。〕並命每器一式。製十三分。分賜各行省。南京天文台之建築。蓋即規畫於是時。其地發見之儀器。亦即此十三分之一。使南京官書之記載。爲可信。則南京天文台之建築動議。雖在於一二八〇年世祖之朝。而實施則直在百年以後。即一三八一年也〔明洪武十四年〕。台之遺址。在山巔之平原。地形長方。廣約廿五粎至三十粎。長稍過之。其間有平房一所。門南向。爲占星者居室。又有稍高之台。形四方。則所以陳列儀器。其器皆置於露天之台上。　儀器凡四事。利瑪竇及其弟子輩嘗考察此四儀器。有所傳述。頗足爲後人所利賴。　第一儀器爲一銅製球。徑長約一粎又二分之一。球面止刻子午線及平行線。無他標記。其下安一銅製之立方體。立方體之頂有一圓穴。球半陷其中。其旁有一小門。人得入其內以旋轉球。　第二儀器爲渾天儀。其質及直徑皆與第一儀器同。上有緯線及極線。緯線凡三百六十五度又若干分。下支一金屬之管。形如鎗。可以自由撥動。以示星之高距。　第三儀器爲日規。約高三粎。安於一長方大理石之南端。石之四周圍以溝。所以驗水平也。石上亦刻有分數。第四儀器最大。且最備。亦測量之器。有三大環。製以銅。直徑各長一粎又五十分。所以象赤道黃道子午線。又有一環可活動。附一管。蓋用以示星之位置。器之安放在一平面大理石桌上。四周亦繞以溝。　據利氏所述。此種儀器製作。皆極精妙。所用材料。皆甚耐久。利氏見此器時。在一六〇〇年。

距製作之時已二百五十年。而其器猶煥然若新。其作工之巧。可以想見。惟在科學上之價值則殊遜。其所分三百六十五度又若干分。無論於天象不相干。卽其所分亦殊不平均。是足以見當日天文家知識之陋矣。

【清通考】康熙八年六月。令改造觀象台儀器。先是七年七月。欽天監副吳明烜言。推曆以黃道爲驗。黃道以渾儀爲準。今觀象台渾儀損壞。亟宜修整。下禮部議。尋以取到元郭守敬儀器于江南。

又於山左右列十廟。繚以朱垣。

見萬曆上元志。

【南都察院志】帝王廟。宋訥撰碑。北極眞武廟。宋訥撰碑。蔣忠烈廟。劉三吾撰碑。都城隍廟。劉三吾撰碑。祠山廣惠廟。宋訥撰碑。漢壽亭侯廟。溫陽撰碑。五顯靈順廟。宋訥撰碑。卞忠貞廟。劉三吾撰碑。劉忠肅王廟。黃子澄撰碑。曹武惠王廟。劉三吾撰碑。衞國忠肅王廟。宋訥撰碑。功臣廟無碑文。凡十二廟。俱洪武二十二年建。俗曰十廟。

【鍾南淮北區域志】癸丑之亂。諸廟蕩盡。惟帝王廟獨存。改祀伏羲神農黃帝。謂之三皇廟。醫家祀之.

清立御碑亭北極閣萬壽閣于山上.

【同治上江志】山上有御碑亭.旁有北極閣.坡陀直上.徙倚空闊.南望城市.煙火萬家.其北地沃衍.居民多蓺菊爲業.晴秋極目千畦萬圃.爛若摛繡.左有萬壽閣.康熙二十八年恩免房稅.百姓讙呼.如解倒懸.伐石立碑恭紀其事.今圮.

宋劉宏淸蔣士銓皆嘗宅于此.

【同治上江志】舊有劉宏宅.宋書建平宣簡王少而閑素.篤好文籍.太祖愛之.立第於雞籠山.盡山水之美.下有鴻雪樓.蔣士銓太史寓止於此.今廢.

晉四陵陸玩墓亦在焉.

【建康實錄】元帝葬建平陵.明帝葬武平陵.成帝葬興平陵.哀帝葬安平陵.俱在雞籠山陽.不起墳.

古蹟並湮.惟泉尙存耳.

【同治上江志】有泉泠然.味淸冽.曰鷄鳴泉.明盛時泰有贊.

氣象研究所

民國十七年大學院於山上重建氣象台台旁爲中央研究院氣象研究所。

【南京之地理環境】氣象台係六角形。用鋼骨水泥建築。工費約一萬三千元。台凡三層。離山頂四十餘尺。

又有陸軍無線電台有馳道通汽車。山前爲中央大學〔詳教育〕山之東麓有雞鳴寺。

【南京之地理環境】高度五十公尺。

【同治上江志】本梁同泰寺故址。宋爲法寶寺明洪武二十年建。名曰雞鳴。遷靈谷

氣象臺外景

寶公函瘞于此．山建塔五級．賜門額曰祕密關．觀由所出塵徑．前有施食台石表高揭．爲宋文憲公書．相傳地爲古戰場．元時刑人於此．嘗有鬼魅祟人．洪武初勅迎西番僧結壇施食．以度幽冥．

寺後有閣。

【同治上江志】即南唐涵虛閣也。面山枕城。下臨桑泊湖中。鳧雁倚窗歷歷可數。每當夏秋之交。登高矚遠。荷花萬頃。紅碧傾墮。如漢宮晚妝。尤爲佳絕。塔今廢。寺重修。

【鍾南淮北區域志】寺後奉觀音。爲倒坐像。謂之觀音樓。張文襄之洞拓豁蒙樓於其右。俯踞山巔。目極千里。大觀也。

下爲北水閣。

【同治上江志】宋元嘉中於元武湖側作大竇。通水入華林園玄潭池。復貫串宮掖。即此處也

山下舊有五祠。並廢。

【同治上江志】　賢良祠。〔雍正十一年建。〕南朝三賢祠〔嘉慶中里人汪度建〕今有昭忠祠〔同治四年建。〕祥公祠。〔同治十二年建。〕劉公祠〔同治十二年建〕

【鍾南淮北區域志】置祥將軍厚福提督珠洪阿。祁方伯宿藻劉武烈公同纓四祠皆殉粵難者也

寺東麓有坡道通城。俗呼爲臺城。

【同治上江志】案臺城之址。今頗難考。通鑑隋伐陳。賀若弼進至樂游苑。燒北掖門。北掖門。臺城北門名也。據此則樂游苑在臺城外可知。寰宇記謂樂游苑在覆舟山南。則臺城當更向南。其不得北據雞籠可知。雞鳴寺後之城。乃是明擴都城時所遺。俗呼曰臺城。呂氏據以此爲確據。誤矣。

又東有夫子廟。明南雍故址也。

【鍾南淮北區域志】山東麓有夫子廟。明爲國子監。清爲江寧府學。同治中遷府學於冶山。即其地作武廟。

道光中陶文毅公澍于山上種松萬株。蒼翠彌望。今無復存矣。

據新京備乘。

西接鼓樓山坡。

【鍾南淮北區域志】坡上作城闕狀。置樓於上。以鼓報晝夜時刻。明都城之規制也。清康熙初立聖祖戒碑於上．名曰碑樓．〔世人仍呼鼓樓〕旁爲倒鐘廠．有明鐘二．鐘樓中故物也．泥土叢積．一立一臥．立者爲粤賊所毀．光緒中許方伯振于以機器起其臥者．築亭覆之．人呼爲大鐘亭．

今爲鼓樓公園．

【鍾南淮北區域志】自山坡以北．岡巒起伏．經妙耳山．妙耳山．小阜也．上有都天廟．嘉道時賽會頗盛．今惟破屋數椽而已．

首都志卷四

山陵下

城西諸山

迤西曰盧龍山．馬鞍山．石頭山．五台山．皆赤石結成岡阜．〔地質學上屬赭色之砂礫岩〕上戴黃土．盧龍山在興中門外．

【建康志】周迴一十二里．高三十六丈．東有水下注平陸．西臨大江今張陣湖北崗隴北接靖安．皆此山也．晉元帝初渡．不見此嶺綿延．遠接石頭．眞江上之關塞．以比北地盧龍．因以爲名．

【水陸地勢圖】山高東二百三十英尺．西一百四十三英尺．到江邊二千七百三十四碼〔每碼英尺三尺〕．

明初改名獅子山。太祖欲建閱江樓。不果。

明太祖與宋濂。皆有閱江樓記。

山阿有道觀。蒙以山名。旁有玩咸亭。

【同治上江志】明嘉靖間寺僧建。御史方克有記。取象山澤。故曰玩咸。

又有徐將軍廟。

【同治上江志】明初奉敕建。宋濂撰碑。今廢。

其下有洗影樓。明隱君朱應昌別墅也。又有靜海寺。

【同治上江志】在儀鳳門外。明永樂中建。以海外平服。賜額靜海。寺中有危石磊砢特起。崖穴相貫。

虞允文嘗三宿其下。上有宋人題名石刻。世相傳爲三宿巖。

天妃宮

【同治上江志】永樂十四年建。殿宇宏麗。廊廡繪海中靈蹟。驚風怒濤。怖人心目。有閣曰玉泉。高可見江水雲波。鳥衆景奔赴。誠大觀也。今廢。

光緒初籌辦江防．就山顛築砲壘．遂成要塞焉．

四望山在定淮門內．

【建康志】周迴三里．高一十七丈．東至龍安．西臨大江．南連石城．北接盧龍．

【寰宇記】引南徐州記．臨江有四望山．吳大帝嘗與仙者葛元共登陟之．

【吳志】孫皓殺司市中郎將陳聲於四望山之下．元和郡縣志．温嶠伐蘇峻．於四望山（晉書作四望磯）築壘以避賊．

山勢嶄絕．足供遠眺．其側有栖賢山．彭庵山．瓠岡．李家岡．並俗名．馬鞍山在定淮清涼二門間．

【建康志】東與石頭接．高八十五丈．以形似得名．

【方輿紀要】西北連獅子山．

【同治上江志】其山幽阻深靚．遺世之士．兹焉託足．精藍梵宇．盛時蓋七十餘所．鐘磬鞺鞳．時出松濤竹浪中．有匡廬竹隱意．故世名小匡廬矣．

上有大悲嶺．金陵寺在焉．

【同治上江志】寺本唐僧貫休建．明懷宗時廬山僧融城居此．墓塔在山後．有鐘刻天策衛指揮吳瑀及弟吳璘鑄．其地卽天策衛故址．今廢．

【石城山志】殿上金剛騎白狻猊．亦曰白澤．俗呼爲金剛騎水牛．山門無彌勒．而塑眞武．與他寺異．

石頭山．卽石頭城之所據也．

【建康志】案輿地志環七里一百步．緣大江．南抵秦淮口．去臺城九里．自六朝以來．皆守石頭以爲固．以王公大夫領戍軍以爲鎭．其形勢蓋必爭之地云．

【建康志】江乘地志云．山上有城．因以爲名．宮苑記云．楚威王滅越．置金陵邑．卽石頭城．丹陽記．石頭城吳時悉土塢．晉義熙初始加甎累甓．因山爲城．因江爲池．地形險固．尤有奇勢．

六朝以來．倚爲重鎭．蓋江流逼城．爲必爭之地．江漸西徙．而石城故基．又爲楊吳稍遷近南．山爲城隱．無復虎踞之雄矣．

【同治上江志】隋平陳．於石頭置蔣州．唐武德四年爲揚州治．尋揚州移治江都．此城遂廢．武后光宅中徐敬業舉兵．使其徒崔洪渡江．守石頭．建中四年朱泚作亂．江東觀察使韓滉築石頭五城．元和二年李錡爲鎭海節度使．遣兵修築石頭．謀據江左．

中有倉城．

【建康志】在石頭城內．大明中以其地爲離宮．景和元年修爲長樂宮．齊武帝爲世子時．又以爲世子宮．

上有受禪臺．

舊志在石頭城高壟上．宋高祖受禪時柴燎告天之所．

其東有塘岡．

【建康實錄】晉元帝永昌元年．王敦收周顗戴淵殺於石頭城塘頹石上．

前有征虜亭爲送別之所．

【建康志】引丹陽記．太元中征虜將軍謝安止此亭．因名．

【南史】何尙之遷吏部郎．告休定省．傾朝相送．父叔度謂曰．此送吏部郎．非關何彥德也．昔殷浩亦嘗作豫章送別者甚衆。及廢徙東陽。船泊征虜亭。積日乃至。親舊無復相窺者。

又有晉元帝廟。

【同治上江志】唐天祐二年。置在卞將軍廟西。宋嘉定五年。黃度作新廟於石頭東。祔享者三十有六人。竝當時名臣。葉適有記。今廢。

南有入漢樓。

【建康實錄】晉義熙八年。於石頭城南起高樓。加累入於雲霄。連堞帶於積水。名曰入漢樓。

西南有烽火樓。

【同治上江志】吳時舉烽火處。

北有招提寺。

據方輿紀要。

西有韓擒虎壘。

【元和志】隋入陳。樹碑於此。其後唐武德七年。趙郡王孝恭平輔公祏。紀功立碑。與玆並峙。

又有三山亭．並廢．

據輿地紀勝．

北有後岡．

【南史袁顗傳】明帝忿顗違叛．流尸於江．弟子彖收瘞於石頭後岡．

旁有南唐張懿公墓．李順公墓．並有碑．山西麓有石城洞．

【一統志】引南徐州記．石頭西嶺下臨大江．當嶄絕之處．有洞戶．眞誥云．此小有洞天之南門也．

【陳志】一名龍洞口．或曰桃源洞也．

上爲鬼臉城．

【同治上江志】上爲孫權所築城．世以其磦砢特起．有似面具．呼曰鬼臉城．

城所跨爲蚵蚾磯．磯上有淸高宗御詩碑．

【石城山志】磯又名蝦蟆石．南唐宋齊丘忌汪台符之才．沈之於此．或云晉殷羨投書渚．亦其處也．

山半有淸涼寺．故又名淸涼山．

【同治上江志】舊在幕府山。唐彥謙有游清涼寺詩。南唐建清涼道場。徙此。明初改今額。

【石城山志】寺爲南唐離宮。後捨爲寺。門外有保大泉。即南唐義井也。〔按已成眢井〕

旁有一拂祠。〔存〕

【同治上江志】祀鄭介夫先生。宋史鄭俠傳。俠字介夫。隨父暈赴江甯府監稅。得清涼一小閒閉戶讀書。後人景仰清節。祠祀茲山。顏曰一拂。

【石城山志】宋鄭俠少時讀書處。後宦監門。上流民圖。被謫。罷官時。日無長物。僅存一拂。後人景仰清節。建祠祀之。故祠以一拂名。地甚幽深。樹木參錯。秋時楓紅竹綠。終日無一人至者。所謂城市而山林也。

又有卓侍郎祠。〔今廢〕

【同治上江志】萬曆中詔建。

南有耿公祠。〔今廢〕

【同治上江志】即崇正書院地也。祀明督學御史耿定向。舊有坊額曰耿天台先生講學處。

寺後有程偃孫墓。

【建康志】偃孫明道後裔來自池陽。卒葬於此。

其巔爲翠微亭。

【同治上江志】即南唐清涼臺故址。地勢迴曠。堪騁遐矚。城闉煙樹。冪歷萬家。城外江光一綫。帆檣隱隱可辨。江北諸山拱若屏障。登眺之勝甲於茲山矣。

今於亭址建自來水廠蓄水池。供給全市之飲料焉。

【新南京】二十二年四月正式局部出水。水管由水廠經清涼門至清涼山蓄水池。

山西南有掃葉樓。

【石城山志】樓在善司廟後。卽明遺老龔半千賢之半畝園也。半千嘗繪一僧持帚作掃葉狀。因以名樓。憑欄而望。城闉煙樹。冪歷萬家。城外帆檣過石頭城下。影掠窗前。登眺之樂。此爲最盛。

與樓對峙者爲盋山。

【石城山志】山以形似得名。清道光中陶文毅公澍。改盋爲博。置園于此。倚石爲臺。冠屋其上。以御書印心石屋爲額．而江甯陶氏亦築餘霞閣於山巓．渙悅濟愼兄弟讀書處也．園中江梅百株．磴道左右有古松四．夭矯騰拏．胡太守鐘以四松庵表其門．至今尙存．〔按現亦廢〕

【盋山志】四松庵〔同治十一年重建〕在盋山之麓．舊有古松四．故名．邑陶氏餘霞閣．及陶文毅公印心石屋在焉．今庵內有小園．層樓冠之．登憑北牖．與盋山前峯値．嵐翠沈沈．襲人襟．樓前兩垂楊弄姿晴空．池水爲之葱蒨．旁海棠一樹．花時意態穠甚．輕風徐颺．如靚裝豔女．徘徊綠絲步幛間．

山下爲龍蟠里．舊有惜陰書院．今爲國學圖書館．藏書之富．爲東南第一．〔詳藝文〕

館側爲明汪文毅公祠．

【重刊江寧府志】汪偉字叔度．上元人．崇禎戊辰進士．授慈谿令．多異政．擢檢討．荆襄失守．上江防綢繆疏千餘言．帝嘉之．甲申賊薄都城．守兵乏餉．不得食．偉市餅餌以饋．城陷．偉繼室耿氏．檢新製衵衣．上下縫固以待．偉援筆題襟曰．翰林院檢討汪偉．繼室耿氏同死節．次早城陷．投繯死．謚文烈．國朝賜謚文毅．事詳明史本傳．

【續纂江寧府志】汪文毅公祠在龍蟠里．同治八年知府涂宗瀛重修．

夾道相對有方氏教忠祠．

【望溪先生年譜】乾隆七年壬戌．先生年七十五歲．始營建教忠祠于清涼山麓．祀遷桐五世祖斷事公．以公殉節．故祠名教忠．其側又建太僕公小宗祠．

汪祠右爲曾文正公祠．今爲三民中學．

【續纂江寧府志】曾文正公祠在龍蟠里．祀總督曾國藩．同治十一年建．有碑記．

左有馬端敏公祠．今并入圖書舘．

【續纂江寧府志】馬端敏公祠．在龍蟠里．同治十二年．建．祀總督馬新貽．

教忠祠西爲沈文肅公祠．

【續纂江寧府志】沈文肅公祠在龍蟠里．光緒六年．建．祀總督沈葆楨．

又西爲薛廬．

【石城山志】淸同治間．全椒薛𥠖根觀察時雨．主講尊經書院．門下士築永今堂於廬前．旣捐賓客．

烏龍潭

乃奉先生栗主於此．歲時祀之．弟子顧訓導雲築宅其旁．顏曰深柳讀書堂．皆背山面水．爲林壑最勝處．其北隔一牛鳴地．爲邵陽魏季子湝小卷阿．門外修竹千竿．亦頗得幽趣也．

今均爲警官高等學校寄宿舍．校在盋山東北．盋山前臨烏龍潭．潭爲顏魯公放生池．上有祠祀魯公．

【石城山志】池中有宛在亭．舊名肥月亭．沿堤種以桃柳．春時風景尤佳．眞不愧小西湖之目也．

潭迤東有周幔亭故宅．〔今廢〕

【待徵錄】幔亭築所居也．因以爲字．有徘徊處．竹請客退一步．識字人書屋諸勝．

【石城山志】舊門有額題周幔亭先生讀書處.

再進爲上元節孝祠.

【石城山志】祠爲妙意庵故址.

祠前坡陀而上曰蛇山山上有靈應觀.

【石城山志】本宋隆恩祠祈雨最驗故曰靈應近拓西偏爲淡靜山房以奉諸葛武侯.而附陶靖節於側別築精舍三楹軒其北叢篁蔽虧時見高下樓台與烟水搖曳門前松檜雜植雉堞圍之如欄檻狀.

境地清絕.幽人所萃.園林之勝.後先相望.今並廢矣.

【同治上江志】茅氏寤園.〔歙潘之恆有記〕范鳳翼退園.〔見金陵詩匯〕余集生園.〔朱堂吉光集有烏龍潭訪余集生故園詩〕卓氏械園.〔園之勝曰馭虎岩.鶴漈.蓮旬.無山堂.笠广.汐山.鋤月灣.呼龍嶰.寒江榭.藥草畦.茗柯坪.劍壑.孅虹.螺髻菴.懸鼓峯.直樹林.楊龍友圖.董思白跋.見待徵錄〕宮氏園.〔白下瑣言在清涼寺之陰.鑿洞穿池.金魚數十尾.游泳其中.上建三層閣.背山壁立.

曲磴盤旋而上。里人胡鐘題曰四照閣。〕

〔石城山志〕相傳明何太樸棟如龍德書院。唐長史時山水園。茅元儀寤園。丁雄飛心太平庵。皆在

潭上。今不知其處矣。

潭西北最高處爲虎踞關。與龍蟠里南北相望。

〔石城山志〕因諸葛孔明有鍾山龍蟠石城虎踞之稱。故名。其下卽爲武侯駐馬坡。

關北由篤義里轉而西。修竹夾道。約里許至古林庵。

〔同治上江志〕旁有古林庵。岡巒環抱。樹木蓊蔚。晚來白鷺羣集。風吭雪羽。屏絕塵俗。又有歸雲草

堂。明末黃山孫鼎隱此。書盤谷二字。叢桂甚茂。梅曾亮有記。今廢。

〔石城山志〕菴爲明僧古心所建。峯巒環抱。水木清華。薄暮鷺鶿自城外歸宿山後。上下翺翔。一望

如雪。築堂臨流。人謂爲鷺鶿廳。〔今廳毁。鷺亦不來〕殿後院鑿山爲壁。高數丈。徧植秋海棠。花時

紅雨繽紛。曼陀羅不是過也。名曰海棠屏。

轉而東。爲首都新住宅區。洋樓百幢。無復昔日荒烟蔓艸景象矣。計石城舊跡

南京新住宅區　（陸地測量局製）

自明改後.湮沒不知凡幾矣.

【同治上江志】有迎擔湖〔建康志在城西北石頭城後五里.晉元帝南渡.衣冠席卷過江.客主相迎.負擔於此.因名.一作額擔湖.齊書作雒擔湖.宋昇明元年.劉秉等謀誅蕭道成.不克.自走石城.至額擔湖見殺.是也.〕蘇峻湖.〔建康志引南徐州記.迎擔湖西北有蘇峻湖.本名白石陂.晉咸和二年.蘇峻舉兵於石頭.陶侃督護李陽臨陣斬峻於白石陂.即此.又一統志.覆舟山之東麓爲東陵.又東爲白屯陂.即蘇峻被殺處.案今定淮門正在覆舟石頭之間.有陂池大小相屬.以數十計.疑即湖之遺蹟也.〕鄱陽浦.〔建康志在石城西.上通秦淮.下入馬昂洲.九里達于江.乘舊圖經云.梁鄱陽王嘗於此置屯田.因以爲名.〕查浦.〔在石頭南.上十里.實錄.盧循犯建業.宋武帝柵石頭.斷查浦.即此.〕青塘.〔陳後主紀.羣鼠無數.自蔡洲岸入石頭渡淮.至於青塘兩岸.又梁韋粲傳.粲討侯景.屯青塘.即此.〕茄子浦.〔晉書郗鑒傳.鑒與陶侃會於茄子浦.御覽三十國春秋.咸和二年.溫嶠與陶侃起義兵.伐蘇峻.帥師四萬.直指石頭.泊嘉子洲.即此.〕

蛇山東爲峨嵋嶺.有吉祥寺.叢霄道院.

【石城山志】由石頭山東行.出蛇山北.至峨嵋嶺.嶺側有吉祥寺.寺有古梅.明新安人鮑山母羅氏.

夢梅而生。其梅卽萎。迨母卒。則梅擢五新榦。如虬龍攫拏狀。山見梅下拜。謂母之魂歸於梅。因建拜梅庵於寺中。焦殿撰竑爲之記。以八月初一爲梅孕日。立春爲梅誕日云。過叢霄道院。內有閣奉呂祖。道士設壇扶鸞於此。門外修竹萬竿。綠陰成海。春時款客。輒出筍以供。謂之玉版筵。入蓬萊境。抵陶谷。谷亦以陶隱居得名。淸道光中浙人張氏築澄園於此。園旁有錢氏杜靑峯草堂。今皆圮。稍東經大佛寺。佛身長丈六。故名。大佛禪堂院中有木筆海棠二大株。紅白交錯。諸天中香色世界也。萊子庵相傳桐城方氏所建。

又東爲正台山。今有孝園。山阿有永慶寺。

【同治上江志】梁永慶公主香火。故名。寺有塔。又名白塔寺。寺旁爲淸風榭。〔名見唐陶山詩注〕自上望之。不見屋宇。陟數十級。豁然開朗。別有洞天。修廊曲榭。境極幽閴。舊有額曰地因樓勝。俗稱地樓。

又北爲小倉山。

【石城山志】繞小桃園。園有玉樹堂。朱殿撰之蕃別墅也。取境高而闢地遠。堂前又有玉蘭數株。其相近有伏挺泉。南朝古井也。獅子窟舊爲通圓寺。山石谽谺。明董文敏其昌書獅子窟三字以額之。

五台山 （陸地測量局製）

淸湯貞愍公貽芬築池館於此．爲其音相近．改爲詩之窟．咸豐中粤賊陷金陵．投池死．因瘞園中．以藤杖殉．藉爲他日之驗．迨江南平後．將改葬．啓土視之．則藤繞其尸如棺．洵一奇也．旃檀林而北爲小倉山．

【南京之地理環境】小倉山高度四十公尺．

有袁枚墓．下爲隨園．乾嘉時有樓臺泉石之勝．廢於洪楊之亂．

【同治上江志】袁簡齋先生僑寓處也．因山築基．引流爲沼．蒔花種竹．饒有古趣．有香雪海．因樹爲屋．蔚藍天．羣玉山頭諸勝．乾嘉諸老觴詠其間．稱極盛焉．今廢．

【石城山志】舊爲隋織造園．既歸袁氏．易隋爲隨．四山環抱．中開異境．樓台皆依山構造．如梯田狀．雖屋宇鱗次．而占地無多．四圍咸倚峭壁．不設牆墉．入園必循山坡迤邐而下．固天然形勢也．今則平原一片．雙湖水僅一泓可辨．以外絕無坡陀處．相傳洪寇因糧餉告乏．塡平洞壑．貲田以供給僞王府之食米．及克復後●復有棚民墾種山穀．其土日壅日高．遂不能按圖而考其迹矣．

五台山南爲冶城山．吳爲冶城．

【同治上江志】本冶官冶也。〔金陵故事又有南冶六所。少府一。司徒二。揚州二。鎮軍府一〕晉元帝大興初以王導疾久。方士戴洋云。君本命在申。而申地有冶。金火相鑠。不利。遂移冶城於石頭東。髑髏山以其地爲西園。徐廣晉成帝紀所謂適司徒府遊觀冶城之園者也。

晉建冶城寺。

【同治上江志】太元十五年建冶城寺於此。桓玄入建康。廢寺爲別苑。廣起樓榭。飛閣複道。延屬宮城。尋復故。陳永定二年遣臨川王蒨西討王琳。送之於冶城寺。是也。亦名冶亭。劉裕將伐司馬休之。使劉鍾領石頭戍事。屯冶亭。卽此。有郭文舉讀書臺。建康志引金陵故事。郭文字文舉。王導築台於冶城以處之。

劉宋爲總明觀。

【建康實錄】明帝六年立總明觀於冶城。徵學士充之。置東觀祭酒訪舉各一人。舉子二十人。分爲文史陰陽五部學。

楊吳爲紫極宮。宋爲文宣王廟。

【同治上江志】後改爲天慶觀．大中祥符間賜額爲祥符宮．有太乙殿．即郭文舉書臺也．前有泉亦曰太乙矣．

元爲元妙觀．

【同治上江志】又昇爲永壽宮．有鍾英亭．

明爲朝天宮．

【同治上江志】明爲朝天宮．有習儀亭．百司庶府有大朝賀．習儀於此．又有東麓亭．見余學士孟麟集．

清爲府學文廟．

【同治上江志】府學文廟．〔舊在雞籠山東．同治四年移建〕飛甍隆棟．高基層檐．制度宏麗．冠絕直省．

近教育部改建中央教育館．舊有祠墓．尚有存者．

【同治上江志】左陟名宦鄉賢諸祠附焉．東有表忠祠．〔明萬曆二年奉詔立．清乾隆四十一年江寧守臣因舊祠而廓大之。在今府學東」敕謚烈愍祠。〔祀明北平都指揮使孫泰〕後有顧侍郎祠。旁爲御碑亭。亭後有飛霞飛雲諸閣。鍾阜羣峯。窺窗排闥。朝烟霏青。夕霞釀紫。如置几席間。誠奇景也。西有卞公墓。蘇峻之亂。卞壼巷戰死。實葬此。二子從焉。寰宇記。晉安帝末。盜開卞壼墓。棺剖掠之。尸殭。鬚髮蒼白。面如生。兩手拳爪甲透出手背。敕給錢十萬。營之。歷代更修。今尚巋然存矣。墓東北有忠孝亭。本名忠貞亭。宋慶曆三年。葉淸臣取其父爲忠臣。子爲孝子之言。改曰忠孝。幷以目泉焉。亭今廢。墓前有全節坊。又祠宇數楹。今並存。北有嘉泰井。與荀氏井對峙。

其北有謝公墩。

【同治大江志】北有謝公墩。世說謝太傅登冶城。悠然遠想。有高世之志。故名。謝靈運撰征賦。視冶城而北闕。懷文獻之悠然。李白詩冶城訪古蹟。猶有謝公墩。皆指此也。亦名紅土山。

城南諸山

出中華門一里許。崒起者爲雨花台。古名石子岡。俗呼聚寶山。梁僧雲光講經處也。

【南京之地理環境】雨花台高八十餘公尺。

【同治上江志】上多石磷磷斑斑然。俗呼爲聚寶山。〔一曰黃鵠山。陶宗儀古刻叢鈔。齊永陽敬太妃葬長干黃鵠山。案黃鵠山今不能定所在。第長干之山無大於聚寶者。故紀於此〕蔡宗旦金陵賦。上瑪瑙之絕徑。雨花翼其飛甍。又謂之瑪瑙岡矣。古曰石子岡。〔案石子岡有三。西岡在安德門外。與白楊路近。東岡卽梅岡。中岡則鳳台岡也。見待徵錄引雁門集注〕上有雨花台。梁雲光法師講經處也。有雨花之異。因以名台。舊有總秀堂。宋王埜書額。又有松風閣。張錦衣鹿徵隱居於此。今並廢。山遠揖江峯。近俯城堞。烟霏霧靄。萬景畢納。每當夕陽銜山。巒容樹態。金碧晃漾。尤爲佳勝。丹陽記云。江南登覽之地三。雨花其一也。

有永寧泉。

【同治上江志】有泉一泓。纖瀅縷湊。色味俱絕。居民構肆其上。春秋佳賞。游屐紛遝。故題詠盛矣。曰雨花。以台名。曰永寧。以寺名也。明趙謙書第二泉扁額。今亡。〔邑人端木埰補署〕

前爲木末亭。左有御碑亭。又有寶積閣。俱廢。其東有梅嶺岡。

【同治上江志】待徵錄豫章內史梅賾立功於晉。廟祀於此。岡所由名也。有徐霖王逢元二碑。亦謂之梅陵。孫棨破劉繇別將於梅陵。即此。上有淸源觀。祀淸源君。蜀三神之一也。元至正初重建。李桓有碑。西爲瑞相院。院後有墓。待徵錄引陳組雲詩注云。新安商之妾。守貞而死。葬此。而世乃目爲馬湘蘭墓。誤矣。

其南有土門岡。宋楊邦乂剖心處也。

【同治上江志】宋史。金人渡江。留守杜充降。建康府判楊邦乂罵賊不屈。金人剖其心於此。實葬焉。有碣書楊忠襄公剖心處。

山下有報恩寺。寺有磁塔。稱天下第一塔。燬於洪楊之亂。

【同治上江志】山下有報恩寺。梁阿育王寺也。有阿育王舍利塔。一曰長干寺。宋名天禧寺。有南軒先生祠。眞西山建也。在方丈後。元改寺曰慈恩旌忠。明永樂十年。敕工部重建。至宣德六年始成。（歷二十九年）賜今額。朱孔陽書。有琉璃塔。宋聖感塔也。凡九級。八面。文石雕瓦。千奇萬麗。金輪聳雲。華燈耀月。眞奇觀也。（施愚山雜著。順治戊戌。塔爲雷壞一角。有田氏兄弟陡登最上層。繫橫木於塔門。豎梯木端。緣之而上。其徒魚貫運材。因勢掇葺。如燕雀營壘。移其木以次上下。三月迄工。田氏解衣跣足持長帚踞巔掃除。謂之洗塔。復仰天坦臥。雲日盪胸。安如平地。觀者震駴。田氏循檐斗折冉冉而下。人目爲肉飛仙焉。〕今燬。舊有華嚴樓。下有井。題咸淳三年字。又有竹浪徑松竹堂諸勝。寺中樹木蓊鬱。有婆羅樹。〔白下瑣言。直幹叢生。其葉必七。四月間開白花。高出枝上。結實如荔枝。云係番種。宏濟高座靈谷諸寺皆有之。〕五穀樹。〔客座贅語。樹實生如五穀。每生一種。則其年此種必大熟。〕其異種也。今並亡。

【陶庵夢憶】中國之大古董。永樂之大窰器。則報恩塔是也。報恩塔成於永樂初年。非成祖開國之精神開國之物力開國之功令。其膽智才略。足以吞吐此塔者。不能成焉。塔上下金剛佛像千百億金身。一金身琉璃磚十數塊湊成之。其衣摺不爽分。其面目不爽毫。其鬚眉不爽忽。鬬筍合縫。信屬鬼工。聞燒成時。具三塔相成。其一埋其二。編號識之。今塔上損甎一塊。以字號報工部。發一甎補之。如生成焉。夜必燈。歲費油若干斛。天日高霽。霏霏靄靄。搖搖曳曳。有光怪出其上。如香烟繚繞。半日方散。永樂時。海外夷蠻重譯至者百有餘國。見報恩塔。必頂禮讚歎而去。謂四大部洲所無也。

【書影】高康生阜云。人言長干寺浮圖中有舍利。是康僧所求得者。時時放光。變出不一。遇大雷雨則鳴。予初不之信。一日值七月中行三山街道上。忽然陰晦。正南方皆黑雲遮蔽。不見日色。霹靂一兩聲。民房爲回祿所燬處。空曠見半塔。一時市人半哄集竚觀。予不知何故。仰視之。見塔頂光如滿月。黑雲映之。倍益輝朗。少焉漸縮。以至將盡。如望後漸就弦晦狀。又復漸闊至滿。滿而復縮。而後卒盡。須臾雲開日出。頂作金光如故。始信舍利放光之說爲不誣耳。

【南朝佛寺志】咸豐中燬於兵火。今雖稍葺門殿。比於曩時。不過百分之一。塔頂上蓋似大鐵釜。猶在製造洋礮局門外云。

附近寺院林立。而高座永寧最著。均毀敗。

【同治上江志】寺左有靈澤夫人廟。旁爲三藏塔院。祀元奘法師。後有石塔。云藏法師爪髮處。寺西爲普德寺。明正統間建。舊有題名碑。又有劉瑾塑像。見待徵錄。上爲高座寺。本晉永嘉寺。西竺僧尸梨密來中國。爲王丞相等所敬。因號所居爲高座。既卒。於冢側立刹。仍名高座焉。梁時寶公主其寺。有手植松。唐李白從子中孚披緇止此。有中孚塔。寺前有井曰甘露。味與雨花泉相亞也。寺後有宋統制戚方墓。與高座寺對峙者爲永寧寺。〔舊志高座一名永寧。後分爲二〕今廢。高座寺之上爲

山陵下　方亭

安隱寺．乾道志蔣山舊有安隱院．久廢．宋紹興間徙此．正統間重創．賜今額．右爲雲錦殿．寺前有錢士揚孝子與母節孝坊．今廢．再上爲寶光寺．舊名天王寺．劉宋大明中建．梁廢爲昭明太子果園．楊吳時爲徐景通園．南唐保大間更建奉光禪院．後葬禪僧起塔．名寶光塔院．元改爲寺．明洪武賜今額．寺舊有貝多婆力叉經葉．如荀殼．柔膩光滑．字皆旁行．蠕蠕若蟲豸．相傳來自西域．又有達摩尊者畫像．高及二丈．闊如之．凡七筆而成．魄力渾勁．爲康熙間人手筆．寺今廢．後有皇姑庵．祀中山王女徐妙錦．不肯爲燕后者也．嘉慶中北城徐氏重修．今亦廢．

祠廟以方忠文公祠最有名．

【同治上江志】上有倉聖廟．〔待徵錄宋名三聖在府治西．祀久廢．清張允升擬建未遂．乃遷雨花山傳清端公祠祀之〕劉猛將軍廟．八蜡廟．〔同治八年移建於城東北之中正街〕先賢祠．〔宋馬光祖建．舊在青溪上．明萬曆中移此〕三忠祠．〔宋祠名褒忠．即此．同治十二年修〕景忠壯公祠．〔萬曆中建．順治庚子重建〕府尹王公祠．〔燫〕海忠介公祠．〔天啓中邑人建〕張壯節公祠．〔可大〕府尹汪公祠．〔宗伊〕武選鄭公祠．〔一麟〕清傅清端公祠．〔臘塔〕織造曹公祠．〔寅〕陳恪勤公祠．〔鵬年〕于清端公祠．〔康熙三十四年建〕于襄勤公祠．〔康熙三十四年建〕李忠勇公祠．〔同治四年建〕江寧節孝祠．〔舊在三山門外．道光中移建於此．同治九年新修〕

名人葬其間者．有謝安韓熙載等．

【同治上江志】其山麓有晉謝安墓．〔元和郡縣志在石子岡北．待徵錄引王顧高座寺志云．在長興者．始興王掘發後．謝氏爲長興令者遷葬之．宋大觀墓田碑可證．據此則安墓始在金陵．後遷長興．亦如宋理宗之顱骨也〕南唐韓熙載墓．〔初熙載得罪南遷．上表陳謝．後主覽而悲之．遂免南行．尋終于城南戚家山．賜衾裯以葬．舊有碑．今亡〕元劉叔向墓．〔趙孟頫有登雨花台弔劉叔向詩）孔平山墓。（見元陸文圭牆東類編。）金陵逸士王寅敬墓。（有墓碣。吳澄撰。見草廬集。）明方正學墓。（公甯海人。文皇命草詔不屈。磔死。門人王稌收遺骸葬此。或曰士人以盎繫葬。萬曆間湯顯祖立石表其墓。鄭曉吾學編收孝孺骸者爲都督廖鏞。文翔鳳游記。公碧葬山中。祠官弗可迹。姑封一抔之土於北麓曰墓非公骨。眞在是也。今並載其說以俟考）浡泥國王墓（永樂中來朝卒。賜葬于此。俗呼馬回回墳）又有武靖伯趙公含山公主駙馬尹清陝國公郭子興（公濠人。謚宣武。）營國公郭英。（公濠人。謚武襄。）鄆國公宋晟。瑞安侯王源。丹陽縣男孫炎。（炎句容人。守處州死節。）當塗縣男王愷（愷與胡大海同死金華之難。）鎮國將軍李傑。（宋濂奉勅撰碑。今亡。）尙書吳文度。副使顧璘。御史沈越。郎中王鑾。清孝行潘天成（荊溪許重炎撰碑）教授歐陽晉（癸丑殉難。葬衣冠於此。墓前有碑。）諸墓。

是山形勢險要。兵家必爭。淸季迄今。設有砲台。辛亥革命曾與淸軍劇戰於此。遺跡猶可尋也。

山礫巖層中多細瑪瑙石。有光澤及美麗之花紋。碎玉零珠。可供几案。近年檢拾殆盡。

北曰夏侯山。

【同治上江志】在縣南二十二里。建康志周迴十里。高三十五丈。昔者梁儀同三司夏侯亶居此。故山以夏侯著矣其南二里許有甑蔽山以形似名。

又北曰梓桐山

【同治上江志】在縣南十五里。一名梓樹山。山北爲石子岡。景定志高三十八丈。舊有謝氏詩樓。及繙譯經臺基今湮。

戚家山

【同治上江志】在江寧城南聚寶門外。南唐韓熙載居此。明號國公俞通海墓在焉。有西天寺。明初西域僧班的答來朝。賜號善世。於此示寂。勅建寺名西天焉東爲德恩寺有雷山義泉石欄。上刻有至正篆書。

紫巖山。

【同治上江志】在江寧城南聚寶門外．倚赤石磯．故曰紫巖．元絳記所謂紫峯紆迴者也．舊有文昌閣．呂維祺建．方拱乾修．後復繕葺．佟世燕有記．見待徵錄．今廢．

少西曰鄧府山．

【同治上江志】在大安德門內．明寧河王鄧愈葬此．山因以名．

前有天界寺．

【同治上江志】本元大龍翔集慶寺．舊在城西朝天宮東．明洪武時災．敕徙城南闃寂處．改今額．明初修元史於此．高啓詩萬履隨鐘集．千鐙入鏡流．紀其盛也．又有律局禮局誥局．亦明初所設．見梁寅石門集．殿右有大銅佛．高二丈有奇．四面合掌．露其半體．明初物也．又有鐵佛頭．大可數圍．嘉慶中於菜圃掘出者．案梵剎志云．天界寺之右有鐵佛寺．此其鐵佛寺所遺矣．後有毗盧閣．高十四丈．久毀．又有半峯亭．亭畔植芙蓉．見顧文莊詩．旁有萬松庵．王問書額．寺今廢．

其相連有天竺山．永福寺在焉．

【同治上江志】宋乾道志云．在廣濟倉東．冶城東南．本晉開福寺．徙此．改景福寺．南唐避諱．改永福．

舊有孔雀壇．成化中燬．又有能仁寺．舊在古臺城西．宋元嘉中建．明洪武移今地．寺有梅一株．虬枝盤鐵．古葩鬱香．疏影清流．名曰覆水．蓋六朝物也．今亡．

能仁寺之北有碧峯寺．

【同治上江志】本晉尼寺也．宋元嘉時西域尼鐵索羅等至建業止此．故號鐵索羅寺．齊梁以來．或爲翠靈寺．或爲妙果寺．宋曰瑞相院．〔案此與聚寶山之瑞相院緣起同．不知孰爲舊基．〕明洪武初重建．以居碧峯禪師．因名．額爲黃謙書．有宋濂撰碑．寺南有明祖女臨安公主宅．東南有宋旌忠廟．建康志紹興三十一年金兵犯淮西．統制姚興戰死於尉子橋．立廟於此．今並廢．〔案此山始見呂志．本明季俗稱．然古名亦無攷．〕

其支脈分展入城東曰南岡．

【同治上江志】在聚寶門內東南隅．今蟒蛇倉石觀音院地．

有光宅寺．

【同治上江志】胡三省通鑑注．梁武以三橋舊宅爲光宅寺．在同夏里．顧起元客座贅語．周子隱讀書臺下。舊有光宅寺。乃梁武故居是也。

寺西有裴邃墓。又有蕭帝寺。

【同治上江志】梁天監十三年造。蕭子雲飛白大書寺額。後唐李約見之。得一蕭字。破產載歸東洛。以名齋焉。南唐更名法光寺。宋曰鹿苑寺。今爲石觀音院。

後有周處臺。

【建康志】周處字子隱。仕吳。爲東觀左丞。有臺於此。宋嘉祐中太守梅摯有記。後有郄氏窟。相傳梁武郄后化蟒處。事見南史及梁皇懺序。臺下有古柏庵。黛色霜皮。枝柯岑鬱。門外嵌趙孟頫畫觀音石像。旁一庵曰西蓮。修竹深藏。僧瓦皆綠。循坡陀而下。有接引庵。藏二米佛。鏤刻工絕。相傳爲赫制軍壽所留。今廢。

其相連爲赤石磯。

【同治上江志】在南門外。隔城河。本與周處臺爲一。楊吳築城時。鑿爲二也。舊有賈念我園。（賈名明道。明萬歷舉人。祀鄉賢。有乾坤一草亭。見朱緒曾東園雜咏。）其側有婁湖。張昭宅在焉。昭封婁侯。故名。又有艦澳。景定志水出斐湖。下入秦淮。輿地志在光宅寺東二百五十步。其寺梁武帝舊宅。帝從城歸宅。儀仗舟車。駢闐塞路。開以藏艦。今並湮。

西曰鳳臺山。

【同治上江志】在聚寶門內西南隅。今花盝岡地。寰宇記周廻連三井岡。〔金陵故事。岡有三井。汲一井則二井俱沸。故名。〕迤邐至死馬澗。宋元嘉十六年。有三鳥翔集此山。乃置鳳臺里。起臺於山。號鳳臺山。

有鳳游寺。

【同治上江志】寺本瓦官寺故址。建康實錄晉哀帝興寧二年。詔移陶官於淮水北。遂以南岸陶地施僧慧力造瓦官寺。〔寺本河內山玩墓地。見梁釋慧皎高僧傳竺法汰傳。〕梁時建瓦官閣。高二百四十尺。大江前環。平疇遠映。岡隆谷窪。匿蠢獻秀。登眺最勝。李白橫江詞白浪高於瓦官閣是也。南唐改寺爲昇元寺。閣爲昇元閣。宋開寶中潘美入金陵。一炬都盡。太平興國五年復建。爲崇勝戒壇院。明初寺廢。半爲魏公園。半入驍騎倉。萬歷十九年僧募贖其地。復創剎寺。有老桂古幹槎枒。因名叢桂。焦竑改曰鳳游。鳳游之南有集慶庵。焦氏筆乘。嘉靖時詔毀私庵。集慶僧妄以瓦官名其處。得幸免。然實非瓦官故址矣。故梵刹志謂瓦官有二。山上爲上瓦官寺。平地爲下瓦官寺云。

旁有保寧寺。

【同治上江志】吳建初寺也。宋曰祇園寺。齊太祖於其地得外國甎。爲白塔。名白塔寺。唐開元改曰長慶。韓擇木書額。南唐保大中名奉先寺。宋太平興國賜額保寧。紹興南渡駐蹕於此。葉夢得爲之記。有淩雲鳳凰練光三亭。〔蘇頌有游練光亭詩〕寺旁小室曰南軒。〔案天禧寺亦有南軒。見建康志今從勝覽〕今廢。又有覽輝亭。建康志在保寧寺後。有碑。陸游入蜀記。亭牓本朱希眞隸書。法堂後有片石。瑩潤如玉。乃宋齊邱詩刻。上有鳳臺園。卽魏公園也。一名錦衣西園。今廢。地屬鳳游寺。旁有三錦衣園。亦與鳳凰臺址相接。弇州名園記所謂奇峯峻嶺。參差岩崿。怪木素藤。樛互映帶者也。又有西園。有古松蒼勁絕俗。下覆二石。紫翠涌鬱。一曰紫煙。一曰雞冠。上有宋人題字石刻。朱之蕃題曰六朝松石。

有謝玄墓。

【金陵瑣事】墓在徐府西園中鳳遊堂後。建園取土時。曾見其墓石。知爲玄墓。遂掩之。〔西園後歸吳氏。徐氏舊蹟尚有葆光堂。荼蘼廊。南軒。桐舫。木末亭。雲深處。桃花。菊畦。菜圃。荻岸。柳堤。梅嶺。澄懷堂。飛虹閣。海漚亭。並松石諸勝。暨吳氏亦式微。松石僅有其名而已。見詩滙〕園今並廢。

其東有伏曼容孫晟陸機宅。

【建康志】曼容居瓦官寺東。有賓客。輒升高座爲講說。生徒常數百人。西有孫晟宅。見南唐遺事。其東北有陸機故宅。李太白有題王處士水亭詩。北堂見明月。更憶陸平原。指此。今並湮。

離城較遠諸山〔小而不著者不錄〕

自由和平二門間有大壯觀山。

【同治上江志】建康志。周迴五里。高二十八丈。東連蔣山。南際眞武湖。陳宣帝起大壯觀於此。因名。

山俯臨後湖。在六朝時爲校肄舟師之所。

山北舊有蠡湖。

【同治上江志】方輿紀要。元時築爲塘以溉田。今廢。

其上有三塔寺.

【同治上江志】宋建.明重修.寺有寒光亭.張孝祥有詩.今廢.

其東北相連曰蟠龍山.曰石亭山.

在和平門外者曰幕府山.

【建康志】周迴三十里.高七十丈.

【寰宇記】東北臨直瀆浦.南接蟹浦.昔丞相王導建幕府於此.因名.

【水陸地勢圖】山高六百餘英尺.對岸五千四百七十碼.

山濱江.爲首都門戶.淸季設砲台于此.今仍爲要塞焉.有五峯.

【同治上江志】南曰北固峽.中有石洞.極幽邃.中峯上有仙人台.虎跑泉.西北有達摩洞.峯曰夾蘿.

亦曰翠蘿.

上有梁幕府寺.南有晉穆帝陵.

【建康實錄】穆帝葬永平陵.隸幕府山之陽.起墳.〔案晉十一陵.惟穆帝起陵.今亦無攷.〕

西有宋明帝陵。王導溫嶠墓。又西接寶林山。有寶林寺。

【六朝事蹟】引舊經。本同行寺。梁武帝與寶公同遊此山。見林巒殊勝。命建精藍。因以同行爲額。亦名聖游寺。嘉祐中改今額。有琪樹在法堂前。

寺西南有宋明宣沈太后陵。

【六朝事蹟】引南史。宋明宣沈太后爲文帝美人。生明帝。元嘉三十年葬建康之幕府山。

南接鐵石岡。

【同治上江志】有石佛閣。嘉善寺在焉。其最幽爲蒼雲庵。明焦竑題字摩石上。峯巒峭絕。樹㲯㲯生絕壑上。谽谺欲墮。臨其左有一線天。石壁如屏。高峙霞表。中坼裂。覗天光僅露一線。又有雲竅石。竦立如人。衆竅紛如。山雨欲來。雲縷縷出。並爲奇景。旁有崇化寺。古高峯院也。有泉沸起。水面如散花。世謂之梅花水矣。

其相連有石灰山。

【同治上江志】俗曰北固山。譌爲白骨山。其實古白石也。亦曰白下。齊武帝以其依山帶江。移琅琊郡治焉．六朝以來．屢爲戰爭之地．晉成帝紀咸和三年司徒導奔白石．陶侃傳監軍部將李根建議請立白石壘．守元嘉二十七年魏主燾聲言渡江．詔分軍守白下．齊紀永明六年如瑯琊城講武．永元三年蕭衍逼建康．瑯琊城主張本以城降．梁太淸二年分遣謝禧等守白下．禎明末隋伐陳．陳主命樊猛等領青龍八十艘於白下游弈．以禦隋六合之師．明初陳友諒侵建康．明祖命常遇春伏兵於石灰山側．淸順治十六年大破海寇於白土山．〔陳志以此事屬鍾山之白土岡．案聖武記云．其先賊軍白土山．我軍分數路．一由太平門．一由儀鳳門．一由石城橋小路．以爲正兵．更設奇兵．由得勝門破壁而出．賊腹背受敵．遂大潰．以此觀之．正當石灰山處．若鍾山之白土岡．則太平門爲近．而迎擊之師．必由朝陽門越麒麟門．何不聞其出此也〕並此處也．有泰厲壇．

旁有明蘄國公康茂材墓．

【白下瑣言】出神策門二里．石灰山土名響葉樹．今距墓里許．有康家灣．

其西南有蟠浦．

【輿地志】蟠浦源出鍾山北．流九里．入大江．今湮．

迤西爲金陵岡．

【同治上江志】本曰靖安鎭．宋岳飛邀敗金宗弼處也．鎭有龍灣．元置龍灣水站．亦曰龍安鎭．相傳即秦瘞金人處．昔有一碣云．不在山前．不在山後．不在山南．不在山北．有人獲得富了一國．其後靖安修道．康莊既啓．碣石無徵矣．

有晉顏含墓．

【同治上江志】含魯公十四世祖也．舊有碑．李闡傳．顏延之銘．唐大歷七年魯公重摹立墓上．今亡．

其相連有武帳岡．

【建康志】引宮苑記．本宋文帝閱武處．故謂之武帳岡．

【方輿紀要】六朝時仿洛陽舊制．置宣武場．設行宮便坐於此．岡因以名．

【宋書】元嘉二十二年．衡陽王義季將之鎭南兗．文帝餞於武帳岡．又二十五年大蒐於宣武場．大明三年．隨王誕舉兵廣陵．上親總六軍．頓宣武堂．

舊置宣武城．

【寰宇記】引輿地志。宋大明三年沈慶之所築。陳亡廢。

幕府山之西麓爲老虎山。亦有砲台。

【水陸地勢圖】山高東二百八英尺。西一百七十七尺英。對岸四千四百五十八碼。

其東則直瀆山。在觀音門外。

【建康志】城北三十五里。周迴二十五里。高一十七丈。

【一統志】北濱大江。西引幕府。東連臨沂衡陽諸山。形如繡錯。懸崖峭壁。洪濤駭浪。擢擊其下。誠天險也。

有直瀆。

【建康志】引伏滔北征記云。吳將甘寧墓在此。或言墓有王氣。孫皓惡之。乃鑿其後爲直瀆。山因以名。

山左右有蕭梁諸墓。

【六朝事蹟編類】梁吳平忠侯墓。南史梁吳平忠侯蕭景子照。謚曰忠。孫在花林之北。有石麒麟二。

石柱一題云梁故侍中中撫將軍開府儀同三司吳平忠侯蕭公之神道今去城三十五里　梁始興王墓南史梁始興王蕭憺謚曰忠武墓在清風鄉黃城村有石麒麟四及神道碑云梁故侍中司徒驃騎將軍始興忠武王之碑今去城三十七里

蕭秀墓石柱

梁安成王墓南史梁安成王蕭秀字彥達謚曰康墓在甘家巷有石麒麟一石柱一及神道碑二題云梁故散騎常侍司空安成康王之神道南史稱佐吏夏侯亶等表立碑誌王僧孺陸倕劉孝綽裴子野各製其文欲擇而用之咸稱實錄遂四碑並建今所存者二其一已磨滅其一字畫猶可讀乃彭城劉孝綽文也去城三十八里　梁臨川王墓南史梁臨川王蕭宏字宣達謚曰

蕭秀墓碑

下隱山

蕭秀墓石獸

一五三

靖惠墓在北城鄉有石柱一碑一題云梁故假黃鉞侍中大將軍揚州牧臨川靖惠王之神道去城三十里

蕭景墓

陵下山

燕子磯

或曰巖山。俗曰觀音。有明黔寧王沐英墓。東北一石吐江濱。三面懸壁。𡺸絕。勢欲飛去。曰燕子磯。

【同治上江志】磯上御碑亭。舊有水雲大觀。俯江諸亭。白雲掃空。晴波漾碧。西眺荊楚。東望海門。離人估客。或乃夜登。水月皓白。澄江如練。景物尤勝。故自晉題咏於此獨多矣。山多石洞。極奇詭。天園山中。江轉石底。稱異境焉。

其側有宏濟寺。

【同治上江志】有吳道子石刻觀音像。嵌絕壁上。洪武初。即山建觀音閣。正德初。就閣建寺。危石半空。勢若俯墜。以鐵鎖穿石。繫柱。下瞰大江。動魄驚

骨。眞天下之偉觀也。寺今廢。惟觀音像尙存。然兵火摧殘。風雨剝落。今片片碎矣。〔按肇域志以直瀆觀音爲二山。今從上江志。〕

首都志　卷四　三五四

三台洞觀音像

又東有小阜曰巴斗山。設救生分局於此。

又東曰臨沂山。

【同治上江志】在上元東北長寧鄉。建康志周迴三十里。高四十丈。東北接落星山。西臨大江。臨沂縣城倚焉。實錄注臨沂縣廢城在東南江獨石山江南通志今攝山之西白常山。即其地。梁敬帝時陳霸先大破齊人於幕府山。追奔至臨沂。即此山也。俗曰周家山。

曰烏龍山。設有礮台。

【水陸地勢圖】烏龍山高二百餘英尺。對岸二千一百二十四碼。

又東曰攝山。在棲霞鎭。

【建康志】攝山一名繖山。蓋其狀如繖也。在城東北四十五里。周迴四十里。高一百三十二丈。東連畫石山。南接落星山。西北有水注江乘浦。入攝湖。

【輿地志】江乘縣西北有偃謙所居邨。側有攝山。多藥草。可以攝生。因名焉。

山有三峯。中峯屹立。東西兩峯。拱抱中峯。麓有棲霞寺。

【攝山志】棲霞寺居山之陽。爲南齊明僧紹舍宅所建。唐高祖改爲功德寺。增置梵宇四十九所。樓閣延袤。宮室壯麗。與山東靈巖。荊州玉泉。天台國淸。並稱四大叢林。高宗御製明隱君碑。改爲隱君棲霞寺。御書寺額於碑陰。武宗會昌中尋廢。宣宗大中五年尋建。徐鉉書額。又曰妙因寺。宋太宗興國五年改爲普雲寺。景德五年改爲棲霞禪寺。元祐八年改爲嚴因崇報禪院。又爲景德棲霞寺。又

首都志　卷四

棲　霞　寺

爲虎穴寺。明洪武二十五年仍勅爲棲霞寺。清順治五年邑紳陳公旻昭劉公覺岸鄧公元昭以寺請天界覺浪老人主席。復爲修葺。寺由棲霞街東行數百步。經白蓮池。始達山門。左右繚以石垣。南跨通津梁。以達飛來石佛殿。中爲天王殿三楹。旁列僧舍五區。有銀杏二本。高數尋。徑二丈。繁陰覆地。前代時物也。後爲佛殿三楹。兩翼爲鐘樓。爲碑亭。爲伽藍殿。爲庫。又後爲法堂三楹。中貯藏經六百四十函。左爲禪堂。法堂庫司庖湢共若干楹。後設累級以達方丈。卽鹿野堂者。凡五楹。兩翼各五楹。

【棲霞新志】光緒三十四年棲霞寺僧宗仰修葺棲霞寺。

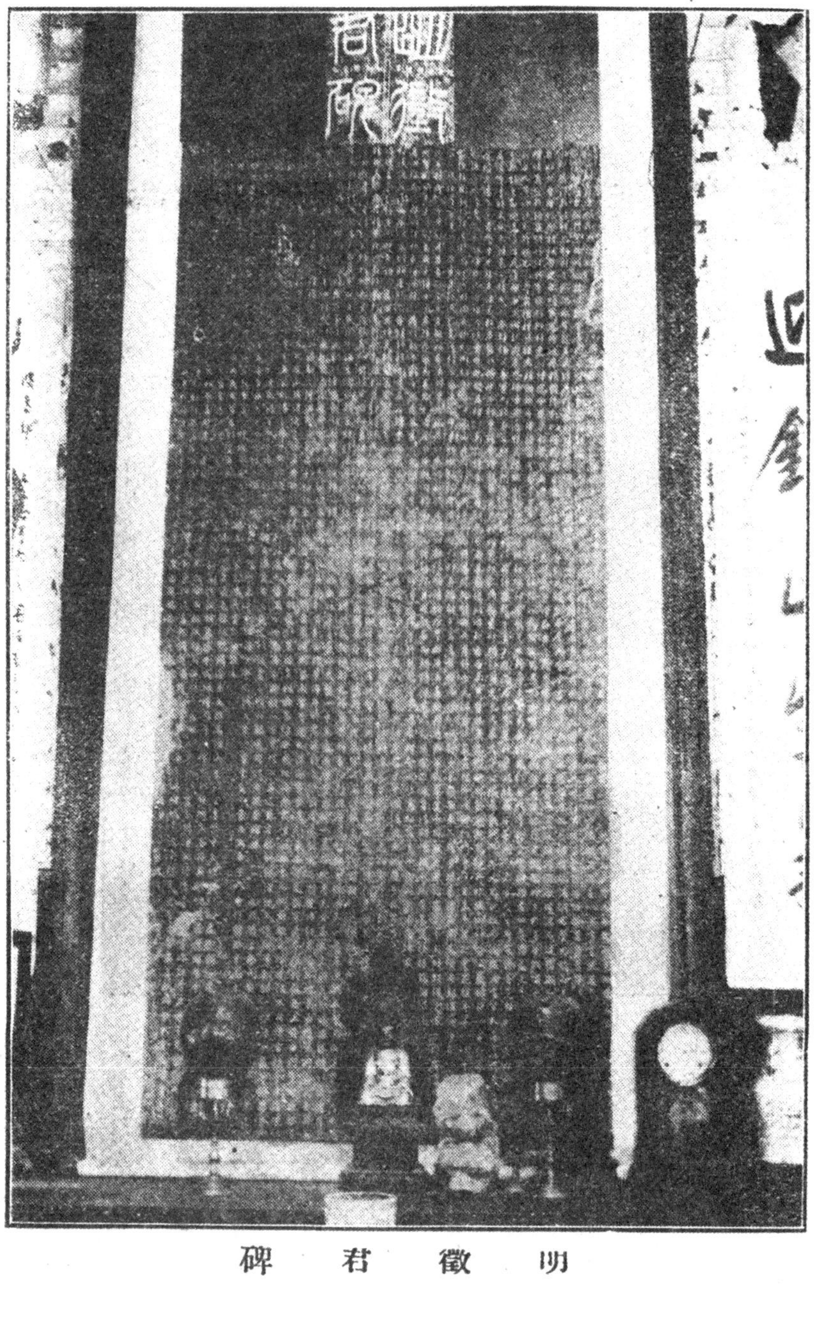

明徵君碑

【同治上江志】寺內有大石佛．僧紹子仲璋琢也．高四丈．佛頂有珠．光色射人．後墜．因置閣藏之．大觀中爲權要取去．一夕夢人索珠．俄失所在．米芾有詩記事．又有法鐘．太始中自鳴．嘉靖辛酉十月十八日夜自鳴．殿前有銀杏樹二株．蒼蔚奇古．六朝時物．其一結乳．下垂．形如石筍．長數尺餘．郇民相傳食其子．多長

三聖殿

壽．前有妙因寺額．南唐改寺名．徐鉉書也．又有金寶方牌．宋仁宗賜．今並亡．

寺後有古佛庵．

【攝山志】後爲古佛庵。雙樹扶疎。覆屋三楹。具圜室。山人掘地築基。得古佛。因以名庵。

【同治上江志】嘉靖中。寺僧掘地。得銅像於地。高二尺許。制度精古。不知爲何代所鑄。因以名庵。有明祖馬后遺像。〔像面多黑子。見姚鼐詩注〕

舍利塔一

【棲霞小志】菴在方丈後崇坡之上。內有吉陽山人所題扁。菴左爲小軒。曰且止。右爲觀堂。內奉十六觀佛。一時以爲雅尙。而今乃易左右之屋爲禪室。遂失初起之意矣。門內雙樹甚巨。長夏頗有淸陰。飛鳥多集其上。左有二徑。一上明月臺。一下千佛巖。右緣山至般若庵之後。有土路甚委折。兩旁多栗葉。春時桃花爲籬。飛英亂人衣袂。上出古巖菴。亦可至山之顚也。

【棲霞小志】方丈在古佛菴之下．堂名鹿野．亦僧興善建．舊有嶺南黎民表隷書額．久不存．

【棲霞小志】退居是住持興善自構以待老者．頗修潔．雙桂婆娑．映蓮社堂前．今其孫永斌等守之．堂之上爲供佛之所．左右設榻．以待游人．右爲禪室．以居僧．旁有一小樓名淨土閣．登閣而望．則中峯之松千萬株．交影其前．每晨露夕雨．或秋月冬雪時．尤爲奇絕．

舍利塔二

其左有石塔．

【棲霞小志】塔在無量壽佛之右．自地至顚共七級．今雖剝落．然想像當時製作之工．殆非今人所能及．先卽地甃石

三塔利舍

爲基.基四圍有石楯闌.環繞塔之前.又鑿石爲迴渠.引品外泉爲流水.人稱爲八功德水.基上乃塔之座.座上一級刻諸像如髮.又上一級則稍高.爲四金剛.間以四門.石爲金鋪.又上則皆刻以諸佛.各柱之上有諸佛及經咒等書.高不可辨.上懸以鐵索.垂以鈴.今已斷絕.蓋經風雨之久.故石雖堅而裂墜者多.相傳此塔.乃隋時所建.今其下猶有工匠姓名可考.

【攝山志】隋文帝時詔送舍利天下.凡八十三洲.分造石塔.蔣州棲霞寺其一也.塔以白石爲之.高數丈.凡五級.錐琢天然.種種奇絕.前設導引二佛.各高丈許.亦以白

石爲之。像貌衣褸。謂有顧愷之筆法。

【攝山佛教石刻小紀】石質如玉。鐫鏤極精。塔凡七級。每級八面。高約五丈半。其雕刻以第一層所鐫釋迦本行故事爲最足觀賞。其人物之生動。衣紋之挺拔。各部分比例之勻稱。允推藝苑之上選。第二層則天女飛遊空際之像。亦極精細。第三層以上諸龕佛像。高不可辨。隋代建立靈塔五十一所。毀壞殆盡。差完者惟棲霞一塔。其有關於中國佛教美術史者。至鉅。國人不可不設法保護之也。

金剛一

塔右有禪堂。

【棲霞小志】禪堂舊基。在舍利塔右。久廢。僧興善始建定慧堂。以處衆。門外壁上有殷宗伯邁送華嚴合論小石碣．五峯文伯仁書．堂後齋廚前有石池承水．自中峯澗匯爲品外泉．伏地而流．至於塔前之穴而出．復伏流於石槽中．至池而止．僧隨取以供衆．溢則散於外澗．繩床藤笠．去住井井．朝夕諷誦．木魚金磬．聲滿巖壑．塔東通無量殿．有一泉曰品外泉．

金剛二

【棲霞小志】白鹿泉由石罅中出．入中峯澗．祇涓涓纖滴爾．而自澗而出．則潺潺有聲．抵石澗窮處．入伏槽．由地中行．過無量壽佛前．斜與石塔對．乃會而爲池．池六稜．中刻石蓮座．泉自蓮口中濆出．聞往時高可幾尺．今惟三四寸而已．紛然如雪．燦然若珠．拄杖而觀．則木葉滿地．聚而復散．來而復去．令觀者忘歸路也．池下

千佛嶺

再轉而伏出禪房．供衆用．

【同治上江志】曰品外者爲陸羽解嘲也．

殿東有閣曰紫峯．

【攝山志】紫峰閣在中峯之麓．秀峙如錐．閣在山址．羣巒環繞．皆軒翔聳拔．西通無量殿．明僧紹子仲璋依山琢大佛像．皆極莊嚴．峯旁舊有雲根泉．清澈可鑒．後於石壁間復搜得一泉．飛瀑從空而下．督臣於入覲時．偶奏及此．蒙皇上面錫佳名曰功德．循中峯而上．有千佛巖．齊時隨石勢鑿成千佛．大者數丈．小者盈尺．望之如蜂房鴿舍．

【攝山志】太始中僧紹嘗隱居此．刊木結茅二

山陵下

千佛岩

十餘年．與法度禪師講無量壽佛經．於是西巖石壁．中夜放光．現無量壽佛及殿宇焜煌之狀．將鑿巖爲像．不果．子仲璋爲臨沂令．乃同禪師經始於巖下．鑿龕琢石爲無量壽佛．像可高四丈．左右琢觀音勢至像．各高三丈．大同六年龕頂復放光．文惠太子．豫章文獻王．竟陵文宣王．田奐及江夏王宋霍姬等．依巖高下深廣．就石爲像．共成千尊．梁臨川王復加瑩飾．金碧煥然．（見江總棲霞寺記．）

【棲霞新志】民國十三年棲霞寺僧若舜．用水門汀修補石佛．失古代藝術價值．

【攝山佛教石刻小紀】實地考察所得．爲龕二百九十四．造像五百十五尊．

三六五

中道有二徐題名。

棲霞石佛一

【棲霞小志】嘉靖中予與雲谷嵩山二師。散步於千佛巖上下。歎昔人題名。近多磨滅。每以沈傳師與二徐之筆蹟不可復見爲憾。一日忽於蘿根下隱隱見畫如徐字者。及剔蘚視之。則徐鉉徐鍇二名並列。筆勢有古人螺篆之法。非鼎臣楚金不能書也。因偏歷而尋。多得宋人題名。手搨以歸。裝爲小册。後諸縉紳莊嚴嚴佛匠者。往往以赭堊圬之。予每以此爲山中俗客。敗人佳興。而所幸者此四字猶在也。然人不知尋者多矣。

棲霞石佛二

旁有紗帽峯.

【棲霞小志】山勢自中峯而下.亂石峆岈.其色蒼黑.人稱爲疊浪巖.巖盡處一方龕.四面皆可上.上復一小洞.內鑿以佛.遠望之如紗帽.其上石罅中有松.極爲寺之佳處.

【攝山志】今上〔淸高宗〕賜名玉冠.

上爲默坐軒.

【棲霞小志】千佛巖諸佛.皆依山而鑿.上下大小.雖不盡一.然是處莊嚴森肅.人難夜宿.嘉靖中.忽有道人在紗帽旁巖龕中默坐.久之.人憐其露處.白野.殷公邁.乃俸構一屋以居.吉陽何公遷題爲默坐軒.

其前立石曰明月臺。

【棲霞小志】紗帽前一平石。人指以爲此明月臺也。予謂盡棲霞一山。皆可稱臺。盡臺所在。皆有明月。而何獨以此爲明月耶。客謂予有山可臺矣。而未必有月。有月可山矣。而未必有江。惟此處明月之夕。可以眺江。見煙波浩浩。自寒影中來。若長虹。若環玦。其中兼葭松柏。交亂於山之顚水之涯者。吾方以蘋藻視之。則茲山也。孰謂其可盡臺。而茲臺也。孰謂其不可以稱明月耶。

臺前爲玲峯池。與石梁遙對。

【攝山志】玲峯池在中峯之側。孤亭屼嵂。與石梁遙對。羣山萬壑中。一泓湛然。可鑒毫髮。

下爲中峯澗。

【同治上江志】泉流縈帶。溪徑窈窕。綠陰如幄。稀見曦景。有巨石空靈奇變。杜于皇目爲石髓。以在中峯。世謂之中峯石矣。

向紫峯閣循澗而上。度春雨橋。有白鹿泉庵。

【棲霞小志】菴在中峯澗之上。本寺舊址。久廢。自興善法會二師振理之後。乃有吳僧福懋杖錫而來．是時嘉興五臺陸公爲祠曹．雅與游．因爲菴以居．而文伯仁亦寓寺外．時同游衍．吟詠一時稱盛．菴後石壁下有泉．大不盈尺許．人稱白乳．實不知山中自有白乳泉．試茶亭在白雲庵之上．而此泉本名白鹿．近時盱眙李環衞始隸書刻石於上以表之．而又擴其坎．坎內不知何時有人蓄金魚于內．見人則避去．而泉上菖蒲海棠翛翛有閒靜之趣．水自石縫中下．穿入澗．注爲品外泉．經禪堂以出．蓋寺中之一奇觀處也．而庵內外尤多梅花茶樹．可摘可烹云．

【攝山志】昔郡民逐鹿至此．得之．瀦以爲池．淸泠可愛．

無礙庵．

【棲霞小志】出白鹿庵不數十武．度小石橋．躡級而上．松篁桑畦．中有泉一坎．坎畔茅屋一．內住老僧一童子．人不知其名．自號無礙．人因以無礙稱之．

白雲庵．

【棲霞小志】自中峯澗而上．行林樾中．有庵焉．曰白雲．其地益斂．其山益聳．而其去顚益邇．舊有老屋三楹．一老僧獨居．題名徧滿壁上．日與蝸涎蛛網爲伍．近歲僧自然名正道者．乃始經營之．山水之趣．若有增而高深者．戶外直與東峯相對．松風洒然．來於四壁．旁有密室．週圍覆以香杉．前闢員竇．日光內射．則來者身心澄澈．若在世外矣．

【同治上江志】白雲庵卽明徵君舊居．宋侍讀張瓌讀書．明錦衣張怡隱居．並在此處．

庵之上爲白乳泉．有試茶亭．

【棲霞小志】自白雲庵而上．數十步有石壁大篆書六字曰試茶亭白乳泉．今雖剝落．然猶隱隱可見．予與山僧捫蘿而視．謂此書當不讓滁州琅琊山中醉翁亭三篆字也．

試茶亭白乳泉

上爲淩虛室.

【棲霞小志】淩虛室在攝山上.將及於顛矣.而猶未至.此則下視佛宇.上仰神祠.一睇而江山盡矚矣.乃上元令莆田林公大黼以貲命今住持清柏所建者.其前爲太虛亭.是兵曹浙人應方山所書扁.

再上則絕頂.爲最高峯焉.峯下迤西.矗石淩空.爲天開巖.

【棲霞小志】西嶺上下.遠望若無路者.近卽之則亂石縱橫.中一大壁.上書天開巖三字.在石之旁.中開一路而上.卽其地.詳其題名之意.眞有巨靈擘山之勢.不知爲誰人所書也.久爲土所壅.近時僧慧能始出之.按志但言天開巖.有沈傳師徐鉉徐鍇祖無擇張稚圭王雱諸題名.而近人以千佛巖之上巨石當之.不知巖本在西峯.又不知諸題名不同在一處也.

【攝山志】在中峯之右.石壁奇峭.如截.中通一線.仄境森沈.若天開然.下有大石.刻六朝人所書醒石二字.後爲迎賓石.禹碑在其陰.明少宰楊時喬摹會稽石刻於此.

【同治上江志】兩巖削立.其直如截.闊可三尺.爲磴數十級.磴盡爲臺.所謂唐公巖也.

【待徵錄】唐公張瓌字。此處石刻最夥。然多不可辨。有秋光兩字。亦不解所謂。

北爲幽居庵。

【攝山志】在中峯之右。與西峯相接。數楹葺筋竹木環之。闃若人境外。坡前亂石數叢。雲堆浪立。獸伏鵠蹲。奇怪莫可名狀。階下流泉泠泠。如奏琴筑。拾級而登。崇欄曲逕。直達禹碑。

稍南爲霞心庵。又南爲萬松山房。

【攝山志】萬松山房在中峯之半。山因多松。此尤蓊翳。山風過處。謖謖如萬壑鳴濤。中有傑閣崇台。掩映蒼翠。最爲幽勝。

下有大石。刻醒石二字。因石凹凸。布置參差。不知何人所書。下卽張稺圭游題名處。後爲迎賓石。〔待徵錄作迎賢〕有祖無擇及錢伯奇題名。旁爲石屛。禹碑在其陰。碑舊在南嶽。明侍郎楊時喬摹刻茲山。並記緣起。

其麗於西峯者曰疊浪崖。

【攝山志】在西峯之側。層崖峉嶀。亂石錯之。高低起伏。如大海潮汐。波瀾萬疊。崖下爲見山樓。前後疎窗洞達．通以迴廊．翼以傑閣．憑欄而望．九松鬱然．西峯最勝之處．

下爲德雲庵．

【攝山志】在西峯之麓．幽篁繞屋．間以喬松．淸陰彌望．庵臨桃花澗．奇石玲瓏．萬竅穿溜．雨後澗水懸瀑而下．屈曲環流於庵外．澫響泠泠．自成絲竹．誠西麓最勝處．前岡飛翠．盤空參差．翳目卽九株松也．

左爲般若臺．

【同治上江志】左爲般若臺．明歙處士王寅得四十二章經善本．乞諸名士書各一章．勒石四面．

由臺而右．珍珠泉也．山下有菩提王廟．

【六朝事蹟】神卽楚大夫靳尙也．

【同治上江志】舊在山前．後移置棲霞寺門之右．今廢．

寺西有徐鉉宅．旁有齊獻武公墓．墓前有碑．南唐高越墓亦在此．下有攝湖．

【建康志】周迴二十里．在攝山之側．

其東巖之下。有畫石山。山有石穴曰花洞。相傳與句容華陽通。

東峯之左。有淸高宗南巡行宮。

【同治上江志】乾隆二十二年翠華重幸。大吏在中峯之左。恭建行宮。以駐淸蹕。有春雨山房。太古堂。武夷一曲。精廬。話山亭。有淩雲意。白下卷阿。夕佳樓。石梁精舍諸勝。凡此嘉名。俱邀宸錫。

其下棲霞街。有鄉村師範。山多楓樹。深秋經霜。游人步屧。如行赤霞中也。

出中山門東行四十餘里。有湯山。以湯泉著。

【同治上江志】在上元城東砷泉鄉。其東有湯泉。宋江夏王劉義恭銘焉。寰宇記。山不甚高。無大林木。湯澗繞其東南。冬夏常熱。禽魚之類入者輒爛。以養豆穀。終日不熟。草木濯之。轉更鮮茂。有聖湯寺。六朝事蹟。唐德宗時。韓晉公滉爲浙江觀察使。滉女有惡疾。浴於湯泉。應時而愈。乃以女妝奩建聖湯延祥寺于湯山之右。今廢。

【首都名勝古蹟】二區名勝。其在縣之可紀者。厥爲湯山。湯山山脈。來自安徽。距南京四十里。京杭路汽車可直達。山不甚高。無大林木。山之東南。湯水鎭。有湯泉。湯泉有六穴。一爲湯山泉。一在陶廬。

一在湯山俱樂部．一在湯王廟．餘則注於街市．供居民取用．泉質淸潔．無色透明．幷無臭味．內含鉀鈣銅鎂等質．溫度在六十度以上．

今有湯山俱樂部．模範農事推廣區．湯山辦事處．中央模範林區管理局．湯山林場．湯山衛生事務所．農民教育館〔現移南通〕省教林．〔亦遷〕縣立中心小學等．

有大城山．

【同治上江志】在上元城東六十里．建康志周迴二十二里．高八十二丈．南連苻堅山．西連雁門山．北連竹堂山．明盛時泰築室於此．自號大城山樵．見北山詩話．

苻堅山．

【同治上江志】在上元城東六十里．建康志周迴一十五里．高六十丈．北連大城山．舊傳謝玄破秦歸．謝安在墅城問其方略．玄於原野陳其營壘陣場次序．指其山曰．此若苻堅駐軍之山也．因以爲名．

循苻堅山之東而南.曰雁門山.

【同治上江志】在上元東南宣義鄉建康志周迴二十里.高一百二十五丈.西連彭城山.南連大城山.山勢連緜類北地雁門.故名.輿地紀勝或云有雁門僧住此.以目山焉.亦曰陽山.明孝陵碑材取於此.見湖廣遊陽山記.今曰孔山.

其北有陳文帝陵.

【建康實錄】陳文帝天康元年葬永寧陵.隸雁門山之北.

葉學士墓.

【同治上江志】宋史葉祖洽.熙寧三年廷對第一.官至徽猷閣直學士.終于眞州.奉勅葬此.

又東曰青龍山.

【同治上江志】在上元麒麟門外.建康志周迴二十里.高九十丈.通志山趾石堅而色青.亦曰青山.南唐書後主獵青山.戚光音釋引郡志曰.青龍山也.李白詩青龍見朝暾.指此.山產石材.質甚良.郡人競采爲碑礎.或煅以取灰焉.

前有蘼蕪澗.

【同治上江志】金陵故事.齊處士劉瓛居此.爲儒林之宗.至四十未婚.其友爲娶王氏.乃就澗折蘼蕪而去.後葬此.謝朓蕭子良皆有詩.

山西麓有泉.大旱不涸.山下佘邨有鐵底塘.

梁蕭映墓

【待徵錄】疑卽古鐵冶溝也.

【建康志】梁時築壖堰淮水以灌壽州.久不能成.聚江南之鐵.融液載往.其所餘者棄之於此.

其西南有黃鹿山.有黃鹿觀.今廢.有梁蕭映墓.蕭正立墓.陳武帝陵.南山爲彭城山.

【同治上江志】在上元東南四十五里。建康志周迴九里。高二十七丈。西連祈澤山。北接青龍山。有水下注。涓涓成渠。石梁横焉。臨渠有彭城館。明顧璘詩林深更隱彭城館是也。璘墓亦在此。有文徵明撰墓誌銘。

蕭映墓天祿辟邪距離

祈澤山。

【同治上江志】在上元淳化鎮。建康志周迴一十里。高五十丈。東連彭城山。北連青龍山。

山有祈澤寺。祈澤泉。

【同治上江志】六朝事蹟引舊經云。初法師嘗結茅於此。有龍女來聽講。既而神泉湧於講座下。後人以禱禜水旱焉。宋建祈澤寺。梁置龍堂方池。甃以石級。泉自龍口出。雲日下射。陰苔細藻。迴文伏泡。致極幽逸。寺內有雙文杏。相傳爲初法師手植。繁陰覆地千年物也。

山陵下

蕭映墓華表與天祿之距離

三七九

梁蕭正立墓一

梁蕭正立墓二

陳武帝墓天祿辟邪一

陳武帝萬天祿辟邪二

舊有南唐斷石．〔字多殘缺．〕白野碑．〔文尚全．〕又有墮雲峯．檜徑．桐林．栗蓋．待月亭．仙人嶺．翻經坪諸勝．見盛時泰祈澤寺志今皆廢．寺外有宋仁壽縣君墓．【同治上江志】有墓志嵌壁上．旁列雲叟詩碣．趙孟遠書見待徵錄．其山北五里有天寧寺．【同治上江志】宋治平間建．明正統中重修．山林幽迴．野泉散落．人跡罕至．正德中邑人顧璘遊此有記．今廢．以達於方山．

【同治上江志】在上元東南四十五里．建康志周迴二十七里．高一百一十六丈．丹陽記形如方印．故曰方山亦名天印矣．晉元帝時．張闓自至方山迎賀循宋元嘉末何尚之請致仕退居山．又隱逸傳周韶居湖孰之方山．謝靈運東出鄰里相送至方山賦詩．明初敗元將於方山．並此處．

有洞元觀．

【同治上江志】吳大帝爲仙者葛元立也．有洗藥池．鍊丹井．並元舊蹟．

又有靈巖寺．

【同治上江志】梁諸葛穎有奉和方山靈巖寺應教詩．

旁有東霞寺．

【同治上江志】石林清翠．杳然深洸．是山之佳勝處．

又有寶華宮．

【同治上江志】南唐耿先生遺蹟也．見陸游南唐書．

有下定林寺．

【同治上江志】宋乾道間僧善鑑．因鍾山定林既廢．建寺於此．名曰下定林寺．目廢寺曰上定林矣．元虞集有定林寺記．今廢．又諸寺奇物記云方山定林寺有乳鐘一百八乳．乳乳異聲．相傳景陽鐘也．旁爲八卦泉．下有明侍御司馬泰別業．見金陵詩徵．

又有梁王僧辯明黃得功諸墓．其南有青堆．

【通鑑】徐嗣徽兵至秣陵故治．齊人跨淮立柵度兵．夜登方山．徐嗣徽等列艦於青堆．至於七磯．以斷周文育歸路．今方山南有堆埠．卽其地．

其下有石壩．

【同治上江志】石壩俗曰石硊．建康志．城東南四十里．周迴一十五里．高二十七丈．一名竹山．輿地志秦始皇時望氣者云．江東有天子氣．乃東遊以厭之．又鑿金陵以斷其勢．今方山石硊．是其所斷之處．

淮水之流經其下焉．前有方山埭．其西北有倪塘．晉五城在焉．

【晉書】王敦自湖陰使王含錢鳳等以兵五萬逼京師．含軍既敗．乃率餘黨自倪塘西置五城．如郤月勢.

有柳世隆墓.

【梁書本傳】世隆曉術數.數與賓客游倪塘.常坐一處.及卒.墓正當其坐處.

其南界江寧曰土山.

【同治上江志】在上元城南崇禮鄉.建康志周迴四里.高二十丈.寰宇記引丹陽記.晉太傅謝安舊隱會稽東山.因築像之.無巖石.此謂土山也.有林木臺觀.娛游之所.安就帝請朝中賢士子姪遊宴於此.沈約郊居賦云.雖東山之培塿.乃文靖之所宴.是也.亦名小東山.

有東山寺.

【同治上江志】梁資福院也.舊有薔薇.春來作花.燦如雲錦.故游蹟勝矣.寺今廢.

前有宋散騎常侍謝濤.及其夫人王氏墓.墓前有碑.又有明尚書王敞墓.今江寧縣治由京遷此.

中華門外三十里.有牛首山.唐法融談禪處.所謂牛頭宗是也.

牛　首　山

【同治上江志】在江寧城南三十里．建康志周迴四十七里．高一百四十丈．本名牛首山．佛書所稱江表牛頭是也．宋史宗弼趨建康．岳飛設伏於牛頭山敗之．卽此．

【新京備乘】海拔約四千三百八十尺．全山面積約二十方里有奇．

山有雙峯．正對晉宣陽門．王導指曰．此天闕也．故名天闕山．（唐天寶中改名）又謂之仙窟山．

【建康志】引六朝記．山西峯中有石窟．不測深淺．梁武帝於下建寺．曰仙窟寺．

由山椒起．石級百磴．杉檜行列而上．

曰白雲梯．宏覺寺在焉．

【牛首山志】山門在峯之麓．進門．由石坡以上．左右列二碑亭．翼翼相向．左乃沙門道遐撰．程廣平所書．內言劉司空既創寺．仍以餘帑集錄佛經道書內外諸史醫方圖籙．凡數千百卷．總以七藏奉之．惟謹融禪師托迹幽棲時嘗從抄閱．碑亭上爲金剛殿．殿後石級百層．稱白雲梯．甚峻整．白雲梯之上爲天王殿．殿後亦有石級．然大不及前矣．大雄殿在天王殿後．山之鎭也．大雄殿前左爲觀音．右爲輪藏．前有石欄．最閒曠．右銀杏樹在欄之下．大雄殿後爲毘盧殿．左右各翼以小殿．曰伽藍祖師焉．自是而後．寺之址盡矣．寺之前後殿宇內．諸佛菩薩．莊嚴端好．皆前朝時所雕塑．其瓔絡幢幡爐瓶几杖．絕非諸山可及．所可惋者．獨山前左右舊有畫壁．今都不存．

【同治上江志】梁天監中建．本名佛窟寺．唐曰長樂寺．亦曰資善院．又曰福昌院．〔有咸通五年樊文蘊書金剛會序〕南唐後主改今額．〔孫忌有碑〕宋太平興國改崇教寺．明初仍名佛窟．正統仍名宏覺寺．爲唐法融禪師開教處．謂之牛頭宗．有浮圖七級．唐塔也．大曆元年代宗感夢．奉勅建殿．左有大銀杏樹．高可十仞．圍稱是．蚪幹擎張．懸空飛翠．數百年物也．〔有秀蔭古今四字在石欄間。爲尹洞山拓見盛時泰山志〕殿後有丹竈。投以薪火。無風自燃。今並廢。

精藍廬舍。錯列左右。

【牛首山志】其廬舍則自山門正道外。左右各有路。以便登陟。左門麓下有僧廬一。號文殊菴。上爲臥佛閣。閣在天王殿左。閣上列像莊嚴甚都。下塑臨濟二十二世南虛白像。閣上有倪文毅公留詩。西嚮正與白雲梯旁修松相對。出臥佛閣。左稍前。有房一號東隱菴。今僧開相構修因堂。李比部戴贊題額。周暉有親墓在山前。由東隱菴回折而上。各有僧廬。惟能住止如堂最雅潔。後爲退居方丈住持僧居之。內有百代高僧像。又少左有齋堂。蓋衆僧會食處。自方丈東下至地湧泉。回折緣石洞入松篁中。抵兜率寺崖下。至藏經殿。藏經殿在文殊洞之下。後有舍利塔殿。左下僧廬一。右下循石磴直至山椒。近創三茅行宮。今奉彌勒于中。面極爽塏。最宜觀雪。蓋以其高而曠也。自三茅行宮而下。右轉有僧廬一。曰巢松閣。其下舊有三際和尚草菴。近已廢爲菜圃。自此入長廊。有僧廬二。近辟支殿。自辟支洞三折至禪堂。自禪堂出至祠堂。正德末武宗南巡。於此駐蹕。由祠堂而下。有二三僧廬。然皆近山門。右最下一廬。是王襄敏公祠。公名以旂。字士招。官至大司馬。有墓在北山。與寺相近。

山中僧廬．士人從來無以之肄業．蓋其地多遊侶故也．惟少宗伯殷公邁爲舉子時．曾讀書其中．今所居近湧泉地．猶稱殷白野山房．以上古蹟．今俱廢．

寺左爲白龜池．

【牛首山志】白龜池在天王殿左．欄楯有銘．是成化七年修者．

右爲虎跑泉．

【牛首山志】虎跑泉在白龜池右．稍後有欄楯仆棄于前．上亦有銘．乃至正十一年立．書最佳．泉味極清冽．故老云昔草衣文殊講授時．龍女送水．雙虎爬得之．泉前有金剛會碑．唐咸通五年居士丁遵等所造．樊文蘊撰文．今已剝裂．

前爲兜率巖．

【牛首山志】兜率巖．一名捨身臺．在東峯之陽．由石磴盤旋以上．壘石爲浮屠．遊人每繞之．云當得福．臺下有殿．殿旁僧寮．一題爲憑虛閣．面視無蔽．

太虛泉出焉．

【牛首山志】太虛泉在兜率岩石壁下。應城何考功所題名。

下爲文殊洞。洞前爲含虛閣。〔明羅洪光題額。清康熙中太守陳開虞重修。有記〕

【牛首山志】文殊洞在兜率巖右。容可一二人。舊有屋覆其間。今僧易爲重樓。名文殊閣。檻外巨樹一。凭欄坐眺。則清影蔚薈。儵無人跡。時見飛鳥翔鳴而已。

下爲辟支洞。

【牛首山志】辟支洞在西峯前。廣踰文殊之一。高倍之。洞前有殿。殿內石佛形製甚古。殿左有方塔。是宋僧德銓同郡人高懷義造。長干圓照大師普照有文誌之。今嵌左壁。右壁有如愚居士詞。及予修塔記。鈴聲斷續。時驚遊者。風雨寒夕。雜以清梵。尤爲愜心。洞左修廊短楯。牆外松篁蔽虧。遊人步屧穿林而下者。望之如畫。戶外正對花巖大峯。綿連蒼翠。蓋西峯最近佳處也。

右有安初洞。

【牛首山志】野猪洞在辟支洞右。路險而僻。知之者鮮。予易名安初。

又有煤洞。

【牛首山志】煤洞在安初洞右.深入窈窅.上聳巨壁.旁支一石.遠望甚隆.近視則側.有如龕狀.可藏一人.

下有地湧泉.

【牛首山志】地湧泉一名感應.在兜率巖下數百步.泉自石坎中出.深二尺許.纖涇縷浸.色味俱絕.俗以龍王呼之.蓋神其事矣.壁上有地湧泉三大字.旁多梵書.又有元貞四年等字.涓而常盈.注而罔竭.

旁有佛廬.山上兩峯間有飲馬池.

【牛首山志】遊人自後來者所經.舊傳梁昭明太子遊山時.飲馬於此.然未必實.

東峯巔有錫杖泉.山南有雪梅嶺.北有石鼓.

【建康志】引六朝記云.山北有大石.如臥鼓.中空.可坐數十人.其高九尺.上下有小石.奥時呼爲石鼓.

東北有慧光寺.

【同治上江志】宋治平中建。南史周輿嗣傳。梁武以同夏里三橋舊宅捨爲寺。名光宅。宋治平中移建於此。因賜古光宅寺額。荆公詩今知光宅寺。牛首正當門。謂此也。明洪武間重修。賜今額。

又東有寂照寺。今並廢。有陳宣帝顯寧陵。

【元和郡縣志】在縣南四十里牛頭山西北。

宋王益墓。

【朱緒曾北山集注】荆公父益葬牛首。故冢白下。公詩云。柏龕初拙翠一尋。指此。

尙書兵部郞中刁衎墓。

見王荆公虞部郞中刁君墓誌。

明高帝李賢妃墓。

妃唐定王母也。呂志作張賢妃。今從王世貞遊記訂正。

仁宗貞靜張順妃墓。

妃荆憲王母。見客座贅語。

駙馬梅殷墓.

呂志殷汝南侯思祖子.尙寧國公主.靖難兵入城.殷爲譚深等所害.有瓦剌輝者.口外人.發其事.請上.剮二人心祭殷.祭畢.自經死.葬殷墓側.

駙馬胡觀墓.

觀尙南康公主.靖難兵起.拒戰死.

太監鄭和墓.

永樂中命下西洋.宣德初覆命.卒於古里.賜葬山麓.

知府王銑墓.

【金陵詩匯】銑字雙溪.邵武光澤人.萬曆間任吉安知府.卒.葬牛首.有石柱.

淸道人李瑞淸墓.民國　年葬.

又有姚履旋別墅.

【待徵錄】引盛時泰山志.有桃花澗.浮香巖.琅菜圃.芋栗園.古藤墩.甕泉.茶徑.梅龕.鶴臯.諓諓坡.聽

澗石諸勝.

白野山房.

【待徵錄】引盛時泰山志.殷仲漠讀書處.

宋妃祠.

【待徵錄】引盛時泰山志.高宗南渡.妃留建業.善治月疾.歿而祀之.

王成華園.

【待徵錄】引盛時泰山志.成華明縣令.歸營此園.吳次尾云.據地最勝.拓地最廣.籬落內高山數里.

長松萬樹.

李惟漢別墅.

惟漢韓公五世孫.築別墅於牛首山之陽.顧東橋尙書稱其遊無遺地.樂無失時.庶幾古之逸民.見

金陵詩徵.

毛竹園.

胡任輿詩。牛首之東翠屏下。愛他幽絕似雲栖是也。

朱氏園。

謝薖客詩注。下山尋朱氏園。主人出鶯桃啖客。又別有一洞天。

一燈樓。

見漁洋游記。額爲施愚山分書。

山產茶。香色俱絕。名天闕茶。又產蘭。一莖十數花。葉少而闊。色碧香細。又有佳菊。朱潤身天闕山房種也。春時桃李盛開。紅白迷望。風雨晴霽。無不堪遊。春牛首秋棲霞之說。不誣也。

其南五里。峯巒削如芙蓉。曰祖堂山。

【建康志】周廻四十里。高一百二十七丈。東有水下注平陸。宋大明三年於山南建幽栖寺。因名幽栖山。唐貞觀初法融禪師得道於此山。爲南宗第一祖師。又改爲祖堂山。

【獻花巖志】引大藏經．華巖山高千四百餘尺．周四十里餘三十步．

上有芙蓉峰．

【獻花巖志】巨石㲃聚．若芙蓉然．

東爲天盤嶺．

【獻花巖志】山之右隅曰天盤．或謂其高若盤空．故名．蓋祖堂北來之支脈也．

後爲拱北峯．

【獻花巖志】芙蓉峯之上．又百步．有石龍嵸矗立．北拱都邑．因名．

西爲西風嶺．

【獻花巖志】山之左隅也．橫瞰大江．北面牛頭．南俯祖堂．

又西爲中峯．上有庵．

【獻花巖志】西嶺之西而南．緣崖二里許．有僧廬於峯下．又南向岡壟起伏．蜿蜒．微徑約三里．至牛頭山中峯蓋兩山之中也。

又有伏虎洞。神蛇洞。象鼻洞。息泉。長庚泉。太白泉諸勝。南有石窟。名獻花巖。

【寰宇記】法融禪師入定於此。有百鳥獻花之異。故名獻花巖。

上有花巖寺。

【同治上江志】自唐迄元爲僧舍。明成化間始建寺。曰花巖寺。〔陳沂獻花巖志略云。金陵稱叢林必曰牛首獻花巖祖堂。地實相連。舊刹惟牛首幽栖寺。卽今宏覺。此巖惟僧庵耳。明成化間僧古道居此。黟國宰何公爲建寺。奉勅賜額曰花巖。自是名大勝於牛首山〕寺中巖洞樓閣甚盛。芙蓉閣。小星槎。歸雲亭。翠微房。澄江臺。大親堂。滴翠軒。其最著也。

又南曰青山。

【同治上江志】在江寧城南四十里。建康志周迴四十五里。高一百二十五丈。西有水下注平陸。一曰大青山。

有幽巖寺。

【建康實錄】梁太淸元年永康公主造。陳志引大毗禪師傳云。承聖二年法師入秣陵青山。始創舍名幽巖。不云永康造也。

其五峯聯峙於東南曰吉山。

【同治上江志】在江寧東善橋之上。鄉寰宇記周迴二十餘里。〔案建康志謂周迴三里。西臨大江。今山在牛首東南里數亦不止此。又不西臨大江。疑建康志所云別一吉山矣。〕宋征虜將軍建城侯吉翰葬此。因名。

有永泰寺。

【同治上江志】梁建。南唐葬淨果禪師。改名淨果院。後復舊名。昔者千歲寶掌法師禪定於此。梵唄半天。精藍一舍。最爲勝蹟。今廢。

寺外有明高帝李順妃。功臣韓成。豐城侯李彬諸墓。又有吉山觀。在山頂。山亦產茶。與牛首相似。

迤西南曰蔣碧山。

【同治上江志】在江寧縣南六十里朱門鄉。〔案呂志合觀山蔣碧爲一觀山，卽觀子山，在西善橋之東，蔣碧山在谷里邨西南，相距二十餘里，當從陳志正之〕其相連曰羊子山，周櫟園侍郎祖墓在焉，西爲梨莊廟，土人稱其鄉有七十二崦，梨莊其一也。

曰施山，有後陽寺。

【同治上江志】開寶初年建。

曰靈母山，曰百畝山，山趾有朝陽庵，曰銅山。

【同治上江志】在江寧東南銅山鄉，建康志周迴一十九里，高一百丈，山產銅，故名。

南有金牛坑，齊豫章王墓在焉。

【南齊書】竟陵王子良傳，初豫章王嶷葬金牛山，文惠太子葬夾石，子良臨道望祖硎山，悲感歎曰：北瞻吾叔，前望吾兄，死而有知，請葬茲壤，旣薨，遂葬焉。

曰朱門山。

【同治上江志】在江寧縣南朱門鄉，山產蘭，細葉抽春，與花並綠，自莖睇視，微作墨色，故曰鐵線矣。

其山層巒叠嶂．莫可識名．舊志稱男山女山．〔有西林寺．明浙江副使顧國輔墓在焉．〕姑山．俱隸朱門鄉．又云女山有石洞．號仙靈遺蹟．數十里外望之秀入雲霄．羣山罕匹．今其山之高矗者曰殷子山．明功臣降信侯張信墓葬此．曰直山．曰歪頭山．並沿俗稱．率非古名矣．

曰牛脊山．

【同治上江志】在江寧縣南六塘橋五里．西南界當塗．

有茅君別院．舊有西漢永光五年碑．金陵金石．此爲最古矣．

轉而南曰雲臺山．

【同治上江志】在江寧西南陶吳鎮．

上有古寺曰雲臺．旁有石龍池．西迤十里爲虎肱洞．山產品字蘭．有明侍郎顧起元墓．清王萬祥墓亦在焉．有瀑布泉．又南曰橫山．

【同治上江志】在江寧東南一百二十里．建康志周迴八十里．高一百丈．丹陽記丹陽縣東有橫山．或云楚子重至於衡山．卽此山．四面望之皆橫．又曰橫望矣．

山有十五峯．界與溧水當塗接．其南有甘泉里．俗稱甘墓岡．晉甘卓墓在焉．

【同治上江志】舊有碑云．梁州刺史甘府君墓．見金陵新志．今亡．嘉慶十六年其裔孫福重修．姚鼐撰碑．

濱江而西曰慈姥山．

【同治上江志】在江寧西南一百一十里二百步．建康志周迴二里．高三十丈．山南有慈姥神廟．因名焉．寰宇記引括地志．山積石臨江．崖壁峻絕．山上出竹．材中簫管．屬樂府．名曰鼓吹山．其下有慈姥浦．〔寰宇記引輿地志．又引江寧縣志．舊有石刻界牌二字．注云．北潤州上元界．南宣州當塗界．乃唐刻也〕其相連有顏料山．庥山．蜿蜒由太平來．縣亙數百里．

曰天竺山．

【同治上江志】在江寧西南一百二十里．建康志周迴一十七里．高一十九丈．東南有水下注慈姥浦．其北連岡十里．本名多墅山．唐上元二年有天竺僧道融居此．故謂之天竺山矣．

有福興寺．

【同治上江志】寺本在碧峯寺後天竺山下．自道融移舊額．改建於此．唐碑在焉．

曰鼓吹山．

【同治上江志】在江寧城南八十里．建康志周迴一十七里．高八十丈．東北有水．四望孤絕．宋孝武大明七年登山奏鼓吹．因以爲名．〔按陳志引戚氏志作少帝景和元年九日登此作鼓吹〕

其前有朱年壠．

【建康志】引金陵故事．年生齊末兵亂中．母亡．廬墓．終身負薪．有白兔紫芝之異．故里以孝感名．

曰白都山．

【同治上江志】在江寧西南七十里．建康志周迴五百步．高二十丈．西臨大江．輿地志昔白仲都嘗於此學道．因名．吳志諸葛恪誅．其子竦載其母出走．孫峻遣將軍張承追斬於白都．卽此．

下有白都湖．〔建康志周迴八里．溉田二十五頃．今廢〕 上有仲都祠．〔一曰資聖院．梁武帝置〕 又有白都莊．

【同治上江志】宋朱世英別業也．王安石有題朱郞中白都莊詩．

曰獨龍山.

【同治上江志】在江寧銅井鎮南十五里.南接慈湖.東連廝山.西越紅幕.北迤白蕩.建康志周迴二十四里.高一百一十二丈.入太平州當塗縣.以其山似龍形.因名.或省作龍山.一曰龍口山.山下有李琮墓.三城湖.見戚氏志.

以至於烈山.

【同治上江志】在江寧西南七十里.山近烈洲.因名.建康志其山四面峭絕.下瞰大江.晁无咎詩.山如浮玉一峯立者是也.昔陳將侯瑱破王琳於此.土人因瑱功烈.立廟祀焉.

有江心護國寺.

【同治上江志】寶祐初有僧披荆棘.建庵其上.

有一柱泉.

【同治上江志】宋寶祐初開.其下卽烈山港.

曰落星山.

【同治上江志】在江寧西南板橋市．建康志周迴二里．高一十丈．西臨大江．圖經昔有大星落於此．因名．

有落星岡．

【同治上江志】通鑑陳顯達以數千人登落星岡．新亭諸軍聞之．皆奔還卽此．

其近水曰落星洲．又曰落星磯．

曰三山．

【同治上江志】在江寧板橋浦．建康志城西南三十七里．高二十九丈．輿地志三山周迴四里．吳時津戍處也．大江從西來．洶湧砰磕．勢如建瓴．而此三峯南北相接．積石森鬱．濱於大江．誠奇險也．晉書王濬傳．濬伐吳．宿於牛渚．部分明日前至三山．又齊建元初．魏人入寇．於三山置軍以備之．並此．

有三山寺．

【同治上江志】洪武十三年．勅建．岡巒數重．中隱孤寺．疎鐘度雲．怒濤舂石．境極幽閴．

有磯曰三山磯．磯上舊有李溫叔祠．今廢．

曰上三山。

【同治上江志】在江寧烈山東岸。一曰仙人磯。陳志下三山在江寧鎮東。上三山在江寧鎮西。

曰陰山。

【同治上江志】在大勝港西南。建康志王導至此。有陰山神見夢於導。導乃以其事上聞。爲立廟。時人遂名其岡爲陰山。

上有祭龍壇。

【同治上江志】宋景德三年置。見建康志。

元運道經其下焉。

曰石馬山。

【同治上江志】在縣南十里安德鄉。

有曠野寺。

【同治上江志】劉宋時建。齊廢。梁大同中復。唐開元中改禪居院。楊吳太和二年改崇果院。宋改寺額曰崇因寺。有觀音畫像。東坡頌。李端叔跋。刻石上。相傳寺卽古新亭也。〔演繁露云新亭在鵝頂岡。今俗名饅首岡。有宋牧仲重建新亭碑。又有邱廠寺。明邱𨵦葬此。故名。〕世說過江諸人。暇日相邀出新亭。藉卉飲宴。僕射周顗歎曰。風景不殊。舉目有江河之異。皆相視流涕。王導曰。諸公當共戮力王室。尅復神州。何至作楚囚對泣耶。衆爲肅然。後宋孝武入討元凶。卽位於此。王僧達改曰中興亭。亭在六朝時。逼近江渚。當建康西南面之險。爲南來取臺城要道。齊武帝所謂新亭既是兵衝是也。

又有臨滄觀。

【同治上江志】輿地志丹楊郡秣陵新亭隴上有望遠亭。又名勞勞亭。宋改爲臨滄觀。古送別場也。南史宋桂陽王休範舉兵白服乘輿自登城南臨滄觀卽此。李白有勞勞亭詩。今廢。

其東有衞玠墓。南有康太史祖墓。

【客座贅語】康爵葬新亭甫𠕋西。

由牛首而東北。曰巖山。

【同治上江志】建康志山高三十八丈。寰宇記其山巖險。故曰巖山。宋明帝泰始中建平王休祐從上於巖山射雉。日欲暮。上遣左右壽寂之等逼休祐。令墜馬。因共毆殺之。卽此。宋孝武改曰龍山。宋書符瑞志大明四年甘露降秣陵龍山。亦曰南山。見南史江智深傳。

宋孝武殷貴妃墓在此。俗曰鳳凰山。明韓憲王葬此。又謂之韓府山。東有段石岡。

【同治上江志】建康志引丹陽記云。巖山東道有大碣石長一丈。刻勒銘題贊。吳功德。孫皓所建也。建康實錄其後折爲三段。因以名岡。

有靜明寺。又有明侍御沈越別墅。旁有宋孝武帝景寧陵。路太后陵。前廢帝何皇后陵。又梁侍中朱異墓。明南寧侯毛元墓（徐有貞撰碑）閹人羅志遠墓。（前有二石柱。有石刻。　靜明寺卽羅建。）並在焉。其相連有翠屏山。山色碧如翠羽。因名。有磨田寺。（在鳳臺門外。今其地名麻田）其南曰上公山。上公山東北曰福子山。又東曰大山。有大山寺。（案牛首西亦有大山寺。與此異）平江侯陳瑄墓在焉。大山之東曰小山．有淸風寺．

西北曰觀子山．

【同治上江志】在縣南三十里．建康志周迴四里一百步．高八十三丈．或省作觀山．山東麓有明刑部尚書周瑄墓．〔其神道碑云金門山．〕其下有水下注新林浦．〔呂志謂今此水流經板橋浦．爲大勝河．入於江．〕

首都志卷五

水道

長江

長江自上游東注。合湘漢豫章諸水。繞首都之西南。經西北過鎭江。東流入海。

【肇域志】異時江泊石頭後。漸徙而北。今又漸南。長老相傳南岸民居。今當在北岸。然尙去石頭十餘里也。以此知陵谷變遷。典籍難據。茲特志其可知者。

其近首都江水。深度由五十英尺至一百六十英尺。江面之寬越一英里。最狹處亦有五分之三英里。世界最大輪船均可行駛。又無泥沙淤積之弊也。夏日水漲。潮力甚微。水面增高不及一尺。下流速度。每小時自兩海里至三海里之率。冬季水落潮漲時。水面增高自二尺至三尺有半。上溯西流。自一小時至一小時半。下流速度因以大減。每小時一海里半至兩海里。

長江由蕪湖至慈姥浦。入江寧境。

【同治上江志】大江自牛渚東下。南岸宮錦洲。又東新洲。東釆石大磯也。南牛渚河東八段恆興神農太平四洲。在江之渚。渚有思賢港。其江北曰針魚嘴。一曰乾魚溝。江中有大黃洲新沙洲。皆當塗境。其東和尙港。卽慈姥浦。舊有湖久湮。慈湖鎭在焉。以下屬江寧。

又東北至大勝關。入南京市界。

【肇域志】慈姥浦在城西南慈姥山下。與太平當塗縣接。舊志云。慈姥港洩慈湖以東山水入江。近港又有慈姥磯。今曰和尙港。東下爲鐮刀灣。又東爲烈山〔乾道志云。吳舊津所也。四面峭絕。下瞰大江。商旅泊舟於此以避風〕山之下。洲爲烈山洲。港曰烈山港〔伏滔北征賦。謂之栗洲。山形似栗。因名。又謂之溧洲〕有磯突出於湍間。名曰亂石磯。洲之東北。是爲白鷺洲〔丹陽記云。白鷺洲地在縣西三里。大江中。多聚白鷺。因名。據今西關中街水環繞處。當爲白鷺洲。此特蒙其名耳。非李

白所詠也」犢兒磯在南岸上接江寧浦口下爲大勝河內合板橋浦新林浦吐納大江

【同治上江志】江北石跋河俗曰芝蔴河上通歷陽水師金陵營界也南岸鐮刀灣水卽銅井浦浦東有天竺山山北烈山洲洲北江中有救濟洲救生局產也洲東形如燕尾江北烏江河河東響水大勝二洲又東西江口銅井浦江中鏝鰲磯東霧石南北二磯又東烈山山南門檻磯其東癩石仙人錯峙四磯又東犢兒磯磯南犢兒洲又東小磯三四皆無名其東下三山磯舊砲台地也南岸江寧浦西曰落星寺下三山營浦東江寧鎭縣故城在其地

【同治上江志】又東過烈山港受銅井鎭谿水又東受木龍亭水東北逕三山磯江寧浦水注焉又東北受板橋浦水又東北逕大勝關

關卽大城港有運糧河東至西善橋爲京市天然界限歷來航運之孔道也長江上游貨物由此折入內河轉運入城

【同治上江志】方輿紀要在城西南三十里其地卽大城港鎭爲江流險阨處宋置巡簡寨紹興二年復置烽火臺元至元間溝河通江曰陰山河置水驛於此〔陰山河道上至官莊鋪下至毛公渡

中分新舊二河。〔二河〕明初立大勝關港。亦曰大勝港矣。高帝使楊璟駐兵大勝港。禦陳友諒卽此。

大勝關沿江直下。約四英里。至上新河。河在江東門外。距水西門四英里。爲著名木材市場。湘贛諸省木材。皆以此爲入口。

【肇域志】自大勝河以東有水數曲。達於秣陵。曰響水溝。燈盞溝。上新河。次曰中新河。次曰下新河。皆國朝所開。

【同治上江志】其下板橋新林二浦。大城港上新河北河口。皆江南北無磯。南岸有鳳林綏帶永定各洲。北岸曰劉家窨。南岸曰響水溝。棉花隄。雙閘。龍江關。

【同治上江志】上新河明初開。俗曰上河。〔舊志載魯肅墓在上新河。本明武生魯維肅墓。朱濬儀游集辨之〕清初置龍江關於此。一曰上關。市廛輻輳。商賈萃止。竹木油麻。蔽江而下。稱沿江重鎭〔王竹嶼通守宅在此。有三山二水之堂。江帆在望。遠趣偏多。見待徵錄〕跨河有橋四。曰馬頭。曰崇安。曰拖板。曰螺師。水西流至此入江矣。其地北曰中新河。方輿紀要。官司船舫泊處也。俗省曰新河。明初陳友諒侵金陵。趣江東橋。〔江東門外〕舟師欲出新河口路。太祖命趙德勝跨河。築虎口城。

卽此。又北曰下新河。其地爲沙洲北圩。〔南爲南圩〕舊白鷺洲也。丹陽記引酈道元水經注。曰江寧之新林浦西對白鷺洲。〔案此與江水經三山句今水經注無此文存之以見古書之逸〕丹陽記曰洲在大江中。多聚白鷺。故名。地膏沃。宜稻。明爲軍衞屯田處。故水利修矣。有水府祠。以祀河神。木客所萃止也。曩時端陽競渡。畫艦龍舟。彩旌簫鼓。春人幼思。選勝一時。昇平樂事矣。

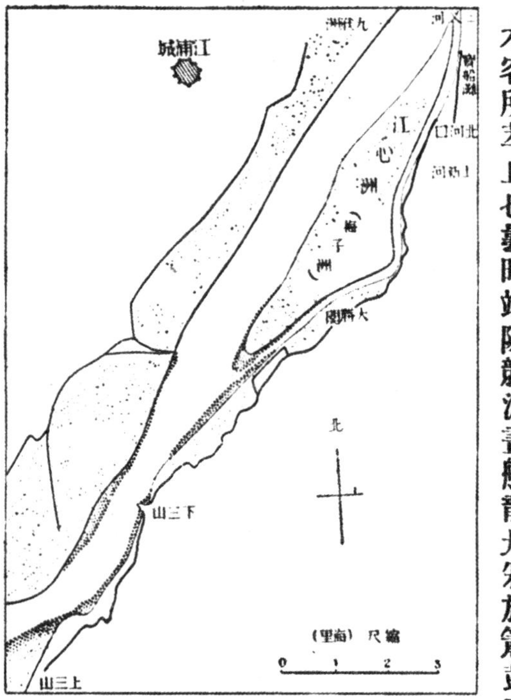

江心洲圖　根據海軍部水道圖

大勝關至上新河。中有江心洲。〔又名梅子洲〕橫亙江中。縣亙八英里。勢若長堤。最廣處二英里。面積約三萬餘畝。與首都外郭間之夾江。謂之大勝關。水道寬約一千二百英尺。小輪民船及木竹排等。可以行駛。總理計畫建商港于江心洲。預定爲工商業區域之一部。

【總理實業計畫】浦口下關窄處。時時以河流過急。河底過深之故。而崩陷。斯則顯然爲此部分河道太窄。不足以容長江洪流通過也。然則非易以廣路不可矣。爲此之故。必以下關全市爲犧牲。而容河流直洗獅子山脚。然後此處河流有一英里之闊。南京浦口間窄路下游之水道。應循其最短線路。沿幕府山脚。以至烏龍山脚。其繞過八卦洲後面之幹流。應行塡塞。俾水流直下無滯。梅子洲上游支流。應行閉塞。另割該洲外面一部。使本流河幅足用。　南京碼頭。當移至梅子洲。與南京外郭之間。而梅子洲支流水道。〔卽大勝關水道〕自應閉塞。如是則可以成一泊船塢。以容航洋巨舶。此處比之下關離南京住宅區域更近。而在此計畫之泊船塢與南京城間曠地。又可以新設一工商業總滙之區。大於下關數倍。卽在梅子洲。當商業與隆之後。亦能成爲城市用地。且爲商業總滙之區。此城市界內界外之土地。當以現在價格收爲國有。以備南京將來之發展。

又北迤東至北河口。淮水支流入焉。

【同治上江志】北河口。卽金人所開老鸛河。宋史建炎四年韓世忠扼宗弼於江中。宗弼不得濟。或曰老鸛河故道。今雖湮塞。若鑿之可通秦淮。宗弼從之。一夕渠成是也。江水又逕永安洲。古蔡洲也。

通鑑晉蘇峻之亂。陶侃等入援。舟師至於蔡洲。又殷仲堪以江陵畔。前鋒楊佺期軍至石頭。既而回軍蔡洲。盧循犯建康。引兵向新亭。回泊蔡洲。侯景圍臺城。鄱陽王範遣其世子嗣率兵入援。軍於蔡洲。又陳霸先討侯景。前鋒次蔡洲。並此處。又有張公洲。王僧辯等敗侯景。將侯子鑒於南洲。督諸軍至張公洲。乘潮入淮。卽此。淮水支流自城濠西逕賽洪橋。〔在馴象門中。明宏治中。府尹吳雄修。淸康熙甲辰又修。同治十年又修〕明侍中黃觀妻雍夫人殉節處也。〔案諸書皆作翁。惟南雍志作雍。今從南雍志〕亦曰柵栱。見顧亭林集。陳直方聞見錄云。明初築城。工部與應天府尹競勝。府有餘財。建此橋。故名曰賽工矣。其南爲毛公渡。待徵錄。卽麾扇渡也。晉書陳敏據建業。出軍臨大航。顧榮以扇揮之。其衆遂潰。在明爲典牧所。有所橋。〔本與江東門外萬壽橋皆石橋。後毀。同治五年。總督李鴻章易以木。舊有新舊二浮橋。今無考〕濟川等九衞十三所所出入也。又西迤北逕江東橋。至北河口注江。

附近有自來水廠。水管由北河口至淸涼山之蓄水池。長約二英里。

下新河而東。分三股。一引石城橋。一引江東橋。一自草鞋夾以達於江。曰三汊河。其南爲寶船灘。即明太監鄭和造船所也。今有無線電台在焉。其高大稱東亞之冠。又有大同麵粉公司。佔地五十畝。

【同治上江志】又東則下關。北岸爲江浦之九洑洲。其北浦子口。南岸曰草鞋夾。其河上流曰三汊河。近世秦淮入江處也。最爲咽喉要害。今立砲台三座。安砲十一位。

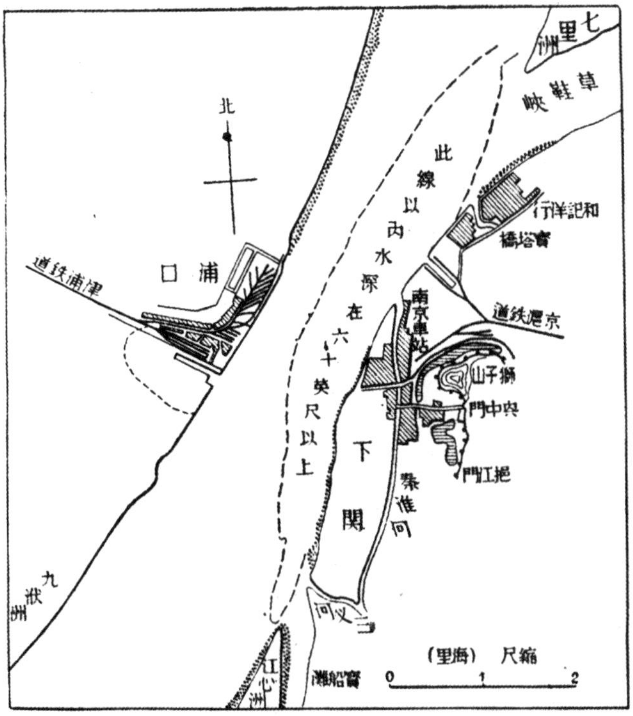

下關浦口圖　根據海軍部水道圖

江水又北。至下關。江至此最狹。與對岸浦口僅得五分之三英里。關即明之龍江關也。明永樂宣德間遣鄭和七下西洋。起程於龍江關。即此。今下關商埠南至三汊河。北抵寶塔橋。迤北相距約三英里。咸豐三年英法天津和約。開爲商埠。至光緒二十五年始行開放。光緒三十四年京滬鐵道竣工。民國元年津浦鐵道竣工。一以下關爲終點。一以浦口爲終點。成南北交通之樞紐。下關浦口開有公渡。爲南北旅客過江之用。汽船渡江約十五分鐘。總理實業計畫。於長江下流鑿隧道以通浦口。

【總理實業計畫】南京對岸之浦口。將來爲大計畫中長江以北一切鐵道之大終點。所以當建市之時。同時在長江之下。穿一隧道。以鐵路聯結此雙聯之市。決非躁急之計。如此則上海北平間直通之車。立可見矣。

今火車渡船告成。兩岸火車直接互通。不必更換車輛。其猶總理之遺意與。

江水又北逕草鞋夾。古靖安河水入焉。

【同治上江志】吳聿靖安河記。自金陵抵白沙。〔儀徵也〕江險之尤者爲欒官山。李家漾。至急流濁港口。〔玉帶洲〕凡十八處。宣和六年發運使盧宗愿得古漕河於靖安下缺口。〔草鞋夾之夾江〕取道青沙〔八卦洲〕之夾江〔觀音門之夾江〕趨北岸．〔通江集〕穿坍月港．由港尾下江．入儀眞新河．邑人汪士鐸云．此卽由靖安河直瀆竹篠趨通江集也．旁有張陣湖．建康志在金陵鄉．舊傳蘇峻與晉軍營戰於此．湖上有蘇大將祠．今廢．又有晉寧朔將軍竺瑤墓．墓前有碑．明曰穩船湖．地近寶船廠．太監鄭和下西洋試船於此．河水由張陣湖下流．歷幕府石灰〔卽石灰山．河明洪武初開〕諸山以北入江．舊有新洲．建康志城北四十里．幕府山相對．宋武帝伐荻射蛇處也．又吳志朱據討孫綝．綝遣兵獲據於新洲．晉隆安五年．海賊孫恩向京師．聞劉牢之還至新洲．不敢進．並在此．其支流自平橋下東南流．逕外金川門．有通江〔在金川門外．通江入穩船湖．一曰江橋．康熙丁未修〕臨江小復成諸橋．又流逕內金川門之西入城．有大市橋．師子橋．〔在鼓樓北．近三牌樓．接金川門．明初糧撥小船由此至北門．通大小錦衣倉．平倉．〕至北門橋入河．復迤西流至定淮門內之鷹揚營橋．又流逕清涼寺後之西倉橋．

附近居民．多以漁爲業．草鞋夾外爲八卦洲．長八英里．最廣處五英里．面積約十萬畝．較江心洲尤大．二洲皆產蘆葦．供城內居民燃料之用．二洲內稱夾江．

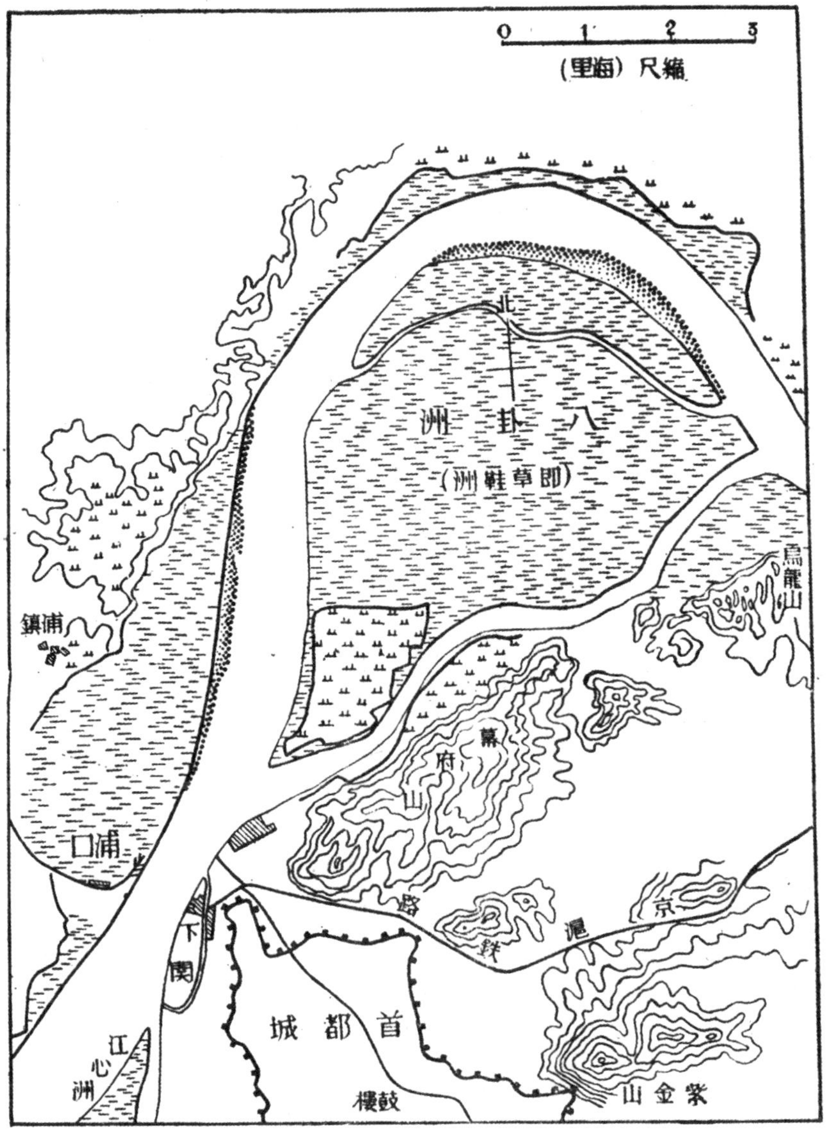

八卦洲里圖

可泊貨船。外江寬闊。可駛巨艦。各有用。八卦洲近築堤開墾。種豆麥。洲原爲旗產。今歸市有。

【同治上江志】洲爲八旗世產。薪蒸資焉。同治十三年新調荆州駐防五百戶。公捐人二兩。以助培洲本。又歲以洲息銀六百兩助八旗昭忠祠祭費。

江水又東至觀音門。有燕子磯。直瀆之水入焉。

【同治上江志】呂志直瀆水。今觀音門入江水也。〔舊分東西二支流。入大江〕自邁皐橋以南水經三塔寺。〔其地舊爲蠡湖。今湮爲田〕入後湖。北會鍾山東北諸山水。由大水關傅家橋而西注於江。河道縈紆不絕。惟狹不通舟耳。〔咸豐初元議濬之不果〕前有竹篠港。方輿紀要城東北三十里。有竹篠鎭。〔案建康志云。西至靖安。東至石步。南連直瀆。北臨大江。迺指竹篠鎭市而言。載于竹篠港下。疑誤〕胡氏曰。卽竹里也。晉隆安元年。王恭舉兵京口。討王國寶等。國寶請於會稽王道子。遣兵戍竹里。夜遇風雨。各散歸。卽此。

又東至烏龍山。京市之終點也。

【同治上江志】夾東上元界有大洲。南曰七里。北曰八卦。中分小港。七里洲南夾江。東北通韓橋。西南接淮口．南岸曰幕府山觀音山石灰山．山東曰燕子磯．舊有宏濟寺．有小河卽直瀆．又東烏龍山．今築砲台十六座．安砲二十一位．以其夾江可進內地也．

又東北至攝山．新開河水引與通焉．

【同治上江志】呂志乾隆四十五年．江南督撫奏開此河．以避黃天蕩之險．商賈賴焉．御賜名曰便民河．〔一曰倒漿河．其源出於燕子磯下二十五里攝山衡陽雉亭諸山溪澗合流．二十五里至龍潭．與句容分界．又三十里太平橋．有港通江．又五里至下蜀街．古江濱重戍也．以下曰御河．又三十里馬橋口．有港注江．又三十里高資港．由新河口入江．共流百二十里．南岸皆山．後圩田．北岸宜昌洲．惟龍潭爲市．然船俱由其下三江口出江．卽太平橋也．紅旗等港皆淺狹．乾隆中修之．同治十一年候補知府孫雲錦奉督部命又濬之〕旁有橋曰御龍．〔同治七年民捐修之．碑記其事〕橋北有市曰石埠橋．古羅落橋也．宋劉裕起義．自丹徒進至羅落橋．卽此地．屬古江乘．相傳卽秦皇渡江處．

【同治上江志】又東周家山．俗曰十里長山．山南廿家巷．東北石埠橋．竹篠市也．有小水曰竹篠港．北入江．又東便民河．棲霞山卽攝山．其東龍潭倉頭交句容界．其南岸大洲曰宜昌．崇善堂產居其半。其江卽黃天蕩矣。大抵鎭江爲下流要害。淮揚蘇杭東洋之總匯也。其口則觀音門。若上流川湖豫章之舟。則聚於草鞋夾。故二地最爲要衝。然砲台皆防江面。而自陸路襲台之後。則尤爲要防矣。出儀鳳門里許。卽草鞋夾。出太平門。由岔路口陽明堂凡二十里。至烏龍山。出神策門十里至韓橋。卽觀音門。

又東下爲黃天蕩。

【同治上江志】方輿紀要城東北八十里。韓蘄王與金宗弼相持處也。江水自大勝關以下。中隔大洲至黃天蕩。洲盡江合。勢極浩瀚。估客舟歸氣沮心慴。諺曰。上有六百丈。下有黃天蕩。言其險也。六百丈在今安徽桐城縣地。

又東逕龍潭入句容界。

秦淮

秦淮有二源。其南源出溧水東廬山。北過石湫壩。入江寧縣界。逕秣陵關東。

【同治上江志】寧邑東南鉅鎭。必曰秣陵。本秦舊縣。（待徵錄據沈文季言。以此爲陸機所言之末下。恐誤。末下自屬大末。前人言之者詳矣〕晉元熙初。省揚州禁防參軍。縣移治其處。〔在京邑之關場〕本治遂廢。曰故治邨。〔其地東接上元句容南通溧陽溧水〕故防守要矣。宋置秣陵關。元置巡司及稅務於此。今曰秣陵關。有巡檢。〔洪氏梁書疆域志謂有建興苑。據此疑陳世所立建興縣在此。

其北源出句容縣茅山瓦屋山。經赤山湖。自湖北之三岔鎭出口。西經杜桂鎭。至湖熟鎭。入江寧縣境。又西逕龍都鎭。

【同治上江志】湖熟鎭〔近劉楊湖故名〕在縣東六十里。前有橋曰周郎橋。〔縣之句容驛路也。同治十二年修〕石邁古蹟編舊傳周瑜征笮融至此。橋名所由昉焉。舊有湖孰縣。漢置也。三國志孫策渡江攻湖孰下之。晉咸康三年毛寶以蘇峻之亂。燒湖孰積聚。義熙九年罷湖孰脂澤田以賜貧民。又宋元嘉中浚淮起湖孰廢田千餘頃。並此。丹陽記湖孰前有長溪淮水。又西逕龍都鎭。〔有萬安橋。同治七年修。十一年工竣。知縣胡裕燕有記〕亦曰泉都。前有湖曰楊柳湖。以楊柳邨名矣。建康志劉陽湖在城東南六十里。當卽此。劉陽楊柳聲之反也。淮水又支流由北迤東。合于解溪鎭

秦淮河

水.

逕西北村.二源合流.繞方山之南西兩面.

【建康志】舊傳秦始皇鑿方山.斷長壟爲瀆.入于江.故曰秦淮.

【六朝事蹟】淮水本名龍藏浦.有二源.合自方山埭.分派屈曲.不類人功.疑非秦皇所開.而後人因名秦淮者.以鑿方山言之.方山埭者.吳築也.實錄吳赤烏八年.使校尉陳勳發戍兵於方山南.絕淮立埭.號方山埭.宋元凶劭之亂.隨王誕敗劭軍於曲阿.劭因緣淮樹柵.決破方山埭.以絕東軍.杜佑曰.東晉至陳.西有石頭津.東有方山埭.兵屯驛路.並屬衝要矣.埭今廢.其東南舊有葛橋.前爲五城

渡。又北流吉山。東澗水入之。水導源吉山。自童家橋東流。有水自東北殷巷西南流入之。合流至馬門橋。〔有馬場庵〕一曰馬牧。舊放牧處也。坡陀周延。芳草如茵。塘壩西帶。信爲坰地矣。疑水即馬牧浦矣。又西南有金家橋。〔支渠南通九里汀〕東有郭家橋。〔有象鼻湖。湖形句拳。中有小洲。是多莎草。名以狀氏也〕又東過清水亭東南。東入於淮。淮水又北。牛首山東澗水自西入之。澗自牛首東流。歷陳墟橋。曹家橋。又東歷河定橋南。〔有小水南通吉山。水浦在徐茂郎東。溝渠而已〕東入於淮。淮水又北逕土山西。晉大元中謝安營墅地也。唐韓滉自京口至此。皆修隝壁。寰宇記謂在縣東南三十里是也。〔或云方山西瀆。至於土山三十里。乃秦所開。蓋疏鑿山趾。以廣淮流耳〕

又西北流過上方門。入市界。受小水關水。合流至通濟門外。明城壕水入焉。

【同治上江志】淮水由五城渡至此。有二橋。內曰見子橋。外分水橋。又西北上方橋。〔通濟門外八里。順治二年修〕橋有支河通高橋門。其水穴土城而入者。曰小水關。有橋曰高橋。其東接平圩石岸亙數里許。咸豐元年邑人甘延年造。有堅固埂碑記。〔案此埂在高橋門外。至句容官道左右。濱深淵。行者賴焉〕又有銅橋。近上方曰過軍橋。通雙橋門。路北爲大教場。明神機營也。又西北七瓮橋。又西北中和橋。〔通濟門外四里。康熙四年修。嘉慶十六年舉人陳嘉言等又修。今圮甚。〕有元眞觀。明永樂建。以居焦孝眞者。今廢。〔見水東日記野獲編存徵錄諸書〕又西北九龍橋。即通濟門外橋也。舊有汝南灣。建康志在城東八里。當秦淮曲折處。晉汝南王渡江家於此。故灣以汝南名矣。相傳齊陸慧曉張融劉𣖮並居此焉。城壕水者。明初拓北城。引鍾山水入壕。南逕平橋。〔朝陽門外〕又南逕變角橋。〔洪武門外〕又南至通濟橋合流矣。

【新南京】九龍橋建自明代。橋有五衖。下臨護城河。市府於該處設有游泳池。每屆夏令。市民之前往游泳者甚衆。

至此分爲二道。一由東水關入城。會楊吳城壕水。

【同治上江志】東水關。舊上水關也。〔凡三十三券。分三層。每層十一券。惟下十一券通水。康熙十一年壬子以水患閉水關。僅餘一孔。武志宋乾道中守臣張孝祥言。秦淮舊上下水門展闊。自兵變後。砌疊稍狹。雖便於一時防守。實遏水源。流通不快。自明初建城。改置通濟水關。爲偃月洞三十有六。水至此皆逡巡哽咽而入。其阻遏之弊。又不至止於孝祥所云矣。〕淮水城壕相會處。其在城外者。亦楊吳城壕水。自明祖截壕築城。壕分爲二。

又西至淮青橋。與青谿之水合。

【同治上江志】淮青橋。呂志古青溪大橋也。秦淮與青谿相接處。故曰淮青矣。西爲江令宅。實錄在青谿中橋傍湘宮寺。巷對桃花園路北。至宋爲段縫宅。有亭曰割青。取荆公詩割我鍾山一半青意也。乾道五年秋。移放生池於青谿之曲。卽割青故基建閣焉。榜曰青谿矣。又西有諸葛恪宅。〔建康志在縣東二里。古元風觀前南接青谿。其東卽江令宅也〕東有孫瑒宅。〔實錄陳起部尙書孫瑒居處奢侈。家庭穿築。極林泉之致〕又有豫章王嶷宅。〔在青谿。見建康志年表〕郗鑒宅。檀道濟宅。〔建康志引異苑云。檀道濟居青谿。先是吳將步闡所居。諺云楊州青。是鬼營。自步及檀皆被刑〕楊修之詩注所謂南朝鼎族多夾青谿者也。湘宮寺在青谿北。南史虞愿傳。宋明帝以宅捨爲寺。嘗謂巢尙之曰。卿至湘宮寺不。此是我大功德。虞愿曰。此皆百姓賣兒貼婦錢。何功德之有。又齊始安王遙光以東府反。蕭坦之屯湘宮寺。卽此。淮青橋東爲桃葉渡。〔宋曾極詩注。名南浦渡。淸田志山詩注名烟柳湖〕王獻之婢渡處也。呂志謂渡在江北。案琅琊諸王世居烏衣巷。前臨淮水。郭璞占曰．淮水絶王氏滅是也．今烏衣巷在文德橋西．可百餘步．淮流咫尺．何假遠涉．鈉詳呂志過江之說．未免害辭．演繁露云．渡江不用楫．橫波急也．蓋隱語也．必欲以六合桃葉山當之．則高叟之說詩矣．

又西南逕利涉橋．受小運河水．

【同治上江志】利涉橋在貢院東．〔順治三年知府李正茂造木橋．康熙癸卯易以石．復以形家言易木焉．道光中修之．里人朱緒曾有記．同治十年署總督何璟重建．〕小運河．明初開．待徵錄．古鹿苑寺前．今金陵驛地．明爲留守後倉．倉前池塘．爲運河．受南岡以北水．匯五板觀音藏金釆蘗星福小心六橋之流．有半邊營南岸皆河．〔舊有橋曰安定．今圮甚．不復可辨矣．〕有水所營．所官營於水次．故名．舊有綠蘋灣．朱林修居之．杜茶邨詩．買斷青谿〔明人語〕是此家．是也．又有濯錦塘．張幼仁〔瑶星之兄〕斐園在焉．近李泌仙鷗天閣．運河水又合流至麥子橋．沿五塊磚入長塘．長塘舊長板橋也．〔康熙中改爲壩．〕橋西爲教坊．有樂王祠．俗譌曰藥王矣．〔有教坊司題名碑．〕旁有鷲峯寺．天順間宦官進祖定建．梵刹志云．寺後有青谿閣．閣下爲放生池．石上鐫擘窠字曰魚樞樂國．〔此明人之放生池也．〕上祀魯公．有碑記．〔碑爲通州姜渭訪得．今存鍾山書院．〕又有迴光寺．萬曆間僧廻光建．故名．道光中設老民堂於此．今廢．東爲中山園．弇州名園記．東園一曰太傅園．初入門．雜植榆柳．餘皆麥隴．轉而右．爲心遠堂．爲月臺．爲小蓬山．有峯巒洞壑亭榭之屬．左有一鑑堂．枕大池．丹橋迤邐．凡五六折．橋盡有亭．宛宛水中央．一水之外．皆平疇老樹．壯麗爲諸園甲．又有世恩樓．徐霖篆額．見待徵錄．今廢．然垂楊春媚．蘆雪秋飛．雉堞近環．鍾山遠矗．至今尙爲詩境．有小橋曰苑家橋．中山園丁苑姓居此．故名．舊啓酒肆曰浣花居．有小碣曰青溪中斷處．徐洪基書也．今亡．又有柳浪湖．明吳子充築長吟閣於上．運河水又北流至金陵閘．有青谿姑祠．輿地志在青谿埭口．不知何年移建於此．祠祀子文妹．旁列二偶．或云叔寶宮人張麗華孔貴嬪也．後爲郡守毀之．〔案此水明人以爲青谿．呂志以爲西溝．實則淮水支流古運河水也．今故道多塞．諸橋日平．每春夏水漲．泛溢爲患．病潦者十室而九焉〕

又西南逕文德橋．

【同治上江志】文德橋在縣學西．〔本木橋．萬曆中圮．里人錢宏業易以石．或云萬曆二十六年提學陳子貞易焉．道光中闌圮．溺人數十．兵燹橋毁．同治五年易以木板橋．九年十一年都府疊修之．

幷築羊馬橋〕水上兩岸人家。懸樁拓架。爲河房水閣。雕梁畫檻。南北掩映。每當盛夏。買艇招涼。迴翔容與於利涉文德二橋之間。扇清風。酌明月。秦淮之勝也。

又西南逕武定橋。

【同治上江志】建康志。武定橋淳熙中建。名曰嘉瑞浮橋。亦曰上浮橋。長樂渡爲下。此故曰上矣。長樂渡應天府在武定橋西。今救生局口是也。舊有桐樹灣。建康志在秦淮南。舊植桐樹甚繁。故名。東有謝萬宅。又有舟子洲。在城南隅。周迴七里。梁天監十二年。以朱雀門東北淮水紆曲。數有水患。又舟行旋衝太廟灣。乃鑿通中央爲舟子洲。諸郡秀才上計。咸止於此。今並湮。

【板橋雜記】舊院人稱曲中。前門對武定橋。後門在鈔庫街。妓家鱗次。比屋而居。屋宇精潔。花木蕭疎。迴非塵境。到門則銅環半啓。珠箔低垂。升階則猧兒吠客。鸚哥喚茶。登堂則假母肅迎。分賓抗禮。進軒則丫鬟畢妝。捧豔而出。坐久則水陸備至。絲肉競陳。定情則目挑心招。綢繆宛轉。紈袴少年。繡腸才子。無不魂迷色陣。氣盡雌風矣。

【板橋雜記】長板橋在院牆外數十步。曠遠芊緜。水烟凝碧。迴光鷲峯兩寺夾之。中山東花園亙其前。秦淮朱雀桁遶其後。洵可娛目賞心。漱滌塵襟。每當夜涼人定。風清月朗。名士傾城。簪花約鬢。攜手閒行。憑欄徙倚。忽遇彼姝。笑言宴宴。此吹洞簫。彼度妙曲。萬籟皆寂。遊魚出聽。洵太平盛事也。

【板橋雜記】舊院與貢院遙對。僅隔一河。原爲才子佳人而設。逢秋風桂子之年。四方應試者畢集。結駟連騎。選色徵歌。轉車子之喉。按陽阿之舞。院本之笙歌合奏。迴舟之一水皆香。或邀旬日之歡。或訂百年之約。蒲桃架下。戲擲金錢。芍藥欄邊。閒抛玉馬。此平康之盛事。乃文戰之外篇。迨夫士也色荒。女兮情倦。忽裘敝而金盡。亦遂寡歡而愁殷。雖設阱者之恔情。實冶遊者所深戒也。靑樓薄倖。彼何人哉。

【國初事蹟】太祖立富樂院於乾道橋。復移武定橋。後以各處將士妓飲生事。盡起妓女赴京入院。

【新南京】貢院明遠樓。貢院創建於明永樂時。爲科舉時代秋試之所。在東區夫子廟東。國民政府建都南京。即就院址設立市政府。明遠樓爲院內舊遺建築物之一。居市府之首。形四方。高三層。登臨四顧。秦淮風景。歷歷在目。　貢院飛虹橋。橋係靑石築成。有長方形水池。在舊貢院。即今日市府內。樹木森森。頗饒風景。　文星閣。亭六角形。在夫子廟前。高凡三層。頂瓷藍色。蛋圓形。下臨秦淮。風波蕩漾。朝暾夕暉時。亭頂常發異彩。　秦淮小公園。園之面積約數十方丈。成長方形。亦爲貢院舊

夫子廟

址．在夫子廟貢院街前．背臨秦淮河．前經市府簡單修飾．植樹數十株．幷題名曰秦淮小公園．迄今綠葉扶疏．蔚然爲市民休息之所．　夫子廟．在秦淮河北岸東牌樓文德橋旁．正中大成殿．有後明倫堂尊經閣．現市府以大成殿爲市立圖書館館址．明倫堂爲市立夫子廟小學校舍之一部．廟前原立有大牌樓．一年前經市府重新改建．並就四週空地闢爲廣場．廟之左右．游技麕集．百戲雜陳．茶坊酒肆．鱗次櫛比．實爲市集之中心點．

又西南逕鎭淮橋．

【同治上江志】鎭淮橋．今聚寶門內橋．〔建康志引晉起居注云．都水使者王遜立．宋乾道五年留守史正志重建．比舊加廣一丈．邱崇記之．開禧九年邱崇爲留守重建．劉叔向記之．寶祐四年橋圮於潦．留守馬光祖重建．梁椅記之．六年燬於火．留守趙與簒重建．今漸圮〕乃晉之朱雀航．〔實錄成康二年新立朱雀航．對朱雀門．南渡淮水．亦名朱雀橋．又晉起居注云．謝安置重樓并二銅雀於橋上．以朱雀觀名之〕吳之南津橋也．〔世說敍錄及輿地志丹陽記並云．吳時南津橋也〕亦謂之南航．臺省在北．此故曰南矣．又浮航之中．此最宏闊．故亦曰大航矣．自晉及陳．阻淮爲固．西連石頭．東接青谿．浮航往來．總二十四所．〔案輿地志云．自石頭東至運瀆．總二十四航．運瀆字疑誤．緣朱雀丹陽諸航．已近青谿．不得云僅至運瀆也〕一旦有警．輒斷舟柵流．號稱險隘．隋平江南．諸航始廢．楊吳築城．淮流益狹．今則瓦屋櫛比．熙往攘來．一水瀠洄．僅通舟楫．六朝故蹟．蓋往往湮矣．〔一統志引南史．梁承聖初．侯景於大航跨水築城．名曰捍國〕其航名之可考者．有竹格渚航．〔通鑑晉大寧二年王敦將沈充等犯建康．從竹格渚渡淮〕驃騎航．〔在東府城南秦淮河上．金陵新志晉太元中驃騎府立東航．一云會稽王道子所立．亦曰東府城橋．一云梁臨川王宏爲驃騎大將軍．居東府橋．因名．亦謂東航．對大航而言也．陳太建末．後主弟叔陵據東府作亂．自小航渡．又禎明末．沈衆入援京邑．頓於小航．對東府爲陳．卽驃騎航也〕丹陽後航．〔方輿紀要．在丹陽郡城後．亦跨秦淮。〕與大航爲四。晉寧康四年詔除丹陽竹格等四航稅是也。又有楊航。在石頭左右。溫嶠欲救匡術於苑城。別駕羅洞曰。不如攻楊航。術圍自解。今並湮廢。

又西過新橋。至上浮橋。

【同治上江志】實錄南臨淮。有新橋。本名萬歲橋。後改飲虹新橋。今曰新橋。〔宋乾道五年覆以大屋數十楹開禧四年重修寶祐四年又修。明正德中又修。〕上浮橋〔明正德中修同治六年又修。〕在新橋西。

又西至斗門橋。與運瀆之水合。

【同治上江志】斗門橋〔景定三年馬光祖修。〕古禪靈渚橋也。西出有禪靈寺。梁書王僧辯傳僧辯討侯景乘潮入淮。進至禪靈寺是也。寺在今范家塘側。道光中猶存矣。

又西道下浮橋出西水關。

【同治上江志】下浮橋〔康熙丁未修同治六年又修。〕之西曰雲臺閘。淮水逕此出城矣。〔稍北即水西門。宋龍光門也。元至元九年濬龍光河。自算子橋逕石頭城下。至馬鞍山。今水西門外向北濠也。〕上有太白酒樓。即孫楚樓也。李白詩。朝沽金陵酒。歌吹孫楚樓是也。旁有賞心亭。丁謂張周昉臥雪圖處也。西爲白鷺亭。下瞰白鷺洲。故名。蘇文忠題柱於此。又西爲二水亭。賞心亭下爲折柳亭。〔張詠建。〕東爲風亭。與風亭相近者爲佳麗亭。風帆雲樹目不暇賞。並艤舟勝處。故宋賢題詠勝矣。其相近有横塘。實錄注在淮水南。近陶家渚。〔相傳陶隱居宅在此。故名。〕吳大帝時自江口緣淮築堤。謂之横塘。吳都賦曰横塘查下。邑屋隆夸。樓台之勝。天下莫比者也。亦曰南塘。今爲莫愁湖。

而淮水一道。由通濟門外繞城垣東南西三面。名護城河者。至此復合爲一。

【同治上江志】在通濟門外者。與城內淮水分流。逕聚寶橋。〔古長干橋。楊溥建。咸淳中馬光祖修。又曰長安。康熙甲辰修之。乾隆六十年邑人孔毓文等復募修。今漸圮矣。〕南合落馬澗水。建康志本南澗也。宋孝武討元凶。元凶軍敗。人馬傾落澗中。故名。舊有南澗寺。何尙之宅在焉。宋曰躍馬澗。有南澗樓。見王安石詩。今重譯〔在掃帚巷古東市口。〕就灣〔一曰壩灣。在小市口。〕善世〔近三里店。明弘治間修。鄭紀記之。坎地得石云。慶元二年丙辰三月建躍馬澗橋。知宮事賜紫史志純副知宮程應澤。並勸緣司庫工人姓名。〕來賓〔在西街古望國門橋。即西市口。西即大市也。有來賓樓。因名。〕澗子〔在鸑灣澗水入壕處〕諸橋所跨是也。壕水又西逕覓渡橋。〔即三山門外橋。舊名三山。康熙丁未修。嘉慶元年里人談觀光祖蕙捐銀一萬四千兩重修。知府許兆椿撰記。同治十年又修。〕與城內之淮水復合。

又沿石頭城以達於江。謂之惠民河。

【同治上江志】石頭城吳築也。六朝以來。江流在下。濤水入城。前史屢載。自南唐後。江水益西。洲渚蒙密。今日石城門北抵下關。安流一水。非復洶湧之勢矣。石城門外有橋曰石城橋。雍正間修。今圮。

內秦淮自明以來。鐙船之盛。甲於天下。裘馬少年冶遊所會。

【板橋雜記】秦淮鐙船之盛。天下所無。兩岸河房。雕欄畫檻。綺窗絲障。十里珠簾。客稱旣醉。主曰未歸。遊楫往來。指目曰某名姬在某河房。以得魁首者爲勝。薄暮須臾。鐙船畢集。火龍蜿蜒。光耀天地。揚鎚擊鼓。踏頓波心。自聚寶門外水關。至通濟門水關。喧闐達旦。桃葉渡口。爭渡者喧聲不絕。余作秦淮燈船曲中有云。遙指鍾山樹色開。六朝芳草向瓊臺。一園燈火從天降。萬片珊瑚駕海來。又云。夢裏春紅十丈長。隔簾偸襲海南香。西霞飛（脫落一字）銅龍館。幾隊蛾眉一樣妝。又云。神絃仙管玻璃杯。火龍蜿蜒波崔嵬。雲連金闕天門迥。鶴舞銀城雪窖開。皆實錄也。嗟乎。可復見乎。

【秦淮廣紀】捧花生自序。遊秦淮者。必資畫舫。在六朝時已然。今更益其華靡。頗黎之鐙。水晶之球。往來如織。照耀逾於白晝。兩岸珠簾印水。畫棟飛雲。衣香鼓棹而過者。罔不目迷心醉。余曼翁板橋雜記。備載前朝之盛。分雅游麗品軼事爲三則。而於麗品尤爲屬意。良以一代之興。有銘鐘勒鼎者。黼黻廟堂。以成郅隆之化。即有秦歌楚舞者。點綴川野。以昭昇平之休。如湘蘭小宛今燕白門蕙洵足輝映卷册。稱播士夫。易曰。良人得其玉。小人得其粟。不其信歟。自是仿而纂輯者。有續板橋雜記。水天餘話。石城詠花錄。秦淮花略。青溪笑。青溪贅筆。各書甄南部之丰昌。紀北里之妝豫。不下一二十種。余幸生長是邦。目覩佳麗。偶亦買漆板。喚籐綳。洄溯中流。評花泊柳。本蘇子瞻之寓意。爲庚肩吾之近游。日月既深。見聞滋廣。綜諸姬之皎皎者。附以投贈詩詞。分紀麗徵。題爲上下二卷。因成於畫舫之游。即題曰秦淮畫舫錄。

守吏有時加以禁束。盛衰靡常。然未能絕也。（語詳禮俗）

近年市府厲行禁娼．舊日畫舫停廢不用．惟文廟左右．歌社增勝．簫鼓沸天．又囂然以技藝爲招矣．

秦淮灌溉區域．佔江寧全縣面積之半而強．市縣水利．當以秦淮爲首．秦淮主流長約百餘里．上游寬自五十尺至百尺．下游最寬處達二百餘尺．水深上游冬日一二尺．夏日七八尺．下游冬日五六尺．夏日達二丈．夏季汽輪上溯可抵湖熟溧水．冬季則僅西北村以下．可通小帆船．城內秦淮．水既不深．河面亦狹．加以沿岸居民．每將廢物傾入．而沿河房屋．莫不侵佔河岸寬度深度．歷年減少．故其河底較在通濟門外者．約高六尺有餘．自夏秋二季外．船舶不克通行．水利之修．不容或緩．上游在句容者．已興工疏濬．

【江寧縣政概況】境內諸河之亟需整理．及關係最重要而工程亦最鉅者．首推秦淮河．惟秦淮水利．除本縣外．更與句容溧水及南京市有關．僅本縣單獨整理．難期大效．秦淮上游之赤山湖在句容縣境．湖身周圍四十餘里．位於赤山之東．距湖熟鎮約二十里．爲其東南之茅山浮山虬山甲山瓦屋山．及其東北之崙山五舉山亭山華山胄山等山水下流停屯之所．其上源有十三支流．水發時．烟波萬頃．頗爲壯觀．水涸時僅餘幾道河流．湖底悉如平地．然山水經此停頓．其入淮之水勢已大殺．如無此湖．一遇暴雨．山水奔流．秦淮兩岸將成澤國．下游首都．亦恐有其魚之嘆．此湖年久失修．湖底日高．湖身日窄．上流諸水挾泥沙入湖．久遂淤塞．今之湖底．幾與周圍農田相等．昔日湖之面積．較今爲廣．環湖四十二圩．昔爲湖身．自明代墾成四十二圩以後．即禁止再行開墾．以後再有墾者．輒爲當地民衆所阻止．清末左宗棠督兩江時．應地方人士之請．曾撥遣兵士從事疏濬．於湖身新開河道數條．並修建橋閘數座．節制水流．收效甚大．惜不久左氏西調．未竟全功．民國以來．江南人士雖屢有浚湖之議．顧以工程浩大．需費過鉅．終未果行．去歲本縣會奉省府訓令．着會同句容溧水兩縣辦理赤山湖測量事項．並籌備於冬間徵工挑浚．顧如此偉大工程．由三縣會同辦理．恐將事倍而功半．蓋非有負責主持之機關．及充裕之經費．難望有成也．

在市縣內之護城河．有一度之疏濬．

【南京市工作概況】查水西門外護城河．河身淺涸．且水西門爲外河船隻入城之要道．故將該河加以疏深．以利運輸．而保河流．凡費銀七二〇〇元二十三年八月完工．

市府亦嘗建東西水閘．未嘗不於此兢兢也．

【南京市工作概況】

工程名稱	建築費	完工日期	效用說明
加建東水關閘門	二四六・二四	二十二年六月	查秦淮河東西兩關原有閘門年久未修已失效用故加建東西兩關閘門以資調節春夏可防江潮之倒灌冬季可免河水之流出以保秦淮河之水源
加建西水關閘門	九四四・九五	二十二年六月	

附溧水縣西北應濬之秦淮幹流圖．

赤山湖秦淮工綫簡明圖．

溧水縣西北應濬之秦淮幹流圖

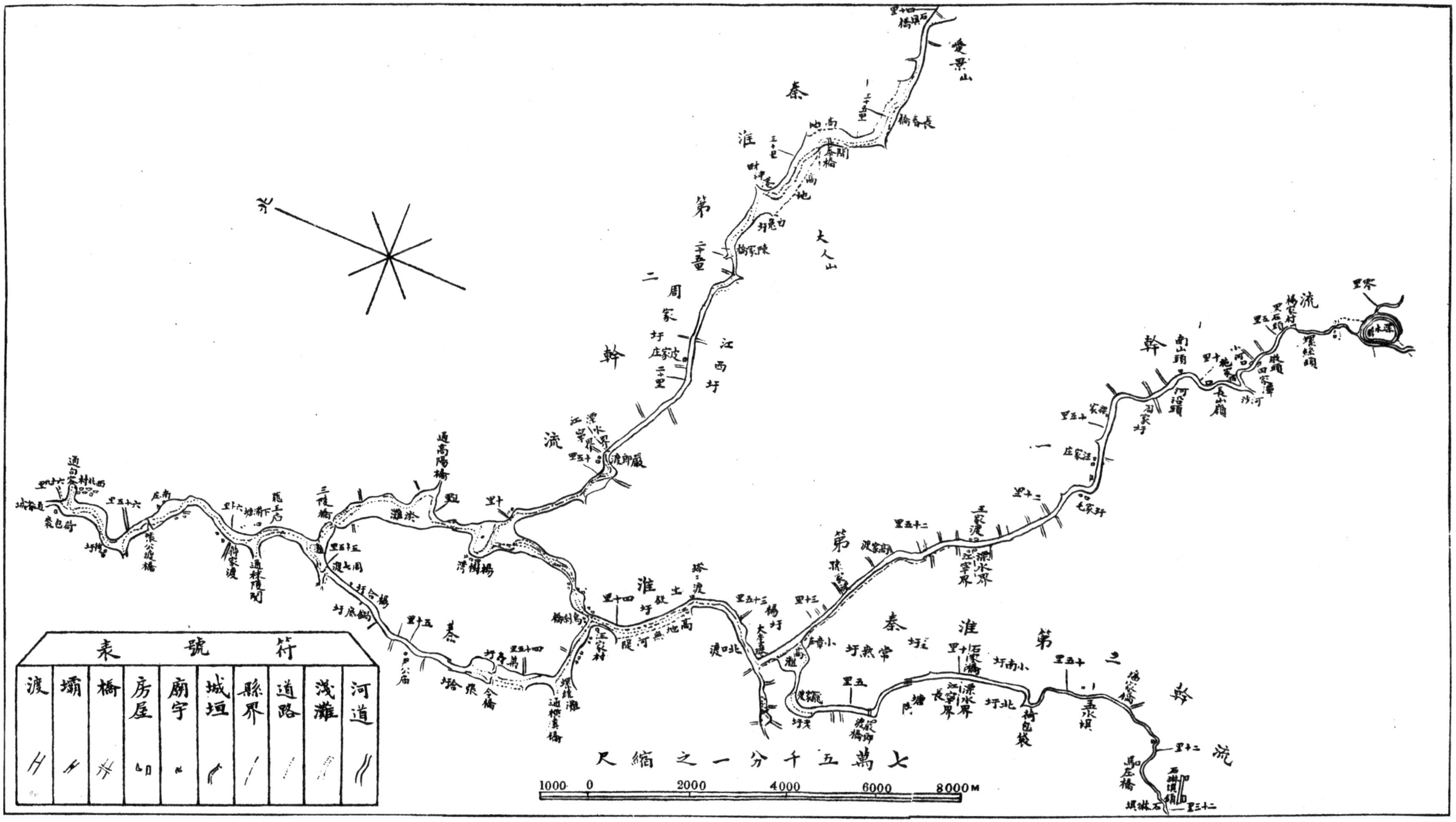

赤山湖秦淮五綫簡明圖

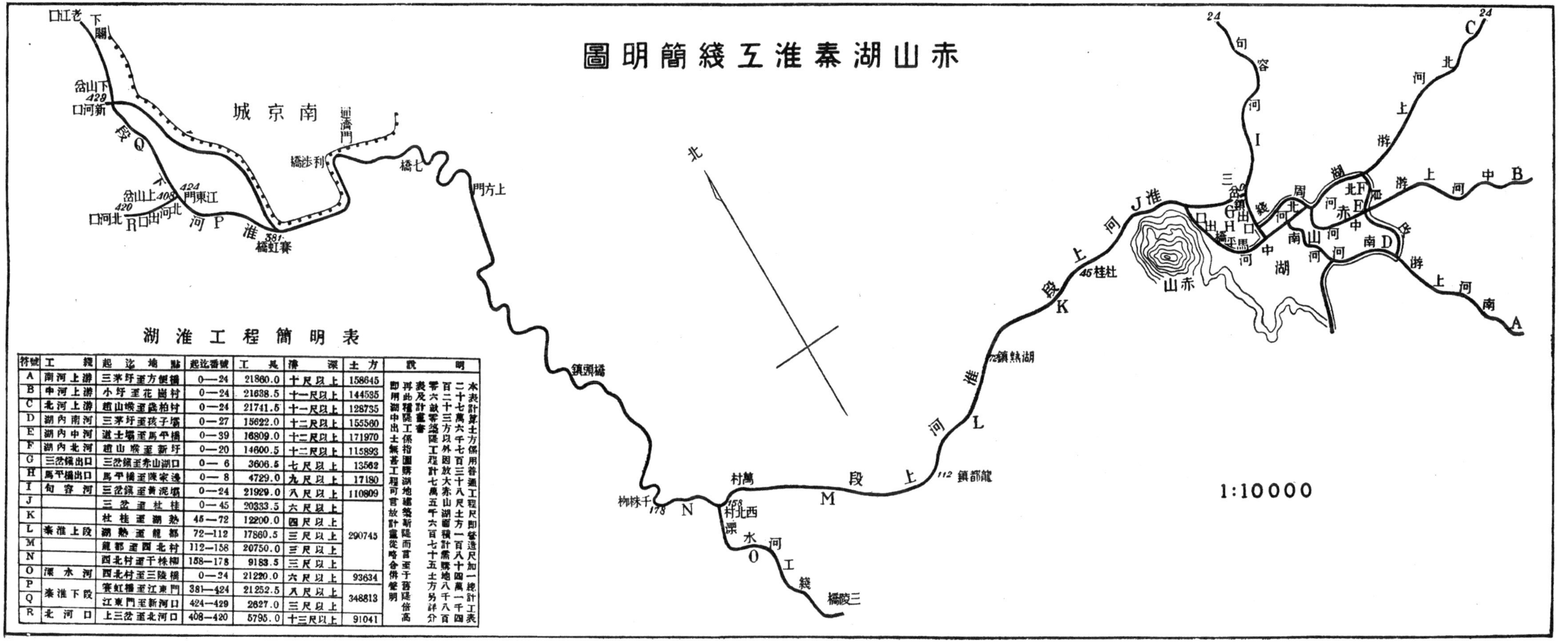

湖淮工程簡明表

符號	工綫	起迄地點	起迄番號	工長	濬深	土方	說明
A	南河上游	三茅圩至方便橋	0—24	21860.0	十尺以上	158645	本表計算土方係用普通工程尺即營造尺加一總計工長二十七萬六千七百三十八尺土方一百八十四萬一千四百二十三方以外因放大赤山湖面積計需購地八千八百零六畝築隄工程計七萬五千六百七十五土方另詳分表及計畫書 再此種隄工係指圖購湖地建築新隄而言至于舊隄倍高即用湖中出土無甚工程可言故計畫從略合併聲明
B	中河上游	小圩至花崗村	0—24	21638.5	十一尺以上	144535	
C	北河上游	趙山墩至識柏村	0—24	21741.5	十一尺以上	128735	
D	湖內南河	三茅圩至孩子壩	0—27	15622.0	十二尺以上	155560	
E	湖內中河	道士壩至馬平橋	0—39	16809.0	十二尺以上	171970	
F	湖內北河	趙山墩至新圩	0—20	14600.5	十二尺以上	115893	
G	三岔鎮出口	三岔鎮至赤山湖口	0—6	3606.5	七尺以上	13562	
H	馬平橋出口	馬平橋至陳家邊	0—8	4729.0	九尺以上	17180	
I	句容河	三岔鎮至黃泥壩	0—24	21929.0	八尺以上	110809	
J		三岔至杜桂	0—45	20333.5	六尺以上	290745	
K		杜桂至湖熟	45—72	12200.0	四尺以上		
L	秦淮上段	湖熟至龍都	72—112	17860.5	三尺以上		
M		龍都至西北村	112—158	20750.0	三尺以上		
N		西北村至千株柳	158—178	9183.5	三尺以上		
O	漂水河	西北村至三陵橋	0—24	21220.0	六尺以上	93634	
P	秦淮下段	賽虹橋至江東門	381—424	21252.5	八尺以上	348813	
Q		江東門至新河口	424—429	2627.0	三尺以上		
R	北河口	上三岔至北河口	408—420	5795.0	十三尺以上	91041	

青谿

青谿發源鍾山．北通玄武湖．南通秦淮．逶迤九曲長十餘里．本三國時所鑿．六朝都城去秦淮絕遠．故開運瀆青谿．以通舟楫．倚爲要隘．自南唐築城．青谿始分爲二．半在城外．半在城內．明築宮城．又斷青谿之上流在城內者．自鍾山南流入明故宮城．又西出竹橋．入濠而絕．

【同治上江志】實錄吳赤烏四年鑿東渠名青谿．〔邑人楊大堉云．半山之陰．百武入土門．有水自山腹來．又數武過石彴．陟山巔俯瞰之．瀆原直瀵洶迅．珠躍圓文縠演．南流貫半山寺．殆青谿之眞源．案此卽鍾山前湖水．以地考之．正當吳鑿東渠故道〕輿地志青溪發源鍾山．入于淮．連緜十餘里．在六朝爲要隘．晉大寧二年．王敦將沈充犯建康．劉遐敗之於青谿．咸和元年．蘇峻敗卞壼於西陵．進攻青溪柵．齊永元初．始安王遙光舉兵．詔曹虎屯青谿大橋以討之．梁太清三年．蕭嗣等將兵渡淮．討侯景軍於青谿之東是也．自楊吳築城．青谿始塞．宋開慶中．馬光祖復濬之．建先賢祠及諸亭館於谿上．〔有百花洲．放船亭．四望亭．天開圖畫．玲瓏池．玻璃頃．金碧堆．錦繡段．鏡中橋．青谿莊．

清如堂．萬柳堤．谿光山色．撐綠亭．添竹亭．香遠亭．香世界．花神仙．衆芳亭．愛青亭．望花隨柳．割青亭．一川烟月諸勝．〕築堤飛橋．以便往來．然谿流僅餘一曲矣．今諸景並廢．故道多湮．惟自昇平橋北．流繞鍾山書院故址．又東流而北．至五老壽星諸橋．相傳爲青谿遺蹟．督署〔按今爲國民政府〕前有青谿里巷．此其證矣．〔邑人孫文川云．自破布營以東．上乘菴馬家橋之南．陂池相接．多至數十．疑卽青谿古蹟．〕有邀笛步．六朝事蹟．舊名蕭家渡．在城東南青谿橋之右．呂志．今竹橋側是也．

在城內者．自內橋東流．與南唐宮濠合．

【同治上江志】南唐宮城南濠．東曰昇平橋．〔卽東虹橋．〕中曰虹橋．〔政和中蔡嶷建石橋．曰蔡公橋．後曰天津橋．不忘西京舊名也．明以來曰內橋．〕西曰西虹橋．〔卽大市橋．亦曰羊市橋．〕宮城東壕曰護龍河．〔自昇平橋以北也．卽青溪支流水．　或以草書字形誤作伏．〕有青平橋．〔疑卽門樓橋．古名．舊志云．西通內橋．青溪之在南唐宮內者惟此．〕日華橋．其西曰飛虹橋．〔今盧妃巷內．白下瑣言．羊市橋畔．上踞屋舍．下穿溝渠．後爲張府園裕民坊．其地有河身一段．長十餘丈．寬二三丈．兩旁石岸猶存．乃西護龍舊址也．客座贅語載．西虹在盧妃巷．又西穿入家屋．而北達園地．有

石嵌河蹟。正指此。〕月華橋北爲廣富橋。〔今皇甫橋。〕

又東南逕四象橋。至淮青橋。與淮水合。

【同治上江志】青谿七橋。實錄注。最北樂游苑東門橋。次南尹橋。建康志潮溝大巷東出度此。次南雞鳴橋。相傳齊武帝游鍾山至此雞鳴。次南募士橋。吳大帝募勇士於此。橋爲吳建矣。次南菰首橋。一名走馬橋。〔乾道志卽東虹橋。〕十洲記曰。芳林園在青谿菰首橋東。本齊高帝舊宅。齊有天下。又爲舊宮。宮東築山鑿池。號曰芳林。次南青谿中橋。呂志四象橋也。次南青溪大橋。〔卽淮青橋。〕有古檀橋。亦在青溪上。齊書劉瓛以儒學冠時。京師貴游士子。莫不下席受業。瓛住檀橋。瓦屋數間。上皆穿漏。學徒敬慕。不敢指斥。呼曰青谿。〔案青谿之流三變。自吳至唐。由鍾山西南。瀦爲前湖。溢爲青谿。由小教場南流。歷西華門壽星橋。八府塘爲青塘。至淮青橋入淮。自楊吳築城掘濠。於是湖水入濠。周流東北。而城內惟存大陽溝一渠。經門樓橋等。入昇平橋。爲宮城濠。自明填前湖。於是青谿之流。內外俱絕。僅存半山寺一渠。卽大陽溝。亦成無源之水矣。〕

運瀆

運瀆亦吳時所開。在城西南隅。

【實錄】吳赤烏三年。使左臺侍御史郗儉監鑿城西南自秦淮。北抵倉城。通運於苑倉。謂之運瀆。

【運瀆橋道小志】運瀆者。吳赤烏中所鑿也。仲謀創業。營建石頭倉。穀轉輸由淮入瀆。糧艘萬斛。廓其有容。今裁通舟。夏漲冬涸。民居迫束。流緩易淤。穢惡所傾。日積日甚。汲飲濁胃。職此之由。苟弇濬治。別無善策。其淮水支流通瀆處。古謂之禪靈渚。梁都督王僧辯討侯景之師。所從入焉。艨艟巨艦。銜尾而前。奔浪驚濤。渺瀰可想。以今相況。殊覺不侔。陵谷變遷。匪伊朝夕矣。

自笪橋西流。

【運瀆橋道小志】笪橋者。相傳茅山二十六代笪宗師所建也。故以其姓氏之。〔今句容多笪姓。皆其裔也〕準諸古之揚烈橋。適當其地。烏衣王郎。從容觀鴨。雅人深致。彷彿遇之。在唐曰太平橋。乾元佞佛。惠及衆生。魯公置池。碑文可考。南宋時置有酒庫。蕭鷓巴之所幹管也。收息犒軍。於是焉取。詩人汪瀛。汪膠嘗居之。尤蕭范陸。具體而微矣。在明曰欽化橋。以欽化坊得名。成祖使都督譚深沈梅駙馬處也。戚臣孤節。難以顯誅。授旨武人。陰行毒害。酷已。以其爲夜市所集。故今謂之笪橋市。橋南舊有曠地一區。燈市之所萃也。上元月夜。曼衍魚龍。光迸星芒。目不給賞。今地變市廛。而買燈者亦徙而南矣。

合草橋北出之水。爲運瀆正河。至於鼎新橋。

【運瀆橋道小志】鼎新橋本名小新橋。宋馬制使重建之。因改今名。〔白下瑣言道光甲申濬河於鼎新橋下。掘地四尺。得銅刀長三尺。上有七星文。下鑄龍首形。無款識。伍明經光瑜作歌記之〕

西流歷道濟文津橋。至望仙橋。

【運瀆橋道小志】道濟橋本名崇道橋。以其在倉巷北。俗謂之倉巷橋。同治中以建府學。改今名。望仙橋者。宋名武衞橋。卽古之西州橋也。典午州治實在石城東。設雒門。與橋相近。齊將軍陳顯達犯順。授首於斯矣。一曰烏榜村。唐詩人冷朝陽宅在焉。落日澄江。風景如畫。舍人佳句傳誦至今。至明有金盤李園。爲徐魏國公別墅之一。裙屐冶遊。於斯爲盛。史墩實在其側。蓋因癡翁而得名。一門風雅。闔閑同心。遙望玉仙琵琶聲接。橋名之所由昉也。舊有史癡翁故里石碣。故又謂之史橋。

迤西南流。過張公橋。出鐵窗櫺。入於外濠河。

【運瀆橋道小志】張公橋者．一名周家橋．不知其所緣起也．　鐵窗欞雉堞參差．門影猶具．下通涵洞．吐納靈潮．卽古柵塘故址．〔建康實錄注．吳時夾淮立柵．號柵塘．梁天監九年新作緣淮北岸起石頭．迄東冶南岸．起後渚籬門．達於三橋．作兩重柵．皆施行馬．建康志．柵塘在秦淮上．通古運瀆〕宋謂之柵寨門．城中水利．關係匪輕．宜塞宜通．迄無定論．然水由此洩．是固爲運瀆之尾閭也．〔宋隆興二年．張孝祥知建康府事．奏秦淮流經府城正河．自鎭淮新橋入江．其分派爲青溪．自天津橋出柵寨門．近地屬有地者築斷．每雨水暴過．則正河不能急洩．水勢於是泛溢．城內居民被害．今欲復通柵寨門．使青溪徑直入江．則城內永無水患．及汪澈繼孝祥後．詔澈措定以聞．澈言開古河道．通柵寨門．尤便．從之．清江寧知府陳公開虞論曰．顧文莊公諸水考．謂城內支河淤塞．久雨泛溢．民間受害．宜從天津橋出柵寨門．直瀉易退．不知青溪必與秦淮合襟．繞南出三山門水關．方環抱有情．故內橋以南．得環抱力．大中橋以東．得合襟力．乃富貴輻輳．而各衙門峙焉．再考古建鐵窗欞時．水固易退．而秦淮一帶．不過洲渚相縈．黃蘆白葦之鄉．其明驗矣．然則今城內支河．當濬．鐵窗欞必不可開．或非無據．莫若於鐵窗欞設壩一道．若久雨．城中淹沒．暫開壩以分洩．水勢少退．卽閉以固其氣云．〕

又自笪橋東流。經鴿子橋羊市橋之水入焉。又東至內橋。與青溪合。是爲運瀆東源。

【運瀆橋道小志】運瀆東源者。導青溪水而西注者也。六代以來。溪流浩渺。引以濟運。汨汨其來。前明塹城。斷不復續。護龍一曲。細僅如溝。　其跨瀆第一橋以北臨鴿子市。俗呼爲鴿子橋。準諸古之鐙子橋。適當其地。（建康實錄鐙子橋卽孝義橋）在宋時曰閃駕橋。一曰景定。馬制置使光祖紀其肇建之年也。疏淤導滯。水利以興。橋梁聿興。民不病涉矣。（自此以西。鼎新武衛諸橋。皆馬公建。）在明曰淸化橋。以淸化坊得名。　內橋昔在南唐宮城內。故謂之內橋。閣道橫空。上應星漢。天津之名所由昉也。

又自笪橋西折而南。過草橋紅土橋至斗門橋。入於淮。是爲運瀆支河。

【運瀆橋道小志】草橋者。北乾道橋之俗名。古有高暉橋。跨運瀆上。疑當其地。南朝建康西尉之所治焉。　紅土橋者。南乾道橋之俗名也。嘗有掘地深三尺者。見其下土色皆紅。而知見稱之由。蓋治麓之餘氣焉。　禪靈寺橋者。卽今之斗門橋也。橋上有觀音閣。同治初里僧所建。後軒三楹。俯臨瀆水。舟過其下。時聞槳聲。然沿河細徑。爲所占斷矣。橋東右轉循瀆。南臨淮水。爲渡船口。或曰古舟子洲遺址在是。

【同治上江志】嘉慶二十二年。鹽巡道方體請於制府。自斗門橋至北乾道橋。東至內橋。西至鐵窗欞。悉濬之。道光四年知府余霈元。以義振餘銀濬之。

楊吳城濠水

河

楊吳城濠水。

【鍾南淮北區域志】唐昇州治在秦淮以北。楊吳時擴而大之。貫秦淮於中。西據石城（卽今漢西水西二門之間。俗呼鬼臉城）。南接長干（卽今聚寶門外）。東連白下橋（卽今大中橋）。北限玄武橋（卽今北門橋）。橋所跨水。皆所鑿城濠也。其水大抵引城南秦淮。城東青谿諸水合而成河。環繞都城而北注。今北水關所引西來之水已斷。士人謂之乾河沿。故專以北面所受之水。爲濠水正幹。

自北門橋東流．折而北．受進香河之水．

【鍾南淮北區域志】進香河水．明初所開．因十廟初成．進香者皆由此水來．故名．源自後湖．銅管穴城而入．由北而西．爲浴沂橋．其北卽明國子監學．〔今武廟〕羣峯環拱．幽隱深秀．水聲傍學宮牆．泠泠如琴筑．聲時推爲勝地．又西爲士橋．稍南有橋．卽以進香爲名．再折而南．曰西倉橋．〔旁有西倉巷．明遺老杜濬居此．卒葬鍾山梅花隖．墓尚存〕曰石板橋．〔金陵官紳昭忠祠在橋東．祠中也園臨河水榭．紅欄綠柳．楚楚有情〕曰紅板橋．〔明初高皇后置倉於此．以贍國子監生之家〕曰嚴家橋．曰蓮花橋．自西倉橋至此．其數五．故又曰蓮花第五橋矣．〔上元諸生周易居此．嘗於橋畔夾種桃柳．春日花開．雕妍纖秀．不減明聖湖．因自號曰六橋種花翁．橋北有歐陽孝廉長海又一邨．今圮〕

又東經浮橋．

【同治上江志】舊紅板橋也．明初馬后置倉於此．以贍國子監生之妻．其橋後易以石．俗曰石板橋．

【鍾南淮北區域志】旁爲通賢橋．有秦尚書承業宅．道光中鬻以助振．

珍珠河之水。自此來會。

【同治上江志】北會珍珠河水。〔宋嘉定十年浚珍珠河。道光中又浚之。〕建康志。陳後主泛舟遇雨。水生浮漚。宮人指曰滿河珍珠也。因名河。卽古潮溝也。

又東迤南。逕竹橋。至復成橋。

【同治上江志】竹橋在駐防城西北。城故燕雀湖也。建康志引窮神祕苑云。梁昭明太子旣葬。有琉璃盌紫玉杯爲盜所得。突有燕雀數萬擊之。因爲有司所縛。寶器獲全。帝聞驚異。詔賜太孫。封墳之際。燕雀復來。墳側有湖。故名燕雀矣。明祖宅京。涸爲大內。今爲駐防城。然門闕之號。往往仍舊焉。有水自東安門流至後載門而絕。又自後載門西流。穴城而出。達於竹橋之濠水。相傳爲青谿遺蹟。建康志所謂青谿在城外者。自城濠合於淮是也。濠水又南。逕元津橋。明西華門外橋也。又南逕復成橋。以復成倉著名矣。

橋之東岸。有省立民衆教育館。第一公園。支那內學院。及第一工業學校故址。

【新南京】韜園在復成橋東岸．爲淸蔡和甫所築．現爲江蘇省立民衆教育館館址．花草亭樓佈置頗精．秦淮風景．於此最勝．夏夜停舟納涼．倍增興趣．

【新南京】第一公園．舊名秀山公園．在復成橋東半邊橋畔．秀山爲故軍閥李純之字．該園亦卽以李之遺貲所建．自國民革命軍克復南京後．遂改今名．由市府管理．該園面積甚廣．園內花木參差．佈置新穎．頗饒風景．又有烈士祠及紀念碑塔等．　烈士祠在園之東北隅．凡二層．祠之四週．繞以石欄．正面有石級可登．祠內立革命烈士之神位及遺像．　龍潭討孫陣亡將士紀念碑．碑建於民國十七年．爲方錐立體形．以白石建成．高可丈餘．矗立烈士祠前．　國民革命軍討孫陣亡烈士紀念塔．塔爲白石建成．八角形．高可二丈餘．亦在烈士祠前．與龍潭討孫陣亡將士紀念碑．同垂千古．

飛來剪．原在宮後山鐵塔寺遺址．重逾數百斤．兩股橫徑約七八尺．長倍之．鐵質．俗傳自天上飛來．故名．實則剪腹有上下二孔．頗類古代建築起重之具．市府前爲保存古物．以免毀廢起見．特將此剪移置園中．便衆展覽．　歷史博物館．在烈士祠東南首．館內陳列古物甚多．並有各種模型．爲本市社會教育重要設施之一．　逍遙遊．在烈士祠西首．設有茶社．遊人可在此品茗休息．

明御河水自東來注之．

【鍾南淮北區域志】御河水。明洪武初開。有橋五。自東而西。曰青龍。曰白虎。曰會同。〔會同館旁〕曰烏蠻。曰柏川。明南都之變。乞兒題詩自沈處也。又分御河支流。於午門內有橋毗連。曰內五龍橋。橋北今有古物保存所。〔書籍圖畫碑版鼎彝。各從其類。庋置廈宇間。古色盎然。足供瀏覽〕後迤邐流至柏川橋下。合而西注於復成橋南之濠。

又南過大中橋。至東水關。與淮水合。

【同治上江志】大中橋。古白下橋也。亦名長春橋。在南唐東門外。當江浙諸郡之衝。舊志謂飲馬於秦淮。給諸屯之餽餉。其要可知矣。舊有白下亭。李白王安石有詩。

【鍾南淮北區域志】大中橋。一名長春橋。明督師大學士黃公道周殉節於此。故又名大忠云。

後湖

玄武門外。有水浩淼泓澄。周迴四十里者。後湖也。以其南有前湖得名。鍾山峙於東南。幕府山緜亙於東北。覆舟雞鳴諸山。蜿蜒出於城闉。西南兩面。雄城屏之。景物之美。前人言之詳矣。

水道

玄武湖

【後湖志計宗道過後湖記】凡過湖。必出自太平門。命舟而行。可七八里許。一望渺漫。光映上下。微風播揚。文漪聿興。蕩漾於烟波之上。莫不氣舒襟豁。情暢神爽。見之者若遊僊焉。余門立舟首四顧。其嵯峨霄漢之表。王氣鬱蔥而峙乎東南者。鍾山也。疊連如屏如幃在西北者。幕府山也。巒嶺偃蹇盤伏於地。而松森其上者。覆舟山也。挺拔而凸出城頭。殿閣參差。浮屠聳峚者。雞鳴山也。山東西一帶。列如懸榜者。世傳臺城也。崚嶒冒水而出者。島嶼也。旁視三法司公所。隱隱錯落雲水之湄。重崗疊阜。遙連於其外。翔然而鸞鳳峙。騰然而蛟龍走矣。其中遠近芳洲相聚。如五星。紅紫烟花。畢絢如匹錦。鷗鷺鳧鴻。載飛載鳴。鰷鱨鰋鯉。以潛以泳。則

四五三

已目飫而心怡矣。一日驚風暴作。洪濤舂撞。篙人惶懼。挐舟艤岸而行。經敗荷間。香氣猶襲人。浮藻亂荇。牽舟綴楫。已乃引入曲渚。兩岸薈蔚。無可登者。須臾抵小陂。遂捨舟以陟焉。命隸剪荊分莽排霧穿雲。逡巡而進。見數處頹垣廢址。意前朝遺蹤。可令人慨嘆。而叢林蒙翳。追探前路尚窒。衆亦憊焉。或藉草坐茵。箕踞少憩。復進。望一高丘。隸指曰。此相傳郭僊墩也。衆狙狖以上。四圍樹林蔽目。復下故道。向新建籍庫。過石橋。延

玄武湖之暮

佇其上。騁望雲水茫茫。淸飈颯颯。遂相與攜手入舊庫之洲。躋齊而升玄武廳。則黃門趙君惟賢已先渡。見余輩勞態殊訝。既而聞述所遇。則又曰。是何奇也。予來斯幾百往返矣。而未有若諸君所遇者。乃出餠炙。酌泉飲啖之。衆亦相與慰喜。以爲非因風之故。則誰使之一探此奇哉。凡至其地者。各

理公事。以日暮而歸。則見日光射水。晚霞相蕩。回視湖上諸宇。在於蒼烟杳靄間。不啻蓬萊閬苑然。豈不信爲佳麗地哉。昔歐陽文忠公以金陵錢塘物盛人衆。爲一都會。兼有山川之美。蓋錢塘莫美於西湖。金陵莫美於後湖。固遊冶之所趨也。

中亙五洲。西北曰舊洲。（一曰祖洲。後名美洲。今名梁洲。）

【後湖志】祖洲初始爲禁地。以貯天下民數。非六朝歌舞地。聖祖規摹宏深者如此。是洲建庫最先。自洪武十四年始大造。今百五十年。凡建庫一十二連。始滿其地云。

西南曰新洲。（一曰蓮蕚洲。後名歐洲。今名櫻洲。）

【後湖志】引洲走其南。璧洲走其北。皆環曲有情。兩洲之西有翠虹堤。與方　於祖洲。洲正當南北之中。四無根著。舟中望之。眞如　生水上。殆天巧也。

【後湖志】鶴橋在蓮蕚洲。

前抱一洲名長洲。(明時分爲二州。在南者名龍引州。在北者名偃擘洲。後名亞洲。今名環洲。)

【後湖志】偃擘洲與龍引俱自西發。龍引南折而東。最長如人偃掌。洲則東折而南稍短三分之一。如掌有巨擘環抱相向云。

【後湖志】祖洲之南。舊有龍潭。禱者輒應。是洲自西而南。南折而東。蜿蜒六七里。空有伸縮偃仰之狀云。

東有二洲。一在北爲趾洲。(一名陵趾洲。後名非洲。今名翠洲。)

【後湖志】洲在湖東陵在洲東。自祖洲注望皇陵正出洲上。而洲爲山麓若趾焉。

一在南爲麟洲。(一書作菱。又名太平洲。後名澳洲。今仍名菱洲。)

【後湖志】俗呼爲將軍洲。豈以其爲湖門耶。然無謂矣。洲在陵之西南。去太平門數里許。城上可見。然亦砥平方正。不如他洲之圜長偃仄也。

玄湖公園　（陸地測量局製）

【南京地理環境】五洲面積民數表

洲名	面積畝數	居民戶數	人數
亞洲（長洲）	一三九	七〇	三八〇
歐洲（新洲）	九六	二五	一四〇
美洲（老洲）	一〇三	一五	九〇
澳洲（菱洲）	九七	四	五〇
非洲（趾洲）	九四	六	四〇
合計	五二九	一二〇	七〇五

長洲西故有翠虹堤。清末闢豐潤門。築堤通焉。

【後湖志】堤長二百餘尺。臥引擘二洲之西。夾以蒲蓮楡柳。翠色可愛。隱隱一長虹也。芳橋在翠虹堤中。

東南有太平門之䲭棲埂。橫袤處爲十里長堤。循堤而行。可達長趾老三洲。惟麟新二洲，宛在湖心。非舟莫渡。而其水一由盧龍山畔通江。一由臺城水關入城。築有四閘。視水盈縮以爲啓閉。五洲之中老洲（美洲）最勝。今於湖神廟東興建公園。舊有湖神廟。

【後湖志】彭汝實神祠記。玄武湖西有神祠。附祠有方臺。縱橫可丈許。相傳爲洪武間都城耆民茅姓者獻策。出上意表。上甚奇之。遂用其言。册庫皆東西向。日朝出。册暴東影。日夕入。册暴西影。萬世利也。已而作窖。築其人於中。予嘗駭斯聞而疑之。（中略）予其葺之時方秋霽。乃命執事者方壑長鋸。循其穿穴者。而漸次除去。他無所見。惟枯根數抱。乃一土丘耳。舊臺坻平而方。下有梯。上有檻。以憑以升，以眺湖中，一覽可望，或曰望湖臺，臺者理或非耶，然曰塚，不墳而方，不鬣而梯，始予固已疑之，已聖祖凡建侯之地，必聚土爲方臺以依五土之神，此豈聚土以依湖神耶，苟以依神，梯可徹也，土甃石爲方臺，如初，噫，百年之誣，庶其解矣。

銅鉤井

景行樓，湖心亭，賞荷廳，陶公亭，（後改陶然亭，合祀張佩綸端方張之洞，）覽勝樓，銅鉤井諸景，長洲次之，中有墩子山，（卽郭璞墓，）湖中套，（卽明黃册庫遺址，）今趾洲（非洲）亦已開闢，湖灘盛產櫻桃．其餘蘆葦茭茱荷葉菱角．湖魚亦爲出產大宗．居民多明亡後自鎭江遷來者．今有一百二十戶．七百餘人．每家皆有船隻．市政府於美洲設公園管理處管理湖利．其計劃概要述之如下．

1 從新佈置園內新式花壇．並酌添置石山等物．以盡園林之勝．

2 改建全園路線．鋪設路面沙石以利遊人．

3 設置湖心亭一座．幷於美非兩洲交界之處．建一水榭．榭邊設一台以供遊人垂釣．而資點綴風景．

4 設置湖燈塔以增美夜景．

5 建設玻璃温室以備隆冬藏蓄花卉之用．

6 裝置公共電話及播音機以利遊人公用．並資娛樂．及調劑精神．

7 勘擇相當地點．設置籐廡花架．以資點綴天然風景而增逸趣．

8 濬深玄武湖及填築農場．濬湖計劃費用浩繁．不克全部舉辦．擬將該湖劃作數段．分期辦理．並擬以濬出之汚泥培填北岸農場．以備將來闢作環球新村之所．

9 開闢非洲公園．近年來公園遊人甚衆．擬將非洲部分加以開闢．分別規劃．加以佈置．以資容納遊人．

10 設置游泳池及湖濱旅館．本市夏季天氣炎熱．擬於湖濱闢一游泳池以資民衆游泳．並擇定湖濱幽靜之地．築建湖濱旅館一二所．以爲市民避暑之用．而供旅行憩息．

11 設立學校園．近世各國學校多重實物教授．校園爲教授實物之唯一學校．本市尙未有是項設備．擬卽於園內擇定相當地點．按照植物分類方法．設法佈置．以供各校教授之研究．幷爲公園之點綴．

12 增加湖產．玄武湖面積計共八千餘畝．其中生產除魚鱗外尙有菱茨芹各種水生植物甚多．若加整頓．每年湖中出息自必比目前增加數倍．惜前爲經費所限．未能發展．茲擬設法（a）加放魚苗．採用最新水產養殖方法．以使其繁殖．（b）加種菱茨水芹各物以增生產．

13 裝置自來水．該園飲水向取之於園內．水源多含鎂質．不適爲飲料．茲爲注重公共衛生計．擬即裝設自來水以利飲用．

茲舉湖事犖犖大者次爲表

年代	事蹟	見書
吳赤烏四年	鑿青谿洩後湖水	後湖志
	辛酉冬鑿東渠名青谿通城北塹湖溝闊五丈深八尺洩湖水	實錄
吳寶鼎二年	開城北渠引後湖水流入新宮巡繞殿堂	實錄
吳寶鼎年間	丹陽縣宣騫之母年八十浴於後湖化爲黿	丹陽記
晉元帝	本桑泊晉元帝創爲北湖以肄舟師	徐爰釋問
晉大興三年	始創北湖築長堤以壅北山之水東自覆舟山西至宣武城六里餘	徐爰釋問

宋元嘉二十三年	築北堤立習武湖於樂遊苑之北湖中亭台四所	石邁古跡篇（景定建康志引此文作眞武湖後湖志引作習武湖肇域志引作玄武湖）
同　年	造玄武湖上欲於湖中立方丈蓬萊瀛洲三神山何尚之固諫乃已	宋書何尚之傳
宋元嘉中	有黑龍見因改玄武湖立三神山於湖中春秋祀之	徐爰釋問
宋元嘉二十五年	四月丁丑黑龍見於湖南五月戊戌黑龍見因改玄武湖立三神山於湖中春秋祀之尋立孚澤廟於湖側號黑龍潭廟祀之	後湖志
宋	張永開玄武湖遇古冢冢上得一銅斗有柄文帝以訪朝士著作郎何承天曰此亡新歲（歲新志作威）斗王莽時三公亡皆賜之一在冢外一在冢內時三台居江左者惟甄邯爲太司徒必邯之墓無疑也又啓冢內更得一斗復有一石銘云太司徒甄邯之墓	南史何承天傳
宋大明三年	築上林苑於玄武湖北	建康志

宋大明中	又於湖側作大竇通水入華林園天淵池引殿內諸溝經太極殿由東西掖門下注城南塹故臺中諸溝水常縈迴不息	建康志
宋大明五年	閱武於湖西	後湖志
	起明堂於國學南丙巳之地初立馳道自閶闔門至朱雀門又自承明門至玄武湖	新後湖志
宋大明七年	詔於湖中大閱水軍因號昆明池而俗亦呼爲飲馬塘	後湖志
宋元徽中	建平王景素舉兵蕭道成出屯玄武湖	
齊永明二年	十月車駕幸青谿宮設金石樂在位者賦詩遂幸玄武湖	後湖志
齊永明中	武帝數幸琅琊城爲獵（卽神策門外之石灰山）宮女萬餘人常夜起嚴妝從之曉至玄武湖射獵	新志
齊永泰元年	王敬則反服誅巫覡云後湖水頭經過宮內致帝疾帝決意塞之欲南引淮流之水而入	新志
梁太清中	侯景舉兵引湖水以灌臺城闕前皆爲洪流	後湖志（末一句據攀城志補）

梁太平元年	徐嗣徽合兵十萬向梁山齊兵至秣陵故城跨淮立柵自方山進及兒塘潛至鍾山龍尾趨幕府山又至玄武湖陳霸先屯樂遊苑東及覆舟山縱兵大戰齊師潰生擒徐嗣徽	新志
	梁徐嗣徽等引齊兵至玄武湖	建康志
梁	昭明太子建果園於後湖植蓮於湖中更立亭館與朝士大夫名素著者遊詠其間	昭明傳見南史
陳宣帝太建十年	帝幸大壯觀閱武(即太平門外下臨後湖)命都督任忠領步兵十萬都督陳景領樓艦五百陳於玄武湖出瓜步口觀宴羣臣以觀	陳宣帝紀
陳太建十一年	宣帝閱武於大壯觀命任忠帥師陳於湖	後湖志
陳後主至德四年	後主幸湖閱武燕羣臣賦詩	後湖志
唐乾元中	詔於太平橋東接青溪北通後湖者置放生池 池凡八十一所有碑昇州刺史顏眞卿文	後湖志
南唐昇元二年	五月作北郊於玄武湖西	南唐書

南唐	一日諸閣老待漏朝堂語及林泉之事坐間馮謐舉玄宗賜賀監三百里鏡湖信爲盛事又曰余非敢望此但賜得後湖亦暢平生也徐鉉怡聲而對曰主上尊賢下士常若不及豈惜一後湖所乏者知章耳馮大有慚色	建康志引鄭文寶南唐事
宋天禧元年	丁謂請減城北後湖租貫從之	後湖志
宋天禧初	知昇州丁謂言城北有後湖宜復舊制疏爲陂塘蓄水	新志 宋史傳
宋天禧四年	改曰放生池按舊圖經唐乾元中已置此池此蓋復其舊耳	後湖志
宋熙寧八年	王安石奏請廢湖爲田奉敕依允 十一月十一日王安石奏臣蒙恩特判江寧軍府竊見古跡號爲玄武之名前代以爲遊翫之地今則空貯波濤守之無用臣欲於內權開丁字河源泄去餘水決瀝微波便貧困飢人盡得螺蚌魚蝦之饒此目下之利水退之後濟貧民假以官牛官種又明年之計也	建康志
宋紹興二年	趙善湘增收後湖田租遂爲例	後湖志（新志作理宗紹定二年）

宋淳熙間	史正志建青溪閣於上	後湖志
宋淳祐十年	五月增先賢祠撥後湖田七十餘畝	後湖志
元大德五年	下鍾山鄉開後湖河道蓋自是以後惟有一池而他皆菑畬之所也	後湖志
元至正三年	浚後湖自鍾山鄉珍珠橋下至金陵鄉之龍灣入江	同治上江志
明洪武十四年	詔天下府州縣編賦役黃册儲於後湖以一百一十戶爲里推丁多者十人爲長餘百戶爲十甲甲凡十人歲役里長一人管攝一里之事城中曰坊近城曰廂鄉外曰里凡十年一周先後則各以丁數多寡爲次每里編爲一册册首總爲一圖鰥寡孤獨不任役者則帶管於百一十戶之外列於圖後名曰畸零册成一本進戶部布政司及府州縣各存一本 計九間册架三十五座	後湖志
	太祖設立收藏圖籍之所凡天下造到黃册皆萃於此故特立給事中主事各一員管理其事湖中船隻係內府司禮監南京戶部分掌匙鑰一應外人不許往來洪武年間法禁最爲嚴重 按湖大數十里中洲爲册庫（中洲卽舊洲）以藏版籍樓開東西牖隨日照之 管後湖給事中戶部主事凡遇一六過湖日期必令監生一	肇域志

	名往內府司禮監領取匙鑰方敢開船傳閘匙鑰繩乃高皇馬太后所製者法禁之嚴可知矣 每十年造册先期題准行工部轉行南京工部蓋造册庫三十間東西向每間前後有窗以受日色杢氣庫名或分東西或分南北或分前後因庫勢也每庫一間爲册架四每架三層列以木板架頂用板蓋爲披水以防滲漏焉	
	湖口濟渡之處有檢閱廳五楹廳前一楹名式民堂庫隘又周繚以垣不見湖而涖湖事者每出入坐堂上稽剔府吏諸役奸僞始用關防付舟人遞呼之印其面手以待驗	習孔教明遠堂記
	國初有黃册五萬三千三百九十三本	後湖志
洪武二十四年	奏准攢造黃册格式　又奏准邊遠土官不拘定式夷民不造 令黃册送後湖收架　委官員監生對查　南北庫計二十五間册架一百座 凡各布政司及直隸府州縣并各土官衙門所造黃册但送戶部轉運後湖收架一委戶科給事中一員監察御史二員戶部主事四員監生一千二百名以舊册比對清查如有戶口田糧埋沒差錯等項造册經奏取旨 令凡官員監生吏卒人匠等每五日一次過湖曬晾司禮監戶部收掌鎖鑰不許一應諸人往來	後湖志
永樂元年	南北庫計二十九間册架一百二十座	後湖志

永樂十年	南庫計十七間册架六十八座小庫計七間册架二十八座另册架二十座寄貯永樂元年册庫北庫間座及小庫弁與南庫同	後湖志
永樂十一年	河南道監察御史張翼等奏准醫治監生	後湖志
永樂二十年	南北庫計三十間册架一百二十七座	後湖志
宣德七年	南北庫計三十間册架一百四十二座	後湖志
正統元年	九月十三日戶科給事中張佑乞添撥監生吏役乞修理册庫	後湖志
正統七年	南北庫計三十間册架一百二十座	後湖志
景泰二年	奏准攢造事宜	後湖志
景泰三年	前後庫計二十四間册架九十八座定官吏里書人等作弊罪例	後湖志
景泰六年	奏准四川威州幷保縣極邊番夷黃册免造　閏六月南京國子監祭酒吳節等奏處爲查理黃册	後湖志

天順六年	南庫計十二間册架四十八座　南小庫計五間册架二十座　北小庫計五間册架二十座	後湖志
成化二年	二月都察院右都御史李等題准爲盜取後湖黄册等事	後湖志
成化八年	前後庫計三十間册架一百座	後湖志
成化十八年	前後庫計三十間册架九十四座	後湖志
弘治元年	奏准修理石閘及禁約事宜　十二月二十五日南京山西道監察御史孫紘等劾奏爲故違禁例以開弊端事	後湖志
弘治三年	四月欽差司禮監太監何穆等題准爲故違禁例以開弊端事　閏九月戶部議處清理後湖黄册事宜　十一月南京吏科給事中邵誠等奏准爲黄册事	後湖志
弘治五年	前後庫計三十間册架一百十八座　六月南京戶科給事中楊廉奏准爲黄册事	後湖志
弘治六年	南京戶部廣西司主事鄧璟奏擬爲曬晾事　十月南京戶部奏請爲坐委官員取撥監生清理黄册	後湖志
弘治十五年	東西庫計三十間册架一百二十座　闢新洲爲庫以儲新册	後湖志

正德七年	東西庫計三十間册架一百二十座　移廚房於長洲	後湖志
正德八年	重修湖口檢閱廳	趙官記
嘉靖元年	東西庫計三十間册架一百二十座	後湖志
嘉靖三年	彭汝實修湖神祠又建聖諭亭于郭公岡	後湖志
嘉靖十一年	東西庫計三十間册架一百二十座	後湖志
嘉靖二十一年	東西庫計三十間册架一百二十座　黃册共六萬五千八百五十九本	後湖志
嘉靖二十四年	五月南京戶科等衙門給事中等官甄成德等題准爲修理册庫愼重圖籍	後湖志
嘉靖二十九年	建戶科管湖公署及戶部管湖公署各一所	後湖志
嘉靖三十一年	東西庫計三十間册架一百二十座	後湖志
嘉靖四十一年	東西庫計三十間册架一百二十座	後湖志

萬曆十五年	南京戶科給事中吳翼雲於後湖檢閱廳前建明遠堂三楹倚城面湖諸役從堂下過湖又更闢防爲竹籌標識而膏塗之人給一籌乃渡否則禁止	習孔教明遠堂記
清	各州連城脚地總共二百畝零三分每季總繳洲租足錢三十六千二百二十六文申九八五錢三十七千一百九十三文夏秋冬三季合繳足錢一百八千六百七十八文申九八五錢一百十一千五百七十九文	後湖洲租清册
	後湖租息每年定額征銀三千二百兩內解公費錢糧連閏正耗銀八百六十六兩六錢一分五厘又撥鍾山鳳池兩書院膏火銀一千七十六兩六錢八分普育堂恤孤經費銀一百二十四兩餘銀支銷湖上購買缺本各項工食等用後湖事例九則 一湖魚（係錢糧之正宗向例每年十月初一日開湖次年二月底止封湖一季五個月逐日取魚均飭網戶頭照市評價發行販出售魚價歸伊清繳每擔魚給飯食錢六十文魚價內例開漁戶手工四成上淨得六成網戶頭飯食亦令漁戶出四成上出六成夏季釣魚亦照此例） 一鱔魚（此款向歸管湖之息現已入官漁戶每日繳足錢四十文） 一菱菜（每日一名買票一張繳錢三十文） 一鮮荷葉（係二十張爲一鋪繳錢一文八毫）	公費全書

	一蓮蓬（每百個例繳足錢五十文） 一菱角（每天一名買票一張例繳足錢七十文） 一乾荷葉（每擔例繳官價足錢二百五十文） 一藕向不取售 一沿湖柴草（每年秋間包人砍伐其錢略有增減）	
	定章每年買放魚鯲趁四五九之期蓄放向來購買自三四萬至五六萬不等	後湖檔案
	麟趾二洲向無旗地新老二洲各有旗地錯雜長洲則全係旗地	後湖檔案
乾隆十六年	高宗幸後湖設行座	同治上江志
同治三年	兵燹以後改歸善後局委員經理每年所收花息錢文除去委員薪水士巡工食及購買魚鯲散放一切用費外不過七八百千文或五六百千文係解善後局以充公用	
同治十年	九月建老洲湖神廟修造進水大閘一座	後湖存儲器具清册
同治十一年	四月湖神廟工竣共造房屋方亭披廈三十三間有湖神廟湖心亭大仙樓觀音閣賞荷廳並建楊柳樓臺牌坊于十里長堤用湘平銀二千二百六十一兩	

光緒三年	始立官祭月給曾文正公香火銀二兩七錢	
光緒四年	增造湖神廟房屋四間	
光緒八年	後湖花息歸王德生試辦年繳制錢一千二百串	
光緒九年	王德生退租仍派太平門委員接辦	
光緒十四年	冬水涸未經放缺	
光緒十九年	城脚濱臨後湖一帶築堤	
光緒二十二年	兩江總督張之洞之十里長堤上重修初曰芙蓉牌坊（原名楊柳樓臺）	金陵後湖志
光緒二十五年	準李智儔胡光煜等請設立玄武湖公司開設課農學堂移建勸工學堂	
光緒二十六年	胡光煜等退租由善後局派員收回	
宣統元年	兩江總督端方建造公園籌興勸業會又闢門名豐潤築堤以通湖上徐固卿建陶公亭及湖山勝覽樓	新京備乘

宣統二年	湖神廟內設立後湖五洲小學
民國十六年	湖神廟東建五洲公園改新老長薆趾五洲名爲美歐亞澳非橋梁道路悉加改築花卉樹木移植至多市政府於美洲設公園管理處陸上農產大都爲居民所有水上物產則歸市政府如漁利管理處得百分之六十四民得百分之三十六

莫愁湖

莫愁湖在石城西。蓋因古樂府之辭而名之。非樂府緣此作也。

【姚鼐莫愁湖風雅集序】古樂府莫愁樂云莫愁在何處。莫愁石頭西。說者謂石城古宣州屬縣。非石頭城也。然湖既名莫愁。土俗相傳。或者亦有由乎。

湖之旁有華嚴庵。庵內有樓。爲勝碁樓。明太祖與徐中山弈碁處也。中山碁勝。明祖以湖輸之。今猶爲徐氏業。樓上舊有徐中山畫像。清乾隆五十八年郡守李堯棟修華嚴庵。樓下繪有莫愁像。

由漢西門望莫愁湖

【馬士圖莫愁湖志自序】歲在癸丑．李松雲太史出典江寧郡事．公餘多暇．往來莫愁湖上．輒稱爲金陵第一名勝．惜其傾頽．捐俸爲建鬱金堂三楹．又於堂西補築湖心亭．雜植花柳．以仍其舊．落成後招寮友宴賞．太史先賦櫂歌二十首．以示與民同樂之意．自此公卿士女爭和于湖上者無虛日．斯湖之名．遂因太史而益彰矣．

洪楊兵革．鞠爲茂草．曾國藩來督兩江．一舉興之．其西有閣．名曾公閣．肖像其中．

【薛時雨莫愁湖志序】石城西有湖曰莫

水道

莫愁湖

愁。始載於宋樂史太平寰宇記。勝國之初。築樓其側。以徐中山棲息處也。紀烈武功之爵。徵題樂府之篇。遠跡崇情。標映前載。巾瓶之契。裙屐之雅。恆袚飾焉。粵寇鴟張。鞠爲茂草。壽安上人病之。湘鄉曾文正既戡大憝。百務修舉。弭節湖上。上人以爲請。公迺下所司。是營是度。左城右平。一舉而更新之。或曰。府寺之制。祠觀之領。未有復其初者。胡汲汲是爲。公曰。江寧控帶吳楚。屹然爲東南重鎭。一旦王臣奉使。與四方賓客之來會者。泯焉無游眺之所。是示之陋也。且此邦人士。拔豺虎之餘。其氣嘗鬱伊於悒。不足以自舒。而亦無山澤之儀。以相娛樂。則其天不暢。而其生不遂。如若所云。知二五而不知一十也。公言若是。信乎。然見其大矣。樓旣成之明年肖公象其中．春秋祈賽．與徐中山並．

民國元年．於閣西建粵軍烈士墓．內有建國成仁碑．總理書也．湖中多植荷花．軒檻明淨．湖光如鏡．春風漾波．春日照影．遙對清涼山掃葉樓石頭城．皆在烟雲杳靄間．〔舊制莫愁湖賣藕不賣荷葉〕今闢爲莫愁湖公園．

氣候

（一）概論

南京居北緯三十二度五分．副熱帶內．副熱帶者．即自南北緯二十度迄三十五度間一帶是也．副熱帶氣候大別爲三．在大陸西部者．爲地中海氣候．在大陸內部者．爲沙漠氣候．在大陸東部者．爲季風氣候．南京之氣候．即屬此帶．此帶冬寒而夏酷暑．雨量多在夏季．

凡季風氣候影響所及之地．其氣壓必冬高而夏低．而季風之所以成．每由於氣壓之不同也．南京之氣壓．一月份平均爲七七一・一毫米．其時之風．多來自西北大陸．至七月中．壓之氣平均爲七五四・一毫米．其時之風．多來自東南海洋．蓋風之趨勢．均由高氣壓流向低氣壓處也．

南京之氣壓，既冬高而夏低，因之雨量夏多於冬，蓋冬日高氣壓在西伯里亞一帶，風既自高氣壓吹往低氣壓，故冬日風來自西北，而自西北方面吹來之風，性極乾燥，乏水分而寒冷，結果造成南京冬日之高氣壓，少雨量，夏日之所以多雨，則因夏日之高氣壓在海洋，卽東南方向，故風多來自東南，東南之風，源自海洋，富水分而溫暖，結果則造成南京夏日之氣壓低，雨量多。

南京處長江下游，四圍寡山嶺，故冬夏季風得以直入而無阻，地位之影響於溫度有如此者。

（二） 分論

氣候所含之要素六，茲分論之。

（甲）氣壓　世界氣壓，在兩極及赤道者爲低，而在南北緯三十度左右者則特高，蓋兩極以離心力大，而赤道溫度過高，故氣壓低，南北緯三十度處氣壓之所以高者，則由兩旁之空氣適由此下降也。凡副熱帶之地，氣壓高而雨量少，南京居副熱帶而雨量豐沛者，則以南京冬日之氣壓高於其同緯度平均之氣壓，而夏日之氣壓低於其同緯度平均之氣壓也，其比較表如下。

南京與同緯度地冬夏平均氣壓比較表

緯度	冬	夏	全年

北緯 32°5′ 平均	764.7	759.3	762.0 毫米
南京	771.4	754.1	763.7 毫米

夏日氣壓低。風來海洋。故多雨。冬日氣壓高。風來大陸。故少雨。是以南京夏季多雨。乃受季風之賜也。

(乙)温度　温度與風亦有密切之關係。南京之温度。以受季風之影響。冬日特冷。而夏日特熱。與同緯度各地相較。冬日温度之差。幾近攝氏十度。合之華氏則約爲十八度。夏日則反高一度。然其全年之平均。則較之同緯度者爲遜色矣。今列表比較之如下。

南京與同緯度地冬夏平均温度比較表

緯度	冬	夏	全年
北緯 32°5′	12.9°	26.7°	18.9°
南京	13.0°	27.3°	15.2°

南京一年中平均温度。一月爲最低。七月爲最高。四月與十月則寒暖適中。冬夏温度之變遷甚緩。而春秋温度之變遷甚速。大抵三四兩月温度之相差。約達攝氏六度。四五兩月之相差。約達五度。至九

十兩月之相差。亦達五度。而十十一兩月之相差。則竟達七度左右矣。茲圖示如下。

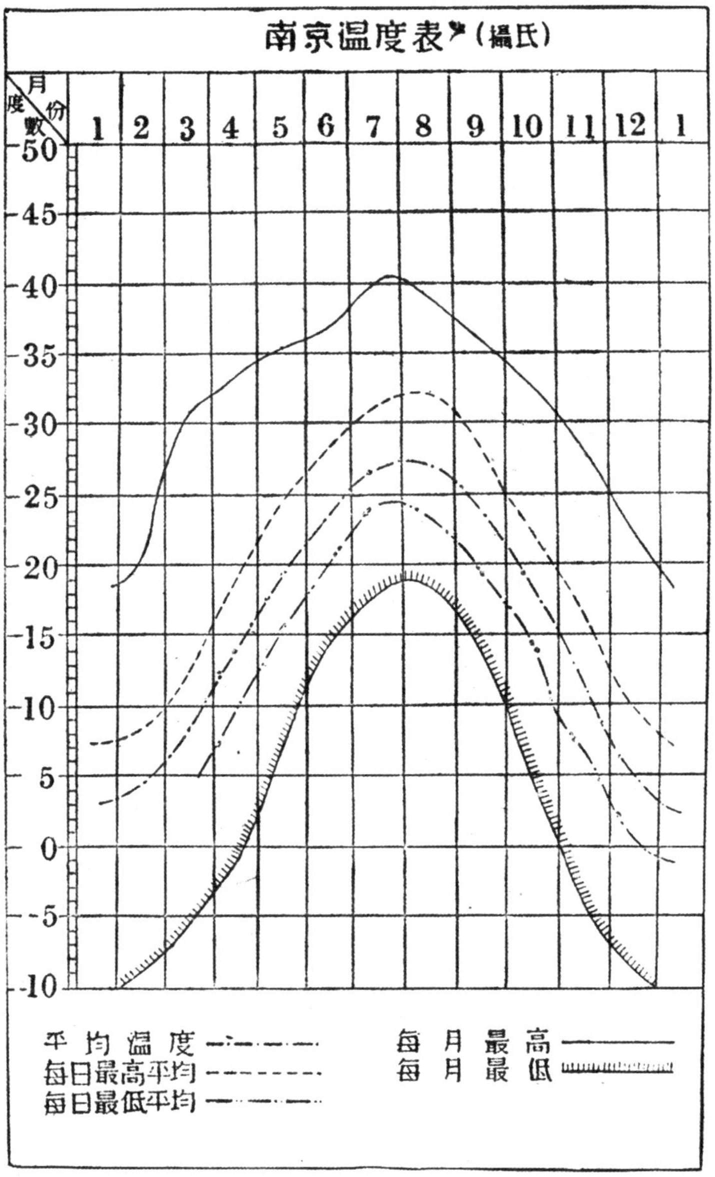

南京最高最低之温度。依光緒三十三年至民國十六年。二十年間之紀錄。最低温度見於民國六年

一月四日。計攝氏零下十二度又二分之一。即華氏九度半。最高溫度。見於民國三年七月二十三日。達攝氏四十度又五分之一。合之華氏表則有百零四度。此雖偶見。然以南京之緯度而論。其相差亦可驚矣。若比之同緯度各地。則南京氣候。誠冬嚴寒而夏酷暑。均趨極端。試觀下表可知矣。

緯度相近各地溫度按月比較表（攝氏）

地名	緯度	一月	二月	三月	四月	五月	六月	七月	八月	九月	十月	十一月	十二月	全年
南京	32°5′	3.0	4.0	8.2	14.1	19.9	24.1	27.3	27.2	22.5	17.3	10.3	4.7	15.2°
漢口	30°35′	4.4	5.3	9.9	15.9	21.6	25.5	28.5	28.7	23.7	18.4	11.7	6.3	16.7°
上海	31°12′	3.2	3.9	7.8	13.4	18.6	22.9	26.9	26.8	22.7	17.4	11.1	5.6	15.0°
生笛哥	32°43′	12.2	12.6	13.4	14.6	16.0	17.7	19.4	20.4	19.4	17.2	15.0	13.2	15.9°
愛兒拍梭	31°47′	6.7	9.4	13.3	17.7	22.3	26.5	26.9	25.9	22.6	16.9	10.5	7.1	17.2°
沙紋那	32° 5′	9.9	11.4	14.6	18.2	22.6	25.7	26.9	26.3	24.1	19.0	14.2	10.7	18.6°
耶路撒冷	41°48′	7.0	8.6	10.8	14.9	19.4	21.3	22.9	23.0	21.3	17.1	13.3	9.4	15.9°

霜　霜有早霜終霜之期．所謂早霜者．即秋季或初冬時第一次降霜．終霜者即孟春時最後一次降霜也．二者又有平均日期．及最早最遲日期之分．各地降霜之期．每無一定．大抵緯度高者．秋季降霜期早．低者霜期遲．南京之霜期列表如下．

南京霜期表

早霜		終霜	
平均	最早	平均	最遲
十一月十四日	十月二十九日	三月十九日	四月六日
霜降十月二十四日		穀雨四月二十一日	

霜與農業有重大之關係．故中外各國皆極注意．南京之無霜期．自三月十九日至十一月十四日．於此八閱月中．爲農植時期焉．

(丙)雨量　南京之雨量。尙稱豐沛。全年平均爲一千一百毫米。約四十四吋左右。一年之中雨量最多者。爲六七兩月。五月則較四月爲少。最少則在十二月。

其降雨期之多寡。據調查所得。南京十二月降雨期與晴朗期之比。爲五與二十六。六七月中晴日與雨日之比。則爲十六與十四。卽俗所謂黃梅天者也。黃梅天之所以成。乃由於季風之影響。當交夏之後。西北風漸衰。東南風漸盛。寒冷之西北風。與溫暖而潮溼之東南風相遇合。冷暖不均。水氣冷而凝結。因是下降而爲雨。故黃梅天常霪雨連綿也。

又以西北風漸向後退縮。東南風漸向前趨進時。其降雨期遂生出早遲之不同。南京雨期。遲於香港杭州。而早於天津。蓋東南季風之來。先往香港杭州。而南京。而天津也。南京之黃梅雨季在五六月之交。以東南西北兩不同溫度之風。適相會於斯時也。至其降雨量及雨日之多寡亦然。蓋東南風之溫度漸北而漸減也。試觀南京杭州天津三處雨量及降雨日數之比較。卽可知其大概矣。

氣候

四八五

南京杭州天津雨量表

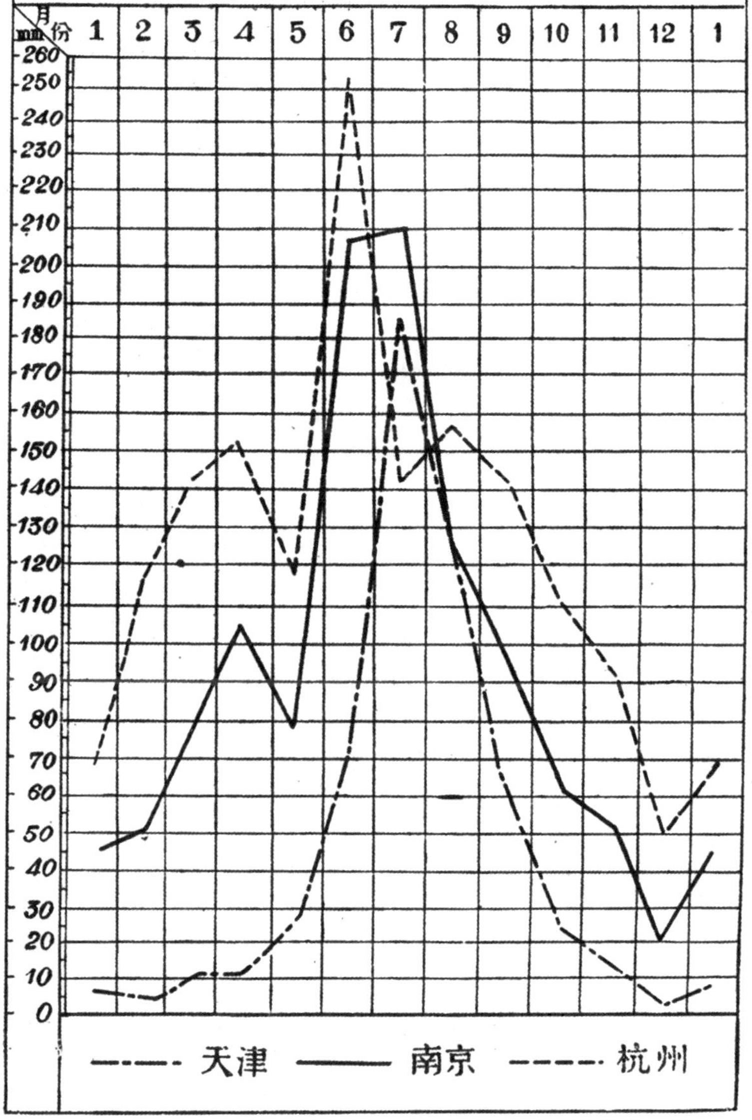

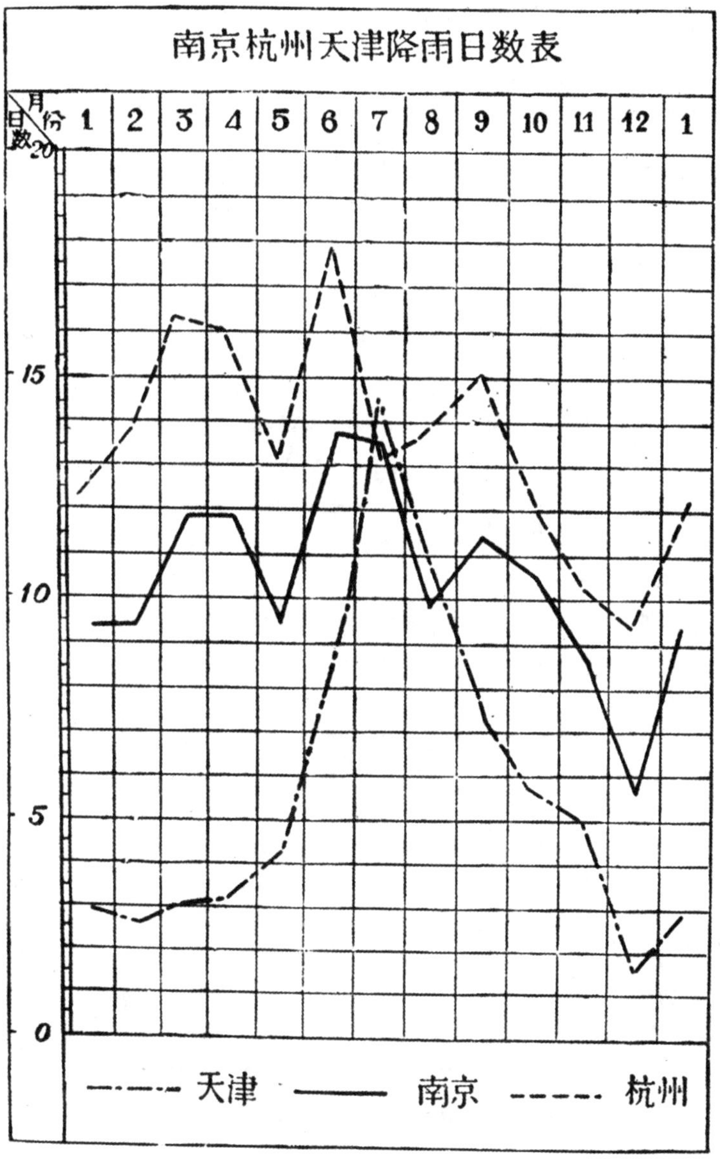

雪

雪之降止。我國曆書上皆有記載之。如小雪卽初雪。雨水卽終雪。惟其記載之日期。每不可憑。且常有適於此而不適於彼者。今將南京自光緒三十三年至民國六年所測得雪之降止期列舉於下。

南京雪之降止期表

初雪		終雪	
平均	最早	平均	最遲
十二月七日	十一月九日	三月四日	四月三日
小雪十一月二十三日		雨水二月十九日	

二十四小時內最大之雨雪。據過去紀錄。自光緒三十一年至民國十八年二十五年間。南京二十四小時內之最大雨量。當推民國十一年九月十一日下午四時至十二日下午四時爲最多。計共一四六・一毫米。原因乃由於颱風掠南京附近而過。其次則民國十四年七月二日下午四時至三日下午四時。共降雨一四一・九毫米。約合六吋之譜。南京歷年來最大之雪。見於民國十八年十二月十八至十九兩日。計共降雪四十小時。平地雪深一尺。融化作水。計共七二毫米。

（丁）溼度　南京氣候頗爲潮溼。其溼度一年之中。則以七月爲最大。以十二月爲最小。此蓋受季風之影響。東南風盛行時。溼度增大。西北風盛行時。溼度減小。茲將其比較溼度列表於下。

南京溼度比較表

	緯度	一月	二月	三月	四月	五月	六月	七月	八月	九月	十月	十一月	十二月	全年
南京	32°5'	77.9	77.8	77.6	77.8	77.7	81.0	83.0	81.0	81.0	78.0	78.0	76.0	79.0

(戊)風　南京之風。實受信風及季風之影響。冬日多東北風。夏日多東南風。而西北風惟十二月與一月間稍稍有之。大抵自八月九月以至翌年四月。皆爲東北風盛行之期。六月七月八月三月爲東南風盛行之期。四五月之交。則爲東北東南二風交替之期。是以淫雨連綿。而成雨季。以風力而論。則一年中以三月七月爲最大。十月十一月爲最小。北風之力。常較南風爲強。無論冬夏。下雨多東北風。近年最大風力。當推民國十八年五月二十二日下午五時之颱風。依北極閣風力計之紀錄。風力最強時。達每秒三十五公尺。卽每小時一百三十六公里也。

(己)雲　南京之雲種類甚多。其最特異而常見者。則爲塊狀積雲。次爲層雲。積雲在我國素見不鮮。而南京尤多。大概上午八時。卽可見之。由斯漸增。迨達傍晚。乃歸消滅。多見於晴朗之日。然至九月之後即鮮見矣。九月以後。層雲高層雲層積雲代積雲以興。迨至一月二月。則爲各類層雲最盛之時期。由是以後。則亦漸歸減少。直至積雲代興而止。

南京之雲量。一年之中以十月與十一月爲最少。是時天朗氣淸。故有秋高氣爽之稱。以五六兩月爲最多。以適逢霉雨期故也。茲列表以示之。

南京各月雲量表

地名	時期	一月	二月	三月	四月	五月	六月	七月	八月	九月	十月	十一月	十二月	全年平均
南京	1922—1928	6.3	6.2	6.3	6.2	6.8	6.7	6.4	4.9	5.4	4.7	4.4	5.1	5.8

(庚)天氣之變動　南京天氣之變動。不出四種因素。夏季由於雷雨及颱風。冬季由於風暴。及西伯里亞高氣壓。

風暴　冬日天氣之晴陰。多受制於風暴。此等風暴來自西方。由長江上游往南京。向東海而往日本。冬春各月將雨時。必爲東南風或東北風。晴時則爲西風或南風。南京下雨。均在風暴已過之後。且必須風暴由南京之南而過。則雨量始豐。是等特點。非特限於南京。即長江下游各處。亦莫不如斯。一年之中。以四月六月風暴特多。故霉雨時期。霪雨連旬者。風暴接踵而來。實大有影響也。茲將長江流域各月中之風暴數。列表如後。

長江流域十年間各月風暴數目表

月份	一月	二月	三月	四月	五月	六月	七月	八月	九月	十月	十一月	十二月	合共
風暴數	23	16	21	25	19	26	8	2	5	11	9	12	177

西伯里亞高氣壓　西伯里亞高氣壓。頗有關於南京氣候。冬季亦有風暴經過南京附近。然南京但覺陰曇。不降雨澤。乃以乏西伯里亞高氣壓爲之後盾也。如西伯里亞高氣壓向南而下。則風暴受壓迫。勢必至於侵入長江南部。遂至降雨。迨高壓氣逼近。則即飛雪。南京之雪。幾無一次不受西伯里亞高氣壓之影響焉。

雷雨　雷雨多在夏季。因日中溫度過高。空氣漸呈不穩定狀態。近地面之熱空氣上升。而高空之冷氣下降。故雷雨以前數小時。多覺悶熱。雷雨過後。驟覺涼爽。職是之故也。南京每年平均有雷雨之次數。約爲十五天。以七八兩月爲最多。五六兩月次之。至冬季一月十二月則罕觀矣。據過去之紀錄。南京在十月十二月及一月間。均未測得有雷雨。茲將民國十年至民國十八年歷年雷雨列表如下。其中民國十二年及十六年。因殘缺不載。

南京各月雷雨表

年份	一月	二月	三月	四月	五月	六月	七月	八月	九月	十月	十一月	十二月	合共
十年	0	0	0	0	0	1	7	4	1	0	0	0	13
十一年	0	2	0	1	0	2	2	1	0	0	0	0	8
十三年	0	0	0	3	5	2	5	5	1	0	0	0	12
十四年	0	0	0	0	1	5	5	2	0	0	1	0	14
十五年	0	0	0	0	2	1	8	3	0	0	0	0	14
十七年	0	0	3	2	1	0	4	2	0	0	2	0	14
十八年	0	0	1	1	2	5	1	9	0	0	1	0	20
平均	0.0	0.3	0.6	1.0	1.6	2.3	4.6	3.7	0.3	0	0.6	0	15.0

颱風　風暴乃指温帶風暴而言。尙有熱帶風暴。則南京惟秋夏之間見之。此等熱帶風暴。卽颱風或颶風是也。颱風多起源太平洋赤道附近雅泊島之東。漸漸西行。過菲律濱。由此東折向日本或西趨安南。或則經臺灣海峽。在我國沿海登陸。南京因離海已遠。颱風登陸卽勢力減少。故南京遭颱風之殃。不若沿海諸邑之甚。且長江流域。緯度較高。颱風之能及者。亦較閩粵諸省爲少也。

颱風至我國沿岸。以七八九三個月爲最多。長江下游。以七八兩月所受影響爲尤大。卽在閩粵一帶登陸之颱風。亦往往向西北進行。掠南京附近而過。是故在北温帶中。依理論言。平均風力。應以三月爲最大。七月八月爲最小。而南京七月之風力。乃超出於三月。則以颱風故也。玆將每月平均風力列表於下。

南京各月平均風力表（以每時走幾公里算）

時期	一月	二月	三月	四月	五月	六月	七月	八月	九月	十月	十一月	十二月	平均
1929	19.3	17.8	17.1	19.5	18.6	16.8	21.5	20.5	14.0	15.7	14.3	17.6	17.9

近年來南京颱風之最烈者。當推民國十年。是年八月。南京曾有兩次颱風。風力極强。足以拔數十年

之老樹。第一次在八月十四日至十六日。第二次則在二十日至二十四日。第一次掠南京之南趨向長江上游。當時南京最低氣壓爲七四二·九四毫米。風力達蒲福爾第十度。降雨達四吋。第二次颱風中心。於八月二十一日晨。往南京而西。當時最低氣壓爲七三四·〇五毫米。風力與前次不相上下。而雨量則不及焉。

首都志卷六

戶口

首都戶口．自漢至今．歷歷可考．然或以郡計之．或以縣計之．或以市計之．區域有大小．難以比較其繁衍之度．而所計者又未必盡覈．茲據諸書爲表．存其大都而已．

時代	書名	地名	戶數	口數	備註
西漢	金陵志	丹楊郡	一〇七五四一	四〇五一七〇	
東漢	同上	同上	一三六五一八	六三〇五四五	

晉	同上	同上	五一五〇〇		
晉太康元年	宋書	同上	四一〇一〇	二三七三四一	
隋	金陵志	同上	二四一二五		
唐開元	元和郡縣志	潤州	九一六三五		
唐元和	同上	同上	五五四〇〇		

以上自漢迄唐所隸州郡戶口總數縣之戶口文獻無徵

時代	書名	縣名	戶數			口數			備註
宋	景定志	上元	主 一一二八〇	客 七四六六	一八七四六	主 一五七八五	客 八七五七	二四五四二	
		江寧	主 一一三五四	客 三三五七	一三六一一	主 一六四八五	客 二〇四七	一八五三二	
			合 二二六三四	九七二三	三二三五七	合 三二二七〇	一〇八〇四	四三〇七四	

	元			明洪武二十四年			明成化弘治
	金陵志			萬曆上元志	正德江寧志		
	上元	江寧		上元	江寧		上元缺
戶	二九二七七	二二七〇五	合五一九八二	三八九〇〇有奇	二二〇〇〇有奇	合六〇九〇〇	
口	缺	一三二七八七		二五三二〇〇有奇	二二〇〇〇〇有奇	四七三二〇〇	
四九七	金陵新志元時有南人儒弓手醫財賦佃費哈喇赤民軍急遞鋪夫匠水馬站民北人色目蒙古畏吾兒回回匠馬契丹漢人軍民三十三等			郡國利病書卷十三初明太祖之下金陵也患反側盡遷其民於雲南而徙南直隸浙江民二萬戶於京師充倉腳夫命戶部籍天下富民萬四千戶京師三百餘家實京師曰富戶（永樂時又選其富者三千戶爲大宛二縣廂長其後貧乏輒選其本籍之殷實者僉補之見明食貨志）又洪武十三年徙蘇浙上戶四萬五千餘家實京師其壯丁發各工局充匠餘爲編戶			郡國利病書成祖北遷取民匠戶二萬七千以行故戶口減其半

年代	出處	縣	戶	口	備注
	正德江寧志	江寧	五一一一二	一一二二一三	視洪武多寡懸甚
明正德八年	萬曆上元志	上元	二九一六〇	一三五八〇〇	
明正德十年	正德江寧志	江寧	主 四二一〇 客 九〇二	主 九五一〇 客 一七〇三	
			合 三四二七二	合 一四七〇一三	視弘治又減戶口漸少征科日繁監局人匠舊額二千五百七十五名逃亡殆盡
明萬曆二十年	萬曆上元志	上元	坊廂戶 六一三九 丁船居戶 五九八 二七七一七	二七七〇〇有奇	賦役日增逃竄日衆
			丁里甲戶二〇八九		
	萬曆江寧志	江寧	坊廂戶 三二〇〇 里甲戶 一四〇〇〇 一七五九〇	坊廂口 九二〇〇 里甲口 一四〇〇〇有奇 二三六八四	
			合 四五三〇七	合 五一三八四	

戶口

年代	根據	區域	戶數	口數	合計	附註
清康熙五年	同治上江志	上元		充餉當差人丁三六七八 衛所軍丁七三五七	一一〇三五	
	同上	江寧		充餉當差人丁二七六八三 衛所軍丁四六二四	三二三〇七	
				合	四三三四二	
咸豐二年	金陵通紀	南京城內		幾九十萬人		同治時惟皖鄂兩省人居十之七，同戶又居土戶三之一（自散處各街巷外，上下浮橋、七家灣、牛頭巷至旱西門皆其族也）
民國八年	江蘇省政治年鑑	江寧	本國 一六三四三五 外國 一五七 合 一六三五九二	本國 男四七七五八〇 女三四四一八二 外國 男三五一 女三三二 合 男四七七九三一 女三四四五一四	本國 八二一七六二 外國 五八三 合 八二二四四五	

四九九

民國十五年	竺可楨論江浙兩省人口之密度	江寧		九〇三〇〇〇	
	海關報告冊	南京城		三九五九〇〇	
民國十六年	首都警察概況	南京市		三六〇五〇〇	
十七年	同上	同上		四九七五二六	
十八年	同上	同上		五四〇一二〇	
十九年	同上	同上		五七七〇九三	
二十年	同上	同上		六五三九四八	

二十一年	同　上	同上		六五九六一七	
二十二年	同　上	同上		七二六一三一	
二十三年	同　上	同上		七七七二三〇	
二十一年四月	同　上	同上		八一一〇〇五	
二十四年四月	同　上	同上		九六八九四二	

首都居民職業分類統計表

二十三年六月份

職業種類			男	女	合計	百分比
有業	農業	農	9551	4882	14433	1.95
		林	255	51	306	0.04
		漁	873	100	973	0.13
		牧	282	91	373	0.05
		合計	10961	5124	16085	2.17
	鑛業		181	2	183	0.03
	工業	工廠工業	12357	3808	16165	2.18
		小工業	24768	4007	28775	3.88
		手工業	28033	16657	44692	6.03
		合計	65158	24474	89632	12.09
	商業	販賣	39019	6020	45039	6.08
		經理介紹	2065	109	2174	0.29
		金融保險	1769	27	1796	0.24
		旅館飯店	6481	1040	7521	1.01
		理髮	5043	313	5356	0.72
		其他	23173	6364	29537	3.99
		合計	77550	13873	91423	12.33
	交通業	通信	2539	29	2568	0.35
		運輸	8782	38	8820	1.19
		推挽人力車	28508	144	28652	3.86
		合計	39829	211	40040	5.40
	公務業	黨	1691	135	1826	0.25
		政	16714	513	17227	2.32
		軍	28491	82	28573	3.86
		警	4793	45	4838	0.65
		合計	51689	775	52464	7.08
	自由業	教育學術	3660	1186	4846	0.65
		文藝	707	81	788	0.11
		醫	1128	214	1342	0.18
		律師	128	——	128	0.02
		工程師	175	——	175	0.02
		新聞	667	12	679	0.09
		宗教事業	1288	394	1681	0.23
		其他	3751	1955	5706	0.77
		合計	11504	3841	15345	2.07
	人事服務	家庭管理	6175	105593	111768	15.08
		侍從傭役	28320	22825	51045	6.89
		合計	34495	128218	162813	21.97
	未詳		7324	416	7740	1.04
	總計		298691	177034	475725	67.18
無業	失業		9118	3249	12367	1.67
	學生		39474	12142	49616	6.69
	依財產生活		6005	6354	12359	1.67
	非法生活		616	450	1066	0.14
	囚犯		1378	711	2089	0.28
	機關收容		733	1629	2362	0.32
	老弱殘廢		87531	71903	159434	21.51
	其他		12517	13691	26208	3.54
	合計		155372	110129	265501	35.82
人口總計			454063	287163	741226	100.00

首都居民籍貫分類統計表

二十三年六月份

戶口

籍貫	男	女	合計	百分比
南京	125165	8[illegible]6	20[illegible]91	28.10
上海	7124	5416	1254[illegible]	1.69
北平	3784	30[illegible]3	6847	0.[illegible]3
青島	382	204	586	0.08
東省特別區	13	8	2[illegible]	
威海衛行政區	1	1	[illegible]	
江蘇	162070	1013[illegible]9	263457	35.54
浙江	20676	10[illegible]33	314[illegible]9	4.24
安徽	53179	34196	87375	11.79
江西	4900	3572	8472	1.14
福建	27[illegible]9	1931	46[illegible]0	0.63
廣東	5[illegible]66	3533	8799	1.19
廣西	974	6[illegible]5	15[illegible]9	0.22
湖南	11792	7662	194[illegible]4	2.62
湖北	13669	10103	23772	3.21
四川	1695	1118	2813	0.38
西康	41	22	63	0.01
貴州	611	382	993	0.13
雲南	608	407	1015	0.14
遼寧	352	252	604	0.08
吉林	67	56	123	0.02
黑龍江	10	9	19	
河北	7568	5071	12639	1.71
河南	5406	3111	8517	1.15
山東	16860	100[illegible]2	26962	3.62
山西	868	353	1221	0.16
陝西	694	337	1021	0.14
甘肅	76	28	104	0.02
寧夏	7	4	11	
綏遠	19	11	30	
察哈爾	11	6	17	
熱河	21	13	[illegible]4	
青海	19	9	28	
蒙古	[illegible]	18	41	0.01
西藏	66	1	67	0.01
未詳	7[illegible]24	416	7740	1.04
總計	454063	287163	741226	100.00

五〇三

戶口分類統計表 二十三年六月份

局	第六局			第七局			第八局			八卦洲			合計			
數	戶	口數		戶	口數		戶	口數		戶	口數		戶	口數		
女	數	男	女	數	男	女	數	男	女	數	男	女	數	男	女	計
37647	6993	16731	15286	5928	12104	12201	1587	3076	1966	941	3029	2147	87161	235323	188182	420505
9112	2889	6216	4546	8177	17102	13792	5882	12230	10223	62	152	111	37925	87313	63853	151166
7703	831	4481	1426	1904	12817	2937	360	2435	46	40	135	81	16112	78242	29013	107255
143	26	745	339	10	63	16	4	34	8	7			211	3623	1303	4926
19	118	6855	36	75	1325	12	32	918		2	73		720	36888	1661	38549
84	13	314	83	7	48	3							59	2040	192	2232
206	15	439	18	21	315	35	1	25					86	1967	326	2293
3	8	8	6	210	503	420				10	41	17	481	1076	787	1863
230	35	322	24	12	53	13	2	12					313	1454	617	2071
163	6	151	48	89	1109	208	30	150	51				363	3279	894	4173
10	1	9		3	10	1							103	629	88	717
	4	84	7	5	12								64	1247	123	1370
	8	3		1	1						1		16	20		20
				22	65	1	7	32					36	103	1	104
				1	7								3	38		38
27	2	5		1	3								46	168	32	200
22				9	21	1	2	5					11	235	23	258
	9	28	10	1	5					1	5		27	86	10	96
	1	4											10	18	7	25
													2		5	5
15	2	5	5	6	12	3							33	99	38	137
8	4	11		5	22	2							43	215	18	233
55392	10970	36361	21834	16487	45597	29645	7907	18914	12703	1064	3486	2356	143924	454063	287163	741226

首都警察廳各局界內

戶口

局別 / 戶口 / 類別	第一局 戶數	第一局 口數 男	第一局 口數 女	第二局 戶數	第二局 口數 男	第二局 口數 女	第三局 戶數	第三局 口數 男	第三局 口數 女	第四局 戶數	第四局 口數 男	第四局 口數 女	第五 戶數	第五 口 男
住戶	17402	46801	24289	9335	27044	19727	12326	32173	28491	17335	44567	36128	15314	49798
棚戶	3057	8843	5853	4559	13111	8904	1232	3094	2563	4630	11352	8949	7437	15213
商店	2594	12745	5410	1905	7769	3545	2377	14821	4271	2017	10930	3175	4084	12109
學校	31	307	90	20	531	128	23	847	508	31	289	71	59	807
機關	126	14911	163	122	1205	14	77	5782	78	43	2038	1339	125	3781
宿舍	14	984	22	2	47		4	65		6	179		13	403
工廠	19	280	30	4	279		12	161	24	6	112	13	8	356
船戶	10	38	20	28	81	27	183	300	216	33	96	78	4	9
寺廟	34	165	64	35	104	113	42	175	36	84	322	137	69	301
旅館	66	689	129	40	399	38	42	389	187	26	122	70	54	270
報館	33	262	53	3	12		37	236	14	7	37	10	19	63
娛樂場所	9	426	50				23	786	55	8	23	11	15	16
農會	3	6		1	3		1	5					1	1
工會											4		4	2
商會	1	3		1	28									
同鄉會	4	17		10	23		14	59	4	3	8	1	12	53
同業公會	9	18		6	10		25	74		20	64		39	43
文化團體	10	30		4	12		1	5					1	1
學生團體	8	13	7										1	1
婦女團體	2		5											
宗教團體	6	15		3	8		5	29	9	4	16	6	7	16
慈善團體	6	47		3	13		7	46		10	58	8	8	18
總計	23444	86598	46185	16081	50679	32496	16431	58997	36256	24266	70217	50296	27274	83261

五〇五

官制

吳

揚州牧。丹楊太守。建業丹楊令。典農都尉都督。

晉

琅琊王都督揚州江南諸軍事。假節鎭建業。比國王例。
揚州刺史。太康二年平吳後治秣陵。太興元年以後治建康。所屬州佐有別駕治中部郡從事史。又有主簿門亭長。錄事記室等。
丹楊尹一人。治建康。位次九卿下。丞一人。郡佐有功曹史。五官掾。文學掾。及主簿主記史等員。尹本太守。南渡後改。又嘗爲內史。
建康令一人。第六品。丞一人。第九品。六部尉江尉西尉東尉南尉北尉左尉右尉。第九品。縣佐有主簿錄事史主記室史門下書佐功曹史等員。秣陵江寧江乘湖熟略如建康。惟尉大縣二人。小縣一人．此諸縣不可定．
揚州有大中正．丹楊有郡中正．縣有清定訪問等．
琅琊內史一人．治江乘．元帝太興三年置．第五品．丞一人．第八品．其他僑置州郡縣．亦自有刺史內
史令．其丞尉等或置或否．不可知矣．

宋

如晉制．順帝昇明二年改刺史曰牧．揚州牧率以子弟王者居其任．丹楊尹亦有以王者居之者．江
左以此爲重任也．
建康秣陵各有都官從事獄丞．大明中置．

齊梁陳

略如宋制．梁增置南丹楊太守一人．治江寧．陳省．
中大通二年分建康東境置同夏縣．省湖熟縣．天監元年建康縣置三官．與廷尉三官．〔廷尉卿下
正監評．謂之三官〕分掌獄事．號南獄．廷尉號北獄．

隋

蔣州刺史一人．大業初復省州．改丹楊郡．置太守一人．
江寧令一人．從七品．丞一人．正九品．尉一人．流外．
丹楊都尉一人．正四品．副都尉一人．正五品．皆領兵．

唐

東南道行臺尙書令一人．武德三年置．治蔣州．八年改揚州大都督府都督．九年移治江都．
浙江西道節度使．兼江寧軍使．領昇潤等十州軍事．一人．乾元元年置．治昇州．二年罷．
昇州刺史一人．從三品．
上元縣令一人．從六品上．丞一人．從八品下．主簿一人．正九品下．尉一人．從九品上．

楊吳

鎭海軍節度使．正明二年置．居昇州．
金陵大都督府都督．天祐十四年置．居金陵．

金陵府尹一人。天祐十四年置。治上元。

上元江寧縣令各一人。

南唐

同吳制。改金陵府尹爲江寧尹。

宋

知昇州軍州事一人。兼兵馬鈐轄巡檢通判一人。開寶八年置。天禧二年改爲建康府。知府事一人。通判三人。分東西南三廳簽書建康軍節度判官廳公事一人。節度推官一人。觀察推官一人。屬官有司錄參軍一人。戶曹法曹士曹參軍各一人。助教二人。左右軍巡使判官各二人。左右廂公事幹當官各四人。

上元江寧縣令各一人。丞各一人。主簿各二人。尉各二人。十七鎮監官各一人。

都督江淮等路諸軍事。紹興二年四月置。其屬參謀官二員。參議官二員。主管機宜文字二員。書寫機宜文字一員。幹辦公事官十員。准備差使文臣十員。准備差使大小使臣各二十員。准備將領使喚十員．三年四月移司鎮府．

同都督江淮諸軍事．建康府措置．紹興二年九月置．尋省．

都督江淮東西路建康鎮江府江陰軍江池州軍馬．隆興元年九月置．

同都督江淮東西路建康鎮江府江陰軍江池州軍馬．隆興元年九月置．十一月落同字．

督視江淮京湖軍馬．淳祐七年四月置．九年省．

江東淮西路宣撫使．建炎中置．其屬有參謀官參議官機宜文字幹辦公事．及准備將領准備差遣准備差使各五人．尋省．

江淮東西路宣撫使．隆興元年六月置．

鎮江建康淮東路宣撫使．紹興四年三月置．尋改江淮宣撫使．壽春府滁濠廬和州無爲軍宣撫使．

紹興元年七月置司建康．尋省．

江東宣撫處置使．紹興三年置．後省．

江南東路宣撫使．紹興五年置．尋省．開慶元年十月復置．加大使．置司他郡．

江南東西路宣撫使．紹興元年置．後省．開慶元年十一月復置．加大使．寓治他郡．

江淮兩淛路制置使。治建康。其屬有參議官諮議官主管機宜文字計議官幹官屬官。建炎三年置。尋省。

江淮安撫制置大使。治建康。紹定四年十二月置。兼知府。六年二月省。

江淮制置使。治建康。開禧三年二月置。兼知府江東安撫使。嘉定十年正月省。紹定三年十一月復置。加大使。十二月安撫制置合爲一。

淮西制置使。寓司建康。嘉熙元年三月置。以松江制置使兼領。淳祐二年免兼。

江南東路安撫制置使。治建康。建炎三年三月置。以知府兼。四月省。紹興八年六月復置。加大使。十五年四月省制置。安撫使仍舊。

松江制置使。治建康。建炎三年八月置。紹興元年六月省。乾道三年九月復置。六年二月省。開禧二年六月復置。嘉定二年九月省置。紹定三年十一月改江淮制置。六年復舊。或以江東安撫使知府事兼領。或兼知府事及安撫使。或爲使。或爲大使。

江南東路安撫使。治建康。兼馬步軍都總。大中祥符三年置。其屬有參議主管機宜文字幹官屬官。五年省。宣和三年復置。建炎三年五月以制置合爲一。四年省制置。安撫仍舊。紹興八年二月加大使．六月又以制置合爲一．十五年省制置二字．安撫仍舊．安撫制置．或爲一．或爲二．或二使相兼．或置一省一．視時緩急也．或兼守．或以守兼．或主管公事．或爲使，或爲大使．視官崇卑也．

江淮制置．專一措置屯田開耨．三年置．淳祐七年改．

節制和州無爲軍安慶府三郡屯田使．淳祐元年二月置．以沿江制置使兼領．二年加節制二字．

江南東路營田使．淳熙二年三月置．以江南東路安撫使兼．

總領兩淮軍馬錢糧所．帶專一報發御前軍馬文字．紹興十一年置．官屬有幹辦公事．準備差遣．主管文字．有分差糧料院．審計司．審計以通判兼．權貨務．都茶場．御前封樁甲仗庫．大軍倉．大軍庫．贍軍酒庫．市易抵當庫．惠民藥局．

江南東路轉運司．有使．有副使．判官．有都轉運使．除省不常．其屬有主管文字．幹辦公事．準備差遣．

屬官．

提領江淮茶鹽所．嘉熙四年八月創．制置茶鹽使．後置提領．

提領建康府戶部贍軍酒庫所．乾道中置．其屬有主管文字．幹辦公事．準備差遣．酒庫監官．糴場監官．都錢庫監官．

侍衞馬軍司．乾道七年置．

御前諸軍都統置司．紹興七年置．

元

行中書省．至元十五年置丞相中書令主之．下有平章．右丞．左丞．參知政事．郎中員外郎．蒙古必闍赤等官．二十一年移杭州行樞密院．至元二十一年置知院主之．下有同知副樞僉院同僉官．屬有院判經歷都事蒙古必闍赤等官．三十一年幷歸行中書省．

江南行御史臺．至元二十三年自江州移治建康路．統江南建康等十道．御史大夫一人．從一品．丞二人．正二品．侍御史二人．從二品．治書侍御史二人．正三品．監察御史二十八人．正七品．官屬有經歷一人．從五品．都事二人．正七品．照磨一人．正八品．承發管勾兼獄丞一人．正八品．架閣庫管勾一人．正九品．

江東道宣慰司．至元十三年置．大德三年二月革．隸江淛等處行中書省．

建康宣撫司．至元十二年置．十四年改立建康路總管府．

江東建康道提刑按察司。至元十四年置。治江東諸路。二十八年改名肅政廉訪司。二十九年移治寧國。

建康路達魯花赤總管府。至元十四年置。〔天曆二年改集慶路〕達魯花赤一人。總管一人。並正三品。同知治中判官各一人。正五品。推官二人。正七品。經歷一人。正八品。知事一人。照磨並承發架閣一人。並正九品。儒學教授一人。蒙古教授一人。並正九品。醫學陰陽教授各一人。司獄司司獄一人。丞二人。平準行用庫提領大使副使各一人。織染局局使一人。副使一人。雜造局大使一人。副使一人。府倉大使一人。副使一人。惠民藥局提領一人。稅務提領一人。大使副使各一人。錄事司判官一人。達魯花赤一人。典史一人。

建康路寶鈔提舉司達魯花赤一人。正四品。都提舉一人。從五品。副提舉二人。從六品。知事一人。從八品。照磨一人。從九品。屬吏部。

集慶萬壽營繕都司。達魯花赤一人。司令一人。並正四品。大使一人。副使一人。知事一人。提控案牘一人。所屬田賦提領所提領一人。正九品。同提領副提領各一人。財用所大使副使各一人。天曆二年置。屬大禧宗禋院。

建康等處財賦提舉司達魯花赤一人。提舉一人。正五品。同提舉一人。從六品。副提舉一人。從七品。
提控案牘都目各一人。吏目一人。司吏六人。三湖河泊所提舉一人。從七品。大使一人。副使一人。相
副官一人。屬中政院。

江淮等處財賦提舉司。至元二十五年置。隸徽政院。提舉一人。正五品。同提舉一人。副提舉一人。至
治二年罷。至順元年復立。隸昭功萬戶府。至正元年省。

建康宣課提舉司。至元十三年置。提舉一人。正五品。同副提舉各一人。管辦商稅。至元二十　年省。
設在城稅務。

淘金提舉司。至元十年創立淘金總管府。二十三年改立提舉司。二十九年併入金銀銅冶轉運司
管領。大德二年罷。

益都新軍萬戶府。大德元年自寧國路移鎮建康。達魯花赤一人。正萬戶一人。副萬戶一人。經歷司
經歷一人。知事一人。提控案牘一人。所管有鎮撫司千戶所百戶所彈壓官。

龍灣教習水軍萬戶府。至元三十一年置。由益都新軍萬戶府官總行提調。

上元江寧達魯花赤各一人。縣尹各一人。從六品。丞各一人。簿各一人。尉各一人。典史各二人。

明

明初建都南京．改集慶路爲應天府．永樂十九年遷都北京．以南京爲留都．而置戶吏禮兵刑工六部如故．

應天府府尹一人．正三品．洪武三年置．治上元江寧．丞一人．治中一人．正五品．通判二人．正六品．推官一人．從六品．儒學教授一人．從九品．訓導六人．經歷一人．從七品．知事一人．從八品．照磨一人．從九品．檢校一人．倉庫都稅司大使各一人．從九品．龍江遞運所大使副使各一人．批驗所大使一人．龍江江東聚寶門太平門宣課司大使各一人．龍江龍潭稅課局各一人．副使各一人．龍江關石灰山關大使各一人．副使各四人．驛丞二人．巡檢三人．

總督糧儲提督軍務兼巡應天等處副都御史一人．正三品．後移蘇州．

提督操江副都御史一人．正三品．

領江防巡江監察御史一人．正七品．

南京戶部寶鈔提舉司提舉一人．正八品．副提舉一人．正九品．寶鈔廣惠庫大使一人．正九品．長安門倉東安門倉西安門倉北安門倉副使各一人．從九品．龍江鹽倉批驗所各大使一人．從九品．南京工部龍江提舉司提舉一人．正八品．龍江抽分竹木局大使一人．從九品．上元江寧二縣各知縣一人．正六品．縣丞一人．正七品．主簿二人．正八品．教諭一人．訓導二人．典史一人．司獄一人．從九品．

織染局大使一人．左右副使各一人．

清

鎮守江寧京口等處將軍一員．從一品．副統一員．正二品．筆帖式三員．協領八員．從三品．佐領三十二員．正四品．防禦四十員．正五品．驍騎校四十員．正六品．領催二百四十名．委員前鋒校十六名．前鋒百二十八名．

總督江南江西等處地方提督軍務糧餉操江統轄南河事務兵部尚書兼都察院右都御史一員．從一品．駐江寧．

督理織造一員．無常品．駐江寧司庫一員．正七品．筆帖式二員．從七品．庫使二員．正八品．烏林大一員．末入流．
督理龍江西新關務．駐江寧．
江南江淮揚徐海通等處承宣布政使司布政使一員．從二品．駐江寧．理問一員．從六品．日盈庫大使一員．正八品．倉大使一員．從九品．
江安督糧道．轄江寧安慶寧國池州太平廬州鳳陽淮安揚州徐州潁州十一府七州漕務一員．正四品．駐江寧庫大使一員．從九品．
江南鹽法道．分巡江寧府兼管水利事務一員．正四品．駐江寧．江寧府知府一員．從四品．理事同知一員．正五品．江防船政同知一員．正五品．督糧同知一員．正五品．南捕通判一員．正六品．北捕通判一員．正六品．教授一員．正七品．訓導一員．從八品．經歷一員．正八品．照磨一員．從九品．檢校一員．未入流．龍江關聚寶門宣課大使各一員．從九品．批驗茶引所大使一員．末入流．江東司巡檢一員．從九品．秣陵鎮巡檢一員．從九品．江淮司巡檢一員．從九品．
上元縣知縣一員．正七品．縣丞一員．正八品．教諭一員．正八品．訓導一員．從八品．淳化鎮巡檢一員．從九品．典史一員．未入流．江寧縣知縣一員．正七品．糧捕水利縣丞一員．正八品．教諭一員．正八品．

訓導一員。從八品。江寧司巡檢一員。從九品。典史一員。未入流。

太平天國　朝內官

丞相二十四人。分天官地官春官夏官秋官冬官。各有正副又正又副四人。所屬掌書六人。相歷
人。相傳　人。相尉　人。相伺　人。

檢點三十六人。屬官與丞相同。惟更以檢歷檢傳檢尉檢伺諸名。

指揮七十二人。屬官同檢點。惟名稱更檢為指。

將軍一百人。分炎水木金土正副一至十。所屬各有大旗手一人。將軍書理四人。職同軍帥。將歷一百人。將伺六人。職師帥。

頭關提船將軍一人。主收發民船戰船。

各門巡守將軍十八人。分守江寧省現門之九門。

育才官無定員。不常置。

天朝總巡查一人。職同指揮。各街道巡查無定員。

天京左右江巡河道各一人。職同總制。

女官

左輔正軍師一人，右弼又正軍師一人。前導副軍師一人。後護又副軍師一人。

丞相十二人。分天地春夏秋冬六官各有正副丞相。

殿前繡錦指揮二百四十八人。繡錦將軍二百人。繡錦總制一百二十八人。繡錦監軍一百六十八人。主督各婦女製刺金綵冠服之工。

殿前女檢點三十六人。

殿前女指揮七十二人。

將軍分炎水木金土正副如男職。

東西南北翼王殿各有吏戶禮兵刑工六部尚書。承宣。僕射。左右掌門。引贊。大旗手。典輿。左右參護。典馬典彩典樂典刑等官。

民國

江蘇都督府都督一人。民國元年置。兼理軍民。十二月軍民分治。都督惟治軍。三年七月改將軍行署。五年七月改督軍公署。督軍公署督軍一人。所屬參謀長一人。上校參謀一人。中校參謀三人。少校參謀三人。副官處副官長一人。主任副官一人。副官十二人。祕書處處長一人。主任祕書一人。祕書四人。機要處處長一人。主任祕書一人。祕書數人。軍務課課長一人。主任課員一人。課員七人。軍需課課長一人。主任課員一人。課員十人。軍醫課課長一人。主任課員一人。課員七人。軍法課課長一人。主任課員一人。課員七人。民國十六年廢。

江蘇省行政公署。民國元年十二月置。行政長官一人。所屬總務處及內務財政教育實業四司。三年五月改江蘇省巡按使公署。

江蘇省巡按使公署。巡按使一人。下屬總務內務教育實業四科。財政則改科爲廳。五年七月巡按使公署改爲省長公署。

江蘇省省長公署。省長一人。政務廳長一人。下有機要處祕書九人。外交處祕書六人。財政處祕書二人。司法處祕書二人。第一科科長一人。科員十一人。第二科科長一人。科員八人。第三科科長一人。科員六人。第四科科長一人。科員六人。民國十六年廢。

（南京市政府組織系統表）

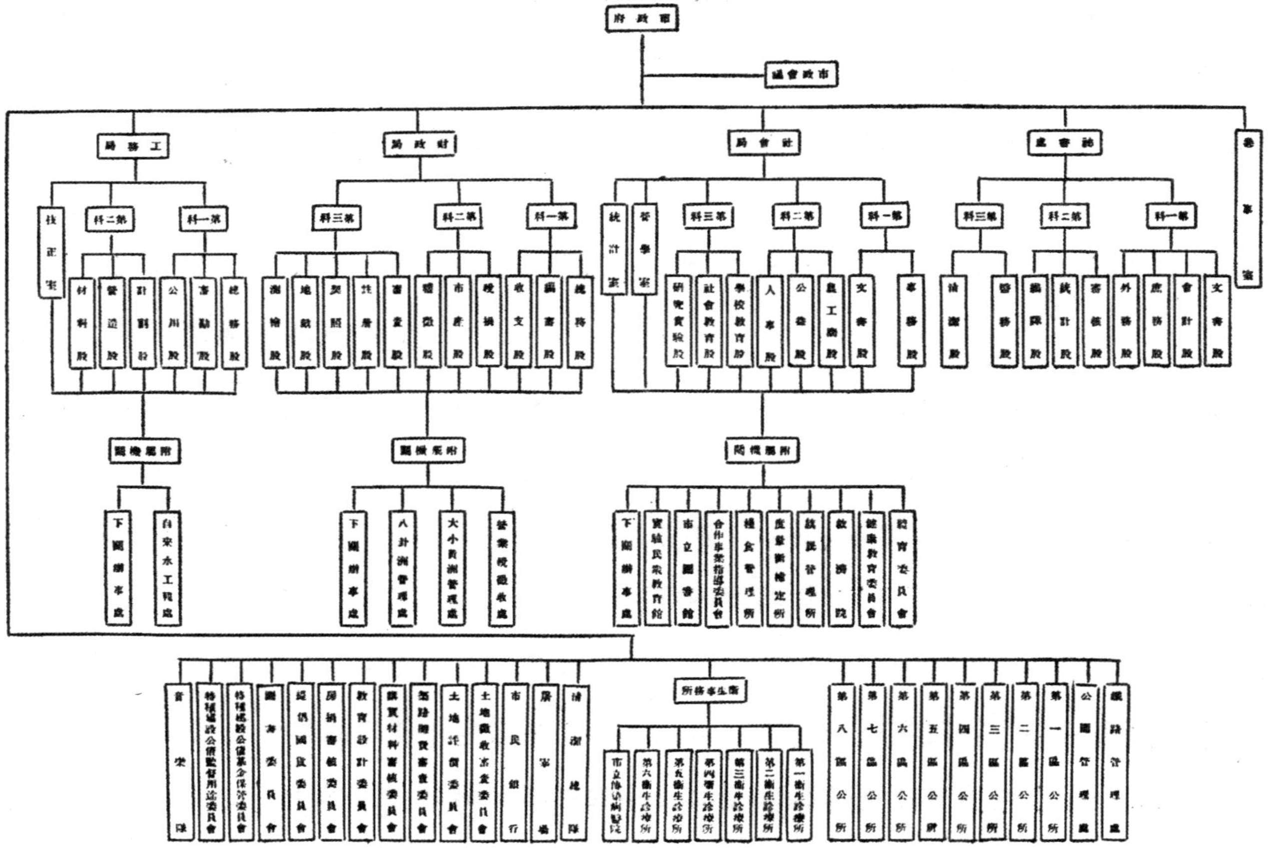
市政府
市政會議
工務局
財政局
社會局
秘書處
參事室
第一科
第二科
第三科
技正室
統計室
督學室
總務股
公用股
計劃股
營造股
材料股
編審股
收支股
市產股
地籍股
測繪股
事務股
文書股
農工商股
公益股
人事股
學校教育股
社會教育股
研究實驗股
會計股
外務股
審核股
統計股
附屬機關
下關辦事處
自來水工程處
八卦洲管理處
營業稅徵收處
市立圖書館
救濟院
合作事業指導委員會
衛生事務所
市立傳染病院
第一衛生診療所
第二衛生診療所
第三衛生診療所
第四衛生診療所
第五衛生診療所
第六衛生診療所
第一區公所
第二區公所
第三區公所
第四區公所
第五區公所
第六區公所
第七區公所
第八區公所
公園管理處
鐵路管理處
清潔總隊
屠宰場
市民銀行
土地評價委員會
教育設計委員會
警察隊

江蘇省財政廳。民國三年五月置。廳長一人。下設總務科科長一人。文牘股科員四人。收掌股科員五人。監印處科員一人。繕校處科員一人。庶務處科員一人。會計處科員一人。制用科科員一人。審核股科員五人。庫務股科員七人。簿記股科員六人。徵榷科科長一人。田賦股科員六人。貨稅股科員五人。清理股科員一人。稽核股科員一人。雜稅股科員一人。新稅股科員一人。核票處科員一人。清理交代處主任一人。科員六人。裕寧清理處主任一人。科員一人。催賑員一人。統計處主任一人。科員二人。附設省款經理處主任一人。股員九人。

江蘇省教育廳。民國六年七月置。廳長一人。第一科科長一人。科員三人。第二科科長一人。科員三人。第三科科長一人。科員三人。省視學四人。公報處及檢定小學教員委員會。

江蘇省實業廳。民國六年七月置。廳長一人。第一科科長一人。科員四人。調查員四人。統計員四人。第二科科長一人。科員三人。技術員三人。第三科科長一人。科員三人。技術員三人。

金陵道道尹一人。

南京市市政府民國十六年置。市長一人。所屬祕書處祕書長一人。第一二三科科長各一人。社會局局長一人。第一二三科科長各一人。教育局局長一人。第一二三科科長各一人。民國二十一年倂於社會局。財政局局長一人。第一二三科科長各一人。土地局局長一人。第一二三科科長各一人。民國二十一年倂於財政局。工務局局長一人。第一二科科長各一人。（組織系統表見中國經濟志）

衛生局局長一人。第一二三科科長各一人。民國二十一年撤銷。

首都警察廳民國十八年由南京公安局改組而成。廳長一人。祕書二人至四人。總務保安司法三科各有科長一人。科員十一人至十七人。督察處處長一人。督察長二人至四人。督察員十二人至十六人。稽查十二人至十六人。巡查十六人至二十人。訓練處處長一人。訓練官二人至四人。訓練六人至八人。技正一人至三人。技士二人至四人。

江寧縣民國二十年改自治實驗縣。縣長一人。所屬有祕書室及民政財政公安建設教育衛生六科。各有科長一人。

陵園管理委員會直隸國民政府。常務委員五人。其辦事機關設總務警衛二處。處長各一人。總務處又分設文牘會計事務三課。及工程園林二組。園林組分設森林園藝兩股。每課股組各設主任一人。警衛處設處長一人。設警衛大隊分隊長正副各一人。總務管理二課。每課設主任一人。

警　政

明嘉靖末．置巡邏官軍．以維城廂治安．實與警察相近．

【客座贅語】南都舊無巡邏馬步軍．相傳正德以前．閭里間竊盜頗少．至強盜尤稀．聞嘉靖末年．而剽劫從橫．見任士大夫有被其害者．乃始奏置巡邏官軍．自此各街巷要處．皆有隊伍．一有警．蹤跡傳哨四路．飛馬赴之．盜多畏避．自後法久漸弛．官軍媮惰．寖不如前．邇年復議撤馬軍營操．地方防禦益單．盜賊益肆矣．余謂營操不過霸上棘門之兒戲耳．有何實用．正宜使其哨守地方．隄防盜賊．猶不至虛豢此馬也．頃稍議買馬．撥補其半．而巡捕官又創爲海巡之議．撤各隊馬隨班于所駐之街門．或有徑行賣放者．馬軍竟不能復．一遇大盜．區區三四步軍．望風奔迸．安能扞禦．可爲深慮．

清代有巡卡之兵．

【續纂江寧府志】江寧城垣恢廓．爲門十三．（金川小東清涼三門久塞．定淮門道光二十年因海氛而閉〕街術坊廂．縱橫交午．地大物博．奸宄易藏．今城內分設十四巡卡．每卡兵五名．〔督中營司三卡．督左營司三卡．城左營司四卡．城右營司四卡．〕城門盤查．亦以營兵分任．〔每門例有百總二名．門軍八名．今皆未招補．〕視地之閒劇．爲派兵之多寡．〔督中營兵水西門十名．太平門五名．督左營兵神策門六名．漢西門八名．水西關二名．城左營兵聚寶門十名．朝陽門七名．城右營兵通濟門八名．儀鳳門六名．〕實與保甲相爲表裏．皆權宜之制也．

同治三年立保甲局．

【續纂江寧府志】同治三年十月．立以知府總其事．畫城四區．設東南西南東北西北四局．制約以百家爲甲．甲有長．立門牌．稽丁口．以詰奸宄．除盜賊．咨於紳耆．辨房地主客．平其侵冒．以安編戶．局員夜率親兵巡警扞掫．五年四月．裁總局．分局改設城南城北兩局．同治七年四月．併爲一局．〔局之分合不常．而四區編甲之制．則無甚改易．計東南二十六甲．西南四十九甲．東北十八甲．西北二十九甲．總計一百十有二甲．甲統於段．城南分十五段．城北分十五段．段有分局．　駐防城不編甲．其政由營掌之．〕自三年起．皆隸善後局．十二年十二月．以道員一人會同知府經理．轄分局十有八。〔城南十局。分十段。其六段兼管五段。其九段兼管七段。別有河北河南段。卽原設十一段至十五段也。城北八局分八段。其二段兼管三段四段五段。其六段兼管七段。其十二段兼管十三段〕滿城分局一。巡卡十有六。城南曰茉利園賜福巷內橋灣倉頂。西南曰七家灣朱狀元巷下浮橋。城西曰堂子大街。西北曰小桃源薛家巷雙石鼓。城北曰沐府西門士街口。東北曰斛斗巷。城東曰倉門口。城中曰天津橋。卡房守兵營弁統之。同治九年設專司巡夜。每値冬月。擇四城居中之地。暫立會哨局。爲弁兵會集之所。同治五年以城內多盜。暫設巡馬。旋裁〕城外保甲局。四廂舊不立局。保甲事宜由附近分局兼治。光緒二年八月以道員一人分駐水西門外。治局事。職掌如城局。轄分局七。〔三山門外　聚寶門外　儀鳳門外　通濟門外　觀音門　上新河　水西門外　漢西門外總局主之。不立分局　太平門外轄於城北六七段　聚寶門廂九甲三山門廂七甲儀鳳門廂八甲〕

光緒二十八年。改保甲爲警察。南京之有警察自此始。

【署江督端飭寗省司道改保甲爲警察選候補文員赴日本學習仿辦札】〔南洋官報一三八

册】爲札飭事案查光緒二十八年九月十六日奉上諭。袁世凱奏定警察章程。暨保衛地方一切。甚屬妥善。著各直省督撫仿照直隸章程奏明辦理。不准視爲緩圖等因。欽此。查警察一事。雖係創自東西洋各國。著有明效。而溯厥由來。實爲周禮訝士擇人之遺制。學問最爲精奥。自難徒襲皮毛。事務又極紛繁。尤貴得其要領。江寧省城內外地廣人稠。五方雜處。匪徒盜賊。易於潛蹤。禁暴詰奸。在在均關緊要。前據派辦處司道議詳巡警保甲名異實同。將原有巡警兵一百四十名保甲巡勇一百三十五名。一律改爲警察。嗣又稟經魏前部堂諭准添募巡勇一百五十二名。仍照保甲章程。按段稽察。惟省城地方遼闊。馬路逐漸增長。原設勇丁過少。分撥尙有不敷。巡查安能得力。且警察與保甲理判精粗。事分詳略。兹自歸併以後。一切體格俱未完全。徒循警察之名。仍未革保甲之習。至捕員人等。並非出自學堂。未能深明義務。因陋就簡。斷難日起有功。本署部堂昨在蘇撫任內。業將蘇州警察切實整頓。並選派人員赴日本學習警務在案。兹江寧警察亟須妥爲更革。竭力擴充。而尤以派員出洋學習最爲目前當務之急。應即飭由江寧藩司黃建筦鹽道徐樹鈞巢道盛翟道衡璣迅速會同考選文理明通年力強壯之同通州縣佐雜候補人員。酌定額數。詳請復加考驗。咨送日本學習警察。俾得有所取資。一面將原設保甲員弁。分別酌裁。所有一切事務。查照警察章程。

審勢度宜．悉心籌議稟辦．事關内政要圖．現雖未能遽臻妥善．總須大致完備．庶幾成效可期．此後該局應將保甲二字删去．名曰警察總局．俾歸劃一．至巡勇不敷分布．固非酌添不可．第抽調防營練勇．非特有誤操防．抑且難合程度．若另行添募而無熟習警務之人為之盡力教授．亦必有名無實．現屆冬防緊要．惟有責成該司道等．將原有巡勇汰弱留强．募補足額．督率認眞稽查巡緝．以除積弊而靖地方．將來俟學習警察人員回寧．再行稟請擴充辦理．合亟札飭．札到．該司道卽便遵照札飭各節．分別妥速籌議稟辦．毋稍率延．特札．

【南洋官報第一六七册】省垣保甲總局奉飭改為警察總局．總辦龔觀察昨奉督憲札．發新刊關防一顆．到局觀察遂擇於初四日開局辦公．並飭令本局巡警勇丁一律改換新頒軍服．以示整齊嚴肅．

民國後名稱屢易．

【江蘇省財政概要】省城警察廳經費案．該廳創於前清．沿保甲總局舊制．改為江南巡警局．光復後一易為巡警總監．再易為南京巡警總局．二年二月改為省城警察廳．所轄警區亦卽改為警察署及警察分署。劃爲四區。並商埠一區仍分爲十一段。二年七月亂事發生。警務廢弛。九月經前張都督將舊有警察一律遣散。改招北洋警隊來寧重新組織。大加整頓。現在警務改良。經費亦因之日加。廳內設廳長一員。祕書二員。勤務督察長二員。科長四員。署長五員。科員助理等各若干員。該廳所管有偵緝隊保安警察騎巡消防清道各隊。省公署警衛隊。城關稽查處。濟良教練各所。隊長隊員所長所員及其他各員役名目繁多。難以悉述。經費係預算案內核准動用之款。

案該廳經費。二年度修正預算案列支銀五十一萬一千四百七十七元。實支銀五十二萬三千八百四十三元。係包括所管各機關在內。計溢支銀一萬二千三百餘元。該廳爲保衛治安而設。且寧亂後由天津調來警隊。又復另行改組。支用不免較多。固未能與尋常時期等視。其三年度預算總局原列銀四十二萬八千七百三十五元。其餘所管各機關列銀十七萬九千五百三十三元。嗣奉部飭寧蘇滬鎮警費共准支銀一百二十萬元。

案寧省警察地方廣闊。匪類每易潛匿。全恃警隊偵緝得力。方足保治安而維秩序。況下關爲中外雜居之地。商埠警察尤爲要緊。該廳經費連同服裝合之蘇滬鎮江三處。照一百二十萬元撙節支配。實難措置裕如。所幸辦理得宜。地方治安。尙稱整飭。

國府奠都．改隸內政部．十六年至十八年間．組織迭有變更．十八年十月．國民政府頒布首都警察廳組織法．十一月一日首都警察廳由前首都公安局改組成立．二十年七月後．修正組織法施行迄今．

【首都警察概況】本廳內外各屬編制依照組織法及二十一年訂定之編制總附表辦理．其新近增置者．則隨時擬具編制表呈部核行．現時編制大概．祕書室設祕書三人．辦事員二人．各科各設科長一人．股主任四人．科員十三人．辦事員十二人至十九人．錄事十一人至十七人．督察處設處長一人．督察長四人．督察十六人．稽查十六人．巡查二十人．辦事員五人．錄事五人．又訓練組主任一人．訓練員四人．國術教官四人．助教一人．辦事員錄事各二人．特務組設主任一人．特務員三十一人．辦事員一人．錄事三人．各局各設局長一人．局員二人至三人．巡官四人至十五人．辦事員二人至三人．戶籍員二人至六人．錄事五人至十五人．長警一百五十九人至五百五十七人．各大隊各設大隊長一人．大隊附一人．副官二人．中隊長四人．分隊長十一人至十二人．特務長四人．辦事員二人．錄事六人．長警三百八十六人至四百零七人．各巡邏隊各設隊長一人．隊附一人至三人．

辦事員一人。錄事一人至二人。戶籍員一人。長警三十三人至九十九人。偵探隊設偵探長一人。高等偵探五人。偵探五十八人。辦事員二人。錄事一人。探警四十人。消防隊設隊長一人。隊附一人。分隊長六人。辦事員一人。錄事七人。長警一百四十四人。教練所設所長一人。教務長一人。總隊長一人。教官八人。隊長三人。分隊長九人。特務長三人。辦事員五人。錄事五人。班長學警共二百七十六人。醫務所設所長一人。醫官八人。司藥三人。看護長一人。辦事員二人。錄事一人。總計職員七百六十六人。併額外職員合計爲八百二十九人。長警五千零八十八人。工匠夫役看護不計在內。

【首都警察概況】本廳成立以來。五載於茲。經費狀況。迭有更變。當成立之初。經費有部款省款之分。但時僅數月。其後悉由部撥。歷年年度預算大率俱在二百一十萬元以上。而領款最多之年與最少之年相差至五十餘萬元之巨。支出情形亦相髣髴。至本廳違警罰金等項收入。向例稱爲雜款。俱由本廳另行支配。報部備案。不在預算以內。至二十二年度始依照國庫收支統一處理辦法。編入國家歲入經常費內。解繳國庫。本廳於十八年十一月間由首都公安局改組成立。其時經臨各費一仍首都公安局之舊。計預算核定數月支經常費十八萬七千四百五十一元。預備費五千元。歲支冬季服裝費十四萬五千二百五十元。夏季服裝費十二萬八千六百元。惟自是年十一月至十九年一月此三個月經費實際收支情形．因閱時已久．簿册間有殘佚．未能核其確數．自十九年二月起．則每月實領十八萬五千九百零五元．內十四萬元爲部款．餘爲江蘇省款．計是年度二月至六月五個月內．實領經臨各費爲一百零六萬四千一百九十二元．支出爲九十八萬零八百九十四元．十九年度開始預算．尙未核定．每月仍照前數實領．惟省款至是停止．經費悉由國庫撥付．至二十年三月預算核定爲月支經常費十八萬五千八百七十六元．預備費一萬零四百十六元六角七分．歲支冬季服裝費十六萬元．夏季服裝費十二萬八千三百四十五元．然實領數仍與三月以前同．計是年度實領經臨各費爲二百五十一萬八千八百五十七元．支出爲二百三十六萬七千五百二十三元．二十年預算案仍爲十九年度之核定數．每月經常費實領十八萬五千八百七十六元．旋因國難發生．自是年十一月起．實領數多寡不等．最後兩月則各爲十五萬元．計是年度實領經臨各費爲一百九十三萬三千五百零四元．支出爲二百十四萬零九百六十四元．二十一年度承二十年國難之後．每月經費亦僅實領十五萬元．計是年度實領經臨各費爲一百九十三萬零五百三十三元．支出爲一百九十三萬六千六百二十元．二十二年度經費係根據上年度實在支出數字核定．預算爲月支經常費十五萬五千元．歲支冬夏兩季服裝費二十四萬元．總計二百十萬元。照數實領。是年度支出爲二百零八萬二千五百元。此本廳歷年經費收支情形也。

警察教育有警察學堂。

光緒三十一年開辦。

有巡警學堂。

【南洋官報】〔光緒三十三年九〇册〕陸軍部新章通飭各省綠營改爲巡警。兩江督標武職候補者爲數孔繁其中不乏青年有志之士現由督中協城守協會同設一巡警學堂。以城北小營裁缺都司署爲校舍考取合格之武職送入肄業已於七月二十日開學。以備學成後充巡警官長。藉以疏通各武員登進之階。

後改爲巡警教練所。

【江督端奏警察學堂改爲巡警教練所情形摺】〔南洋官報光緒三十四年一二四册〕江南開辦巡警。前於光緒三十二年業經前署督臣周馥將籌辦大概情形奏明在案。開辦之初設有警察學堂。先行教練頭班兵學生三百名。俟畢業後視其程度與北洋學堂畢業各兵生一併分區派巡擇其才識較優．酌令充當巡官巡長．嗣因逐漸推廣．北洋畢業兵生不敷派用．卽就二班兵生學堂中騰出講堂齋舍添招官生．迨二班畢業後．又加添官生名額．並於各區設立補習所教練崗兵．各區巡士雖責成各區官設補習所以訓練之．而教育旣有參差．程度自難畫一．奴才督同司道再三籌議．將警察學堂改爲江南巡警教練所．再行招考新生．一面由各區挑選巡士．入所肄業．該所總監一員．卽由巡警局總辦道員何黻章兼充．學生現額設二百四十名．

旋改名高等巡警學堂．

【調任直隸前兩江總督端奏江寧省城改設高等巡警學堂仍附設教練所一切籌辦情形摺】

〔南洋官報宣統元年三八册〕奏爲江寧省城改設高等巡警學堂．仍附設教練所．一切籌辦情形．恭摺具陳．仰祈聖鑒事．竊准民政部咨．奏擬各省巡警學堂通行章程繕單具陳一摺．奉旨依議．欽此．咨行欽遵前來．原奏內稱．所有各省會未經設立巡警學堂者．統限三個月內設立．已有者應按照此次奏明章程更定．其有仍名警務學堂警察學堂者．亦令一律更名高等巡警學堂．等語．查江寧省城前係於光緒三十一年間開辦巡警．卽經設有警察學堂．在堂官兵各生．早分兩班畢業．

嗣因各區巡警教育未能普及．程度不免參差．經奴才飭將警察學堂．改爲江南巡警教練所．現在按照部章．寧省應設之高等巡警學堂．自應即就已辦之巡警教練所酌量改設．庶仍舊規可以尅期成立．且與部臣原奏已有者按章更定之意．亦相符合．現經督飭巡警員再三籌議．擬立江南高等巡警學堂．暫設學額五十名．招生肄業．仍於該堂附設巡警教練所．將原定學生額數．減爲一百五十名．

民國二十三年警官高等學校．自北平遷南京．（校址在龍蟠里）

首都警察廳曾舉辦巡官講習班

【首都警察概況】本廳於二十一年十二月至二十二年七月間．先後舉辦巡官講習班兩期．每期以四個月畢業．將各局巡官輪調訓練．所有教職各員．除廳長兼充班長外．俱由本廳各科處局隊所富有學識經驗之職員兼充．

警官訓練班

【首都警察概況】本廳於二十三年暑期創辦警官訓練班三期．分期抽調各局巡官暨各警察隊分隊長入班訓練。每期訓練兩星期。爲時雖暫。然所教各課。均趨重實際。收效實宏。

國術教導隊

【首都警察概況】本廳爲增進長警健康。提倡固有技能起見。於二十二年冬。創辦國術教導隊。令各局隊選送有國術常識之長警入班訓練。每三個月爲一期。挨次選調。以期普及。每期長警八十人。現經辦理三期。仍在繼續辦理中。

警士教練所

【首都警察概況】本廳警士教練所。蟬蛻於前江蘇省會警察廳民國四年創設之警察教練所。自十六年改組後。名稱迭更。在南京特別市公安局時。曾訓練學警三期。在首都公安局時。曾訓練學警二期。迨十八年本廳成立。始遵照部章。改定今名。其初學警名額。爲三隊。旋因費絀。改爲二隊。修業期間。第十五期以前爲三個月。自十五期起。均爲六個月。計自改組迄今。畢業學警。已達二十八期。十七十八年間。因擴充警額。徵調北平警士來京服務。曾辦特別班三期。十九年間。又辦警長訓練班兩期。畢業人數。都凡三千九百零二人。現在所中訓練者。爲第二十九第三十兩期。每期名額本爲一百二十六人．第三十期則擴充爲一百五十二人．期與期之間隔爲三個月．故每一年度畢業四期．學警之招募．依照警察錄用辦法辦理．惟近年招募學警時．投考者恆在定額八九倍以上．故錄取學警其學歷已漸見提高．畢業成績亦逐有進步．

警員班等．

【首都警察概況】本廳歷屆招考學警．其入學程度．向以高級小學畢業或有相當程度者爲合格．近年對於學警教練．原擬提高程度．增進待遇．俾中學以上畢業之優秀人才．得以服務警衞．藉爲推行警官區制之基礎．惟以事關警制改革．尙須於人事經濟及其他現實情形審度盡善．方可實施．而比年以來．都中外事案件日益繁複．警察處理外事．必須明瞭國際法則．諳練他國言語．始克勝任．本廳鑒於高級長警人材需要之迫切．乃於上年秋間．先行試辦警員訓練班一期．招收中學以上畢業及曾習外國語文之員生四十名．入班訓練．於警察學科外．授以國際法與外事常識．畢業後分發特務及各局服務．其成效尙有可觀．至警士教練所房屋．現已破舊．一切設備．亦皆因陋就簡．將來擴充警額．更屬不敷容納．業就淸涼山警察公園東段地區．規建新屋．〔按已竣工〕

自治

清光緒三十三年十一月．上江兩縣試辦地方自治．由官紳引導．訂開辦簡章數則．

【爲元寧兩邑試辦自治事督憲端咨蘇撫憲文】〔南洋官報光緒三十三年九七册〕爲咨明事．照得地方自治．爲憲政之基礎．本年八月二十三日．欽奉電傳上諭．朕欽奉慈禧端佑康頤昭豫莊誠壽恭欽獻崇熙皇太后懿旨．宣布憲政．業經明白宣諭．近已降旨先設資政院以立議院基礎．非地方自治．則人才無從歷練．著民政部妥擬自治章程．請旨飭下各省督撫．擇地依次試辦等因．欽此．當經本部堂行司籌議．並派員赴天津考察自治局章程．及辦理情形．各在案．自治法理．必先由本地人民．從下級辦起．次於上方．爲純一之治法．中國法制未備．人民程度不齊．不得不稍有變通．由官紳先爲引導．以期推行無阻．天津試辦自治．卽具斯意．江蘇民智發達最早．士夫之熱心公益．克盡義務者．頗不乏人．亟宜倣照天津章制．於上元江寧兩邑．先行試辦．卽於省城設自治局．委候選道宗舜年．補用道金鼎．前山東知府魏家驊．前浙江知府伍元芝．分巡江寧鹽法道調補奉錦山海道朱恩紱．現署江寧知府許星璧．署上元縣知縣田寶榮．署江寧縣知縣龍曜樞．應補知縣羅良鑑．會同籌辦．由財政局先行籌墊銀三千兩．爲開辦經費．不敷之款．隨時稟由本堂飭局墊付．俟自治辦有眉目．地方籌有的款．卽行撥還．惟部議章程．現時尙未頒布．寧屬試辦伊始．應卽詳細研究．先爲豫備．所有辦法節目．務當按照法理．參以本地風俗習慣．分別次序．審定界限．妥議施行．現當政體改良之時．必須斟酌盡善．逐漸推行．俾人民練習政治．養成立憲國民之資格．本部堂有深望焉．

江南籌辦地方自治總局開辦簡章〔南洋官報光緒三十三年一〇二册〕

第一章

第二條　本章所擬辦法．係遵照憲札．專就江寧府屬之上元江寧兩縣辦起．以爲模範．兼爲府屬之各縣先行豫備．以便逐漸推行．

第三條　本局俟第一條所定宗旨到達後．卽行停止．

第二章　組織及職務

第一條　本局職務．分設四課二所．各派員以分理之．

一　法制課　掌稽考地方自治制度．並編訂章程專．

二　調查課　掌關於調查地方戶口風俗教育生計等事．及各項調查報告之纂錄．

三　文書課　掌理文牘及文書之撰擬記錄．編輯白話講義．印刷收發．核對保存．並監用關防事．

四　庶務課　掌理經費之收支預算決算及不屬他課之一切庶務事．

第一附設　地方自治研究所．徵選各州縣之士紳爲學員．研究地方自治法理．〔章程見官報光緒三十四年一〇五册〕

第二附設　實地調查所．所員分有給員與名譽員二種．

【爲舉辦地方自治情形事江寧端咨復民政部文】〔南洋官報光緒三十四年一〇四册〕案照光緒三十三年十一月初四日准貴部咨　等因到本部堂．准此　本年八月間欽奉諭旨各省擇地依次試辦地方自治．當經行司籌議．並派員赴天津考察自治局章及辦理情形．嗣於十月間本部堂倣照天津自治局章制．於寧城設自治局．從上江兩邑先行試辦．派委調補奉錦山海道朱恩紱．江南鹽巡道榮恒．候選道宗舜年．署江寧府知府許星璧爲局長．民政部七品小京官善溥．前浙江候補知府伍元芝．署上元縣知縣田寶榮．署江寧縣知縣龍瓚樞．補用知縣羅良鑑爲參事．於十一月二十六日開局籌辦．並設諮議局．派自治原委各局長參事先行討論預備在案．惟自治局甫經創辦．所有應設鄉官及自治研究所議事會董事會各事宜．應由原派各員尅日切實籌議．次第施行．並飭將擬定章程．及一切辦理情形．開具表册．詳細呈候咨報貴部查核．

旗員亦請充當職員．

【八旗教育分會會長善溥等申請委派旗員充當江南自治局職員文并批】〔南洋官報光緒三十四年一〇四册〕爲申請事．竊以前奉諭旨．設立自治局．著南北洋先行試辦等因．欽遵在案．現奉憲臺設立江南自治局．委派地方紳士充當職員．但地方自治．爲預備立憲之基礎．旗漢界限．既經破除．自治規條．似應視同一律．伏查憲設自治局所委均係漢員．江寧駐防亦江南之一部分．將來滿城地方事件．如果附屬該局轄治．則駐防未奉委人．恐交涉不能融洽．抑或另設一局專爲駐防自治．恐有畛域之嫌．我憲臺惠愛旗民．既深且厚．當必有一定之目的．對付八旗．會長等學識庸愚．莫衷一是．但以忝居學界．既有所見．敢不瀝陳．理合備文申請．仰祈憲臺鑒核批示祇遵．

督帥批據稟已悉寧省現設自治總局係從上江兩邑先行試辦江寧駐防乃省城地面自在試辦範圍之内亟應遴委諳悉駐防地方情形人員入局辦事以期周妥仰候會同將軍遴員委辦此繳。

設立調查局調查官署局所各項事項以逮風俗習慣等

【江督端奏設立調查局片】（南洋官報光緒三十四年一三一册）再欽奉懿旨著各省設立調查局由該管督撫遴委妥員按照奏定章程切實經理等因欽此並准憲政編查館咨行調查局辦事章程奴才遵於江寧省城設立調查局遴委江南鹽巡道榮恆候補道王燮爲總辦先行咨館查照復經加委會辦提調以及法制統計兩科科長股員飭令遵照館頒章程認眞經理伏念調查局之設事體繁賾歐美各國於審查統計之法研析至精學有專科不容鹵莽中國此項人才尚苦缺乏奴才現飭該局員等先行調查省城官署局所各項事件以次推及於各屬至於地方風俗習慣蒐有不齊猝難條貫當先飭各屬養成之人才各以本籍之士紳任本籍之采訪而省局總其成庶幾蒐討得實理董有資其統計表式尚未准憲政編查館頒行奴才飭局粗擬表式發交各屬作爲試辦仍俟奉到館頒表式再行遵照辦理事屬草創奴才諄諭局員先以實事求是爲主凡各處覆到文册有涉敷衍搪塞者卽予駁回另造有延不具覆者稟由奴才量予懲處期仰副朝廷整齊政俗

修明法典之至意。此項調查局開辦經費。約需銀一千餘兩。逐月額支約需銀二千餘兩。均飭財政局籌款動支應請准其作正開銷。謹附片具陳。伏乞聖鑒。謹奏。

旋併入督署統計處。

【寧藩司樊奉督憲札准憲政編查館咨江寧調查局歸併督署設立統計處遴員賡續辦理文】〔南洋官報宣統三年一八一册〕札知事。案照前於本年四月間承憲政編查館咨。各省調查局奏明歸併督撫署辦理。已飭據江寧調查局將已辦未辦各事。劃分年限。截至五月底撤局。並將歷辦案卷開列。憲政調查四字號簿四本。一併委員賫解前來。查調查局設立已三年有餘。所辦法制統計兩項事宜。均未完備。現經本督院在於本署設立統計處。議定辦事章程。及月支經費數目。亟應遴員賡續辦理。茲查有度支部王主事鳳文。堪以派委統計處科長。又查有候選直州判趙祖銘。候補知州周紀常。補用知縣陳安。浙江知縣趙寬等四員。堪以派委統計處正股員。又查有鹽大使祝傳望。縣丞職銜劉錫璋等二員。堪以派委統計處副股員。以上各員。均兼辦法制事項。一切辦法。以及薪水經費。悉查照本署現定章程辦理。除分別札委外。合行札知。札到該司。即便知照。此札。

【兩江督院張通飭寧屬各司道府廳州縣局所學堂新軍防綠各營本署統計處於七月朔日成立文】〔南洋官報宣統三年一八六册〕行知事．統計案呈宣統三年四月初六日承准憲政編查館咨．各省調查局奏明歸併督撫署辦理．所有法制事宜．由會議廳參事科核辦．統計尤關重要．卽在督撫衙門設立專處．以爲彙核全省統計之地．定爲常設機關．每屆上年統計表册．限於次年六月以前．咨送到部．由部彙編．送館覆．以備編成年鑑等因　自應於本署設立統計處．於七月初一日成立．原設江寧調查局．應卽裁撤．嗣後凡關於統計法制各事．概由本督院行文調查．不得仍沿用調查局．以符體制．

又設研究會探討行政之改良．

【督部堂張批江寧調查局詳本局法制第三股調查事項應設研究會擬訂章程請示通飭由附原詳】〔南洋官報宣統元年五〇册〕詳摺均悉．調查行政沿習及其利弊．係爲行政改良起見．自非詳爲探討．不能得其眞際．所請通飭設立研究總分會．並擬呈簡章．尙屬周妥．應准如詳辦理．仰候通飭遵辦．

【江寧調查局批江寧縣稟設研究會由】〔南洋官報宣統二年八〇册〕查本局法制第三股所掌調查行政上之沿習．及其利弊．事極廣漠．理多參互．斷難恃一人私見．一紙空文．遽爲定論．是以詳准通飭設立研究會．各就其主管之事項．悉心研究．庶幾得沿習之由來．探利弊之眞際．此項研究會．凡與行政二字有關係之各署局所．雖均應設立．而州縣爲行政機關之起點．沿習最多．利弊亦極重．其應設會研究．尤爲急．據稟該縣研究會業已成立．具徵知所當務．殊堪嘉許．所擬細則十二條．亦均周妥．仰卽實爲舉行．本局續發　在卽．務須督率會員．隨時研究報告．是爲至要．

其辦事次序．具有計畫．以次實行．

【江南籌辦自治總局詳督憲酌擬寧省自治總局及各屬辦事次序表文．附錄元寧兩縣籌辦地方自治辦理次序表】〔南洋官報宣統元年三三册〕詳情事竊照地方自治．爲立憲之基礎．必基礎鞏固．而後憲政之成績．乃能收層累而上之功．伏讀館頒九年籌備清單．自光緒三十四年至宣統六年．自治事宜．始克一律成立．　茲經本司等公同商酌．遵照籌備年限．分別先後應辦之事．列爲逐月進行之次第．卽分飭寧屬各廳州縣．依限舉辦．至上元江寧兩縣．地居省會．其宣講自治研究學員．調查戶口．均已議辦在前．所有一切籌備事宜．應即提早一年．以爲各屬之倡．特另擬一表．附於册尾．俾資稽考．所有酌擬自治總局及各屬辦事次序表緣由．理合具文詳陳．仰祈憲台俯賜鑒核批示祗遵．爲此備由開册．呈乞照驗施行．須至詳者．

【元寧兩縣籌辦地方自治辦事次序表】元寧兩縣籌辦自治．如設研究所．宣講所．調查戶口等事．本較各屬爲早．其進行自應較各屬爲先．本表遵照憲政籌備清單．特行提早一年．以爲各屬倡．期於循序漸進之中．不失急起直追之旨．爲表如左．

第一年　宣統元年　一遵章設立研究所．已辦．一劃分區段設立調查處．實行調查戶數．已辦．一調查公產之收入數及支出數．已辦．一城內調查戶數竣事．限八月竣事．一城外調查戶數竣事．限十二月竣事．一調查公產竣事．分類造具四柱清册．申報總局．限十二月竣事．

第二年　宣統二年．一定分期清理表．清理兩縣公產．限正月開辦．一編造戶數册．限正月開辦．一調查口數．限正月開辦．一編造戶數册竣事．申報總局．限四月竣事．一研究所學生畢業．幷發給文憑．限四月竣事．一續辦研究所．〔以後每一班畢業．皆接續辦理．〕

限五月開學．一城內調查口數竣事．限七月竣事．一清理公產竣事．限十二月竣事．

第三年　宣統三年．一籌議元寧兩縣城鎮鄉附捐辦法．限正月開始．一調查兩縣國稅種類數目及其徵收方法．并地方負擔情形．申報總局．限六月申報．一城外調查口數竣事．限六月竣事．一籌議城鎮鄉自治公所設備事宜．限六月開始．一編造口數册．限六月開始．一編造口數册竣事．並申報總局．限十月竣事．一城鄉鎮自治公所設備完竣．限十二月竣事．

自治經費．則出於漕忙帶徵．

【江蘇諮議局呈督部堂第二屆臨時會議議決寧蘇忙漕帶征自治經費分配辦法清摺】（南洋官報宣統二年九一册）一寧蘇兩屬忙漕帶徵公益捐．寧屬先由江南籌辦地方自治局詳定．宣統元年暫充省城自治研究所學費．現定　寧屬自宣統二年忙銀．爲一律永遠作爲城鎮鄉地方自治經費．其在各城鎮鄉自治公所未成立時．卽先作爲各該地方自治籌備經費．

【江南籌辦地方自治總局批上元縣詳鄉董唐慶昇等稟撥忙漕帶徵錢文籌辦鎮鄉自治擬照

城鎮鄉按股分配由】〔南洋官報宣統三年一八〇册〕詳及淸摺均悉。忙漕帶徵自治經費。分配三股。城得其一。鎮鄉共得其二。自係爲調停城鎮鄉之爭起見。現在地方稅尙未釐定。目前無論如何分配。亦祇能作爲暫定辦法。必俟地方稅章稅頒布後。始有正確之標準也。今姑照該縣所議。由該縣自行與城自治會暨鄉鎮籌備員接洽。無庸作爲定案。以泯紛爭。是爲至要。

【江南籌辦地方自治總局批江寧縣詳擬分配城鎮鄉自治經費辦法請示由】〔同上〕忙漕帶徵自治經費。以三股勻攤。城得一分。鎮鄉共得二分。此與上元縣前詳用意正同。姑照所議辦理。惟應由該縣自行與城自治會暨鄉鎮籌備員接洽。無庸作爲定案。以泯紛爭。是爲至要。

民國以來。因襲故迹。二十年三月舉辦京市自治。分區籌辦。殊少進展耳。

【中國經濟志】京市自治舉辦於二十年三月。初劃全市爲二十一區。區設區公所。府內設自治事務所。綜理其成。每區設區長助理員各一。書記二。僱用夫役二。每區月支經費三百元。年計七萬五千六百元。事務所設所長一。職員十一。月支經費一千二百四十元。年計一萬四千八百八十元。全年共支經費九萬零四百八十元。二十二年三月遵照中央政治會議。自治當以生計與教育爲中心之決議。併自治區爲八區。使與警區同其範圍。撤銷自治事務所。所有職務。改由市長躬親處理。每區職員仍舊。月支經費一百六十五元。年計一萬五千八百四十元。較之從前。年省約七萬四千六百餘元。卽以此款作爲事業費。坊及閭鄰。暫不組織。

蘇省諮議局。於光緒三十四年設於城北丁家橋。

【憲政編查館通咨各省設諮議局籌辦處文】〔南洋官報光緒三十四年一二七册〕爲咨行事。本館會同資政院具奏擬呈諮議局章程。附加按語。及議員選舉章程一摺。光緒三十四年六月二十四日內閣奉上諭。朕欽奉慈禧端佑康頤昭豫莊誠壽恭欽獻崇熙皇太后懿旨。憲政編查館資政院王大臣奕匡溥倫等會奏擬呈各省諮議局及議員選舉各章程一摺。諮議爲采取輿論之所。並爲資政院預儲議員之階。議院基礎。卽肇於此。事體重大。亟宜詳愼釐定。玆據該王大臣擬呈各項章程。詳加披閱。尙屬周妥。均照所議辦理。卽著各督撫迅速舉辦。實力奉行。自奉到章程之日起。限一年內一律辦齊。朝廷軫念民依。將來使國民與聞政事。以示大公。因先於各省設諮議局。以資歷練。凡我士庶。均當共體時艱。同攄忠愛。於本省地方應興應革之利弊。切實指陳。於國民應盡之義務．應循之秩序．竭誠踐守．勿挾私心．以妨公益．勿逞意氣．以紊成規．勿見事太易．而持論稍涉囂張．勿權限不明．而定法致滋侵越．總期民情不虞壅蔽．國憲咸知遵循．各該督撫等亦當本集思廣益之懷．行好惡同民之政．虛心審察．惟善是從．庶幾上下一心．漸臻上理．至於選舉議員．尤宜督率各該地方有司認眞監督．精擇愼取．斷不准使心術不正行止有虧之人．託足其內．致妨治安．該王大臣所陳要義三端．甚爲中肯．如宜布開設議院年一節．自是立憲國必有之義．但各國憲政本難強同．要不外乎行政之權在官吏．建言之權在議員．而大經大法．上以之執行罔越．下以之遵奉弗違．中國立憲政體．前已降旨宣示．必須切實預備．愼始圖終．方不至徒託空言而鮮實效．著憲政編查館資政院王大臣督同館院諳習法政人員．甄別列邦之良規．折衷本國之成憲．迅將君主憲法大綱．暨議院選舉各法．擇要編輯．並將議院未開以前．逐年應行籌備各事．分期擬議．臚列具奏呈覽．俟朝廷親裁後．當即將開設議院年限．欽定宣布．以立臣上前進之準則．而副吾民望治之殷懷．並使天下臣民．曉然於朝廷因時制宜．變法圖強之至意．欽此．欽遵．查諮議局關係重要．選舉事宜．尤屬創辦．此次所訂章程．頭緒繁多．條文細密．如有疑義．隨時諮詢本館．以便詳爲解釋．俾免歧誤．其選舉票投票匭及當選執照等件．亦經擬定格式．期歸一律．現在諮議局尚未成立．各省應就省會地方。先行設立該局籌備處。由督撫欽遵諭旨。選派公正明達官紳創辦其事。所有各省現設之諮議局。應一律改稱諮議局籌辦處。俾免混淆。俟一年內籌辦就緒。諮議局成立後。即按照此次奏定章程辦理。將籌辦處概行裁撤。其籌辦處詳細章程。由各省自行酌定。仍咨送本館備查。至諮議局開辦後。與地方官吏來往公文體制。督撫用劄行。司道以下用照會。諮議局均用呈文。並應由本省督撫刊給該局木質關防。以資鈐用。相應恭錄諭旨。印刷原奏清單。並選舉票式投票匭式。初選當選及議員執照式共四紙。咨行貴督撫欽遵照辦理可也。須至咨者。

籌備諮議局籌辦處（南洋官報光緒三十四年一三〇册內政要聞）江南自治局開辦時。業將諮議局附設其間。由自治局員先行研究。近督憲接奉憲政編查館咨文。請將寧省諮議局籌辦事宜。查照館章。依限籌備。當即札委寧藩司樊方伯。寧學司陳學使。爲總辦。鹽巡道榮觀察。候補道熊觀察希齡。趙觀察從嘉。爲會辦。寧省紳士除由張季直殿撰總理外。本地紳士。則以魏紳家驊。仇紳繼恆。爲會辦。業經分別照會札委。以便組織一切。

諮議局籌辦處成立。（南洋官報光緒三十四年一三二册內政要聞）江寧諮議局籌辦處總會辦。官紳各居其半。初九日張季直殿撰。仇淶之庶常。假寧垣事務所開會。江淮揚徐通海六屬。各舉代表數人投票選舉職員．呈請江督委派十一日（十月）在督中協署開辦．

【江蘇諮議局第一年報告第三册】宣統元年九月初一日諮議局成立．

【江蘇諮議局研究會報告】宣統二年四月二十六日諮議局研究會成立．

【寧屬諮議局籌辦處奉督憲札准度支部咨江寧省城建築諮議局一案文】（南洋官報宣統元年二七册）札行事宣統元年四月初六日准度支部咨制用司案呈內閣抄出兩江總督江蘇巡撫奏遵設江寧諮議局籌辦處．並臚陳辦理情形一摺宣統元年閏二月二十二日奉硃批該衙門知道．欽此欽遵到部原奏內稱諮議局爲議院初基　就江寧省城北購備空曠之地．以爲會場基址．刻期營構．其開辦常年額支活支暨司選員書旅費以及購地建築各項經費．均飭由財政部陸續籌撥．其各局調查費用准於地方公款內撙節動支．懇准作正開銷等語．查諮議局籌辦處事關要政．局用經費應准作正開銷．惟建築規制．務在實用．不必徒飾外觀．致滋糜費．俟估就工料確數．即行繪具圖說．取具保結．分咨民政部及本部存案．以備核銷．其開辦常年額支活支各款．究竟每項若干．在財政局何款項下動支．原摺未及詳敍．應令查明聲覆．

民國改爲省議會．今廢．

財政

易曰。何以守位曰仁。何以聚人曰財。理財正辭。禁民爲非曰義。周禮太宰掌貢賦以馭其用。蓋凡取於民者。將以生聚之也。禹貢揚州厥土塗泥。厥田下下。厥賦下上上錯。賦不與田之等相當。殆人工修而山澤之利廣。有以助田之不足歟。歷代貢賦。視時重輕。其詳弗可考。蓋晉宋嘗立限田之式。

【建康志】晉平吳之後。有司奏王公以國爲家。京城不宜復有田宅。未暇作邸。當使城中有往來之處。近郊有芻藁之田。今可限之。國王公侯京城得有宅一處。近郊田大國十五頃。次國十頃。小國七頃。城內無宅。城外有者。皆聽留之。男子一人占田七十畝。女子三十畝。其丁男課田五十畝。丁女二十畝。次丁男半之。女則不課。其官第一品五十頃。每品減五頃以爲差。第九品十頃。而又以各品之高卑蔭其親屬。多者及九族。少者三代。宗室國賓先賢之後。士人子孫亦如之。而又得蔭人爲衣食客及佃客。量其官品以爲差降。　晉成帝咸和五年。初稅田畝三升。孝武太元八年。始增百姓稅米每口五石。宋孝武大明初羊希爲尚書左丞。時揚州刺史西陽王子尚上言山湖之禁。雖有舊科。人俗相因替而不奉。熂山封水。保爲家利。自頃以來頽弛日甚。富強者兼嶺而占。貧弱者薪蘇無託。至漁採之地。亦又如茲。斯實害理之深弊。請損益舊條。更申恆制。有司檢壬辰詔書。擅占山澤。強盜律論。贓一丈以上。皆棄市。希以壬辰之制。其禁嚴刻。事既難遵。理與時弛。而占山封水。漸染復滋。更相因仍。便成先業。一朝頓去。易致怨嗟。今更刊革。立制五條。凡是山澤。先恆熂爈。種竹木薪果爲林。仍及陂湖江海魚梁鰌鮆。恆加工修作者。聽不追舊。官品第一第二品。聽占山三頃。第三第四品二頃五十畝。第五第六品二頃。第七第八品一頃五十畝。第九品及百姓一頃。皆依定格。條上貲簿。若先已占山。不得更占。先占足。若非前條舊業。一不得禁。有犯者。水土一尺以上。並計贓。依常盜論。除晉咸康二年壬辰之科。從之。

齊梁亦勉爲寬賦之條。

【建康志】齊高帝初。景陵王子良上表曰。宋文帝元嘉中。皆責成郡縣。孝武徵求急速。以郡縣遲緩。始遣臺使。自此公役勞擾。凡此輩使人既非詳慎。貪險崎嶇。以求此役。朝辭禁門。情態即異。暮宿村縣。威福便行。驅迫郵傳。侮折守宰。瞻郭睹境。飛下嚴符。但稱行臺。未明所督。攝總曹屬。振驚都邑。深村遠里。俄刺十催。或尺布之逋。曲以當疋。百錢餘稅。且增爲千。誑云質作。尙方寄繫。東冶百姓。駭迫。不堪其命。恣意贓賄。無人敢言。貧薄禮輕。卽生謗讟。愚謂凡諸檢課。宜停遣使。明下符旨。審定期限。如有違越。隨事糾坐。則政有常典。人無怨咨。子良又啓曰。今所在穀價雖和。室家飢嗛。縑纊雖賤。駢門躶質。而守宰務在裒刻。圍桑品屋。以準貲課。致令斬木發瓦。以充重賦。破人敗產。要利一時。東郡使人。年無常限。郡縣相承。准令上直。每至州臺使命。切求迫急。乃有畏失嚴期。自殘軀命。亦有斬絕手足。以避徭役。守長不務先富人。而唯言益國。豈有人貧於下。而國富於上耶。又泉鑄歲遠。類多翦鑿。江東大錢。十不一在。公家所受。必須輪郭。遂買本一千。加子七百。猶求請無地。且錢布相半。爲制永久。或聞長宰。須令輸錢。進違舊科。退容姦利。欲人康泰。其可得乎。又啓曰。諸賦稅所應納錢。不限大小。但令所在兼折布帛。若雜物。是軍國所須者。聽隨價准直。不必盡令送錢。於公不虧其用。在私實荷其渥。昔晉氏初遷江左。草剏絹布所直十倍於今。賦調多少。因時增減。永初中。官布一疋。直錢一千。而人所輸。聽爲九百。漸及元嘉。物價轉賤。私貨則疋直六百。官受則疋準五百。所以每欲優人。必爲降落。今入官好布。不下百餘。其四人所送。猶依舊制。昔爲刻上。今爲刻下。甿庶窘儉。豈不由之。

救人拯繁。莫過減賦。略其目前小利。取其長久大益。無患人貲不殷。國用不阜也。佃客丁男調布絹各二丈。絲三兩。綿八兩。祿絹八尺。祿綿三兩二分。租米五石。丁女並半之。男年十六亦半課。年十八正課。六十六免課。其男丁每歲役不過二十日。其田畝稅米二升。蓋大率如此。其度量三升當今一升。秤則三兩當今一兩。尺則一尺二寸當今一尺。

陳末奢淫。南唐僭侈。苛賦橫斂。一切不恤。

【建康志】咸平元年轉運使陳靖奏曰。江南僞命日於夏稅正稅外。有沿徵錢物。曰鹽博紬絹加耗絲綿戶口鹽錢耗脚斗面鹽博斛斗醞酒麴錢率分紙筆錢析生望戶錢甲料絲鹽博綿公用錢米鋪襯蘆蓆米麪脚錢等凡一十四件。悉與諸路不同。乃煜父子僭竊江淮。糜費爵祿。尋納朝廷之琛賚。又失淮海之土田。物力不充。徵斂欺暴。

宋興。蠲無藝之徵。損折變之例。民力稍紓。其時兩縣之田。有山圩沙營之別。

【建康志】

上元縣

山田四十一萬五千九百二十一畝一角四十七步.

圩田二十萬三千九百八十三畝三角五十五步隸總領所者六百一十二畝.

沙田一十一萬二千二十六畝六分.

營田二千八百八十九畝二十三步.

江寧縣

山田二十六萬二千一百一十三畝三角三十四步.

圩田一十八萬七千三百二十四畝一角一十七步.

沙田四萬四千三百一十畝二角二步.

營租田地隸總領所者田九千六百九十七畝一角一步地一千八百二十七畝二角二十步.

草場七十三畝一角五十一步.水漾六十六畝一角四十步.

營租田地隸轉運司者田地共二千一十四畝三角一十六步半.

其夏料管催有折帛錢絹紬絲綿小麥麻皮數種.

【建康志】

上元縣

折帛錢六萬九千八百三十五貫七百九十三文。除豁外實催六萬四千八百九十四貫六百八十五文。〔三百九十三貫二百八十八文係防江軍寨占張府北莊地段稅錢。一百三貫四百五十三文係遊擊軍寨占民居稅錢。二百一十貫九百八十文係制府拘占馮汝賢詭名稅錢。二千九百一十三貫三百八十七文少豁寨占等錢。一千三百二十貫文係增科本縣催過額外綿四千兩於後項內搭入拘催於折帛錢內除豁。〕

絹一萬七千八百六疋二丈八寸五分。〔元科一萬六千八十六疋二丈八寸五分。改科一千疋。係於嘉熙四年爲始。將省稅綿一萬兩改科稅絹。每一十兩折絹一疋。計上件。〕

省稅絹一萬二千八百九十六疋三丈一尺六寸五分。

和買絹四千一百八十九疋一丈一尺二寸。

紬五百七疋三丈六尺五寸。

絲二千三百一十七兩六錢。

綿五萬五千三百四十九兩五錢。除豁省稅綿一萬兩改科稅絹。外實催四萬五千三百四十九兩五錢。〔元科五萬一千三百四十九兩五錢。搭入本縣催過元額綿四千兩。卻豁折帛錢一千三百二十貫文〕

省稅綿三萬三千四百九十七兩。

和買綿一萬一千八百五十二兩五錢。

小麥正催一千五百石。

麻皮正催一千三百斤。

江寧縣

折帛錢四萬七千六百六貫八百九十一文。除豁抱數外。實催四萬五千一百七十八貫七百六十三文。

折帛錢四萬四千五百三十四貫一十五文。令項拘催城南廂兩料役錢六百四十四貫七百四十八文。

絹一萬一千四百八十三疋六寸。〔元科一萬八百四十三疋六寸。改科六百四十疋。係自嘉

熙四年爲始將省稅綿六千四百兩折稅絹每一十兩改絹一疋。〕
省稅絹八千七百四十三疋一丈九尺六寸。
和買絹二千七百三十九疋二丈一尺。
紬三百七疋九尺七寸。
絲四百六十八兩七錢。
綿三萬六千三十四兩五錢。除豁省稅綿六千四百兩改科土絹催納外。實催二萬九千六百
二十四兩五錢。
省稅綿一萬五千八百八十六兩五錢。
和買綿一萬三千七百三十八兩。
小麥正催五百石。
麻皮正催一千二百斤。

秋料管催有苗米正草布正蘆折豆錢數種。

【建康志】

上元縣

苗米二萬九千五百九十石八斗四升五合.

正草三萬九千束.

布五百二疋.

正䕶二萬六千六百領.

折豆錢一萬二千三百八十九貫九百五十四文.

江寧縣

苗米二萬二千六百五十五石八斗四升一合五勺.

正草三萬八千束.

布四百二十二疋.

正䕶一萬八千四百三十九領.

折豆錢八千三百二十三貫九百六十二文.

營租以錢會（官省見錢與十八界會）大麥馬料．

【建康志】紹興初以閒田立官莊．以畸田募耕墾．此營田所由始也．初以軍耕．後以民耕．初以稻入．後以鏹入．初以飼馬．後以餉軍．初則優其課蠲其徵而民樂趨之．後則民畏之．畏欲避之而籍不能改矣．今其租入隸于總領所．

上元縣營田地等三千一百一十四畝三角三十一步．

錢會五百三十五貫八百九十四文．

大麥四十三石八斗九升六合．

馬料二千一百七十七石二斗八升．

江寧縣營田地等一萬一千五百二十四畝三角二十一步．

錢會五百七十二貫九百七十八文．

大麥九石五斗九升二合．

馬料六千五十石四斗三升五合四勺．

沙租以錢或米.

【建康志】沙租云者.沙磧之地.民墾而業之.或以種穀.或以長蘆.而縣乃收其租焉.自淳祐八年.田事所差官經理.縣不得有其租而隸之總領所.未經理之前.沙田沙地租皆以錢.經理後田租納米.地租納錢.多寡互有不同.寶祐三年有旨三分減一以寬民力.

【建康志】上元縣未經理前沙田每畝一百九十四文.沙地每畝五百二文.並錢會中半.蘆場每畝起四束.雁兒蘆葦每畝起二束.每束並折四百二十文足.草場藕池菱蕩每畝三十九文八分.白面沈水沙每畝一十九文九分.淳祐八年經理後沙田每畝納米一斗五升.沙地每畝一貫二百文.蘆場每畝一貫.雁兒蘆葦每畝四百文.草場藕池菱蕩每畝二百文.白面沈水沙每畝一百文.並納十八界官會.江寧縣未經理前沙田每畝四百三十六文.沙地每畝三百四十五文.蘆場每畝二百一十八文.草場每畝四十九文三分.並錢會中半.淳祐八年經理後沙田每畝起米一斗五升.沙地每畝租錢一貫二百文.蘆場每畝租錢一貫.草場每畝租錢二百文.並十八界.寶祐三年朝廷行下於已經理租米租錢數內三分減一.

圩租以米麥.

【建康志】景定二年準省劄坐下江東轉運司括到吳府圩田租數.隸建康府上元溧水兩縣者.歲計租米一萬三千七百七十八石八斗八升四合五勺.租麥一十四石五斗九升五合.

元代兩縣官民田土.俱有統計之數.

【金陵新志】江寧縣官民田土玖仟玖伯伍拾捌頃貳拾壹畝玖分壹釐肆毫.

上元縣官民田土壹萬玖仟玖伯柒拾頃捌拾伍畝貳分柒釐柒毫貳絲貳忽.

【金陵新志】江寧縣元科田土官田一千六百六十四頃三十九畝九毫.

民田土七千六百七十八頃七十八畝六分七釐.

自實田土官田一百五十六頃二分二釐五毫.

民田四百五十九頃四畝一釐.

上元縣元科田土官田土八百八十八頃六十五畝二分七毫五絲一忽.

民田土九千九十六頃七十七畝四分三釐一毫一絲.

開除聽候田土七百五十頃七十二畝九分四厘七毫.

自實田土官田土八百二十七頃六十五畝九分五絲一忽.

民田土八千四百七頃四畝六分一毫一絲.

其貢賦領於城錄事司.有稅糧紅花房錢酒醋課曆日錢在城稅務財賦歲貢土物等項.

【金陵新志】江寧縣

係官

稅糧

絲五千五百四十二斤一十四兩五錢二厘六毫.

綿二千六百八十九斤一十兩八錢二分.

布九十疋七尺六寸三分二厘.

鈔一百一十三定二十五兩九錢一厘.

黃豆四百二十七碩七㪷六升.
小麥四百五十七碩八㪷三升一合.
粳米二萬四十四碩九㪷七合四勺.
酒醋課程七百一十二定二十五兩四錢五分六厘.
房地錢二十九定四十三兩五錢八厘八毫.
蘆課一百四十八定四十五兩三錢六分.
曆日錢六十二定三十九兩五錢.

財賦

酒醋課程六百八定一十兩四錢.
租錢四百五十六定九兩八錢六分六厘.
田地山租錢七十八定三十三兩一錢五分.
草場蘆地租錢三百六十七定二十四兩五分一厘.
茭洴租錢四定四十九兩六錢六分五厘.

河泊租錢五定三兩.

稅糧

大麥四百一十碩三斟六升二合.

小麥七百五十碩六斟一升二合.

紅花八百三十八斤一十兩四錢五分.

粳米四千二十五碩五斗二升三合六勺.

粳稻六百五十三碩八斟四升七合.

黃豆一千三百碩四升八合四勺.

歲貢土物狢皮七百六十張半.

上元縣

係官

稅糧

絲一萬一千五十七斤七分四厘四毫.

綿三千七百九十五斤一十二兩九錢二厘一毫.

布四百九十一疋八尺四寸三分一厘.

鈔九十一定一十四兩二錢九分三厘三毫.

黃豆五十碩一斗二升.

小麥三十六碩七斗五升二合三勺一抄七撮.

粳米三萬二千八百五十四碩九斗六升七合.

鈔二定二十兩　錢　分八厘.

酒醋課程一千五百四十四定四十四兩三錢七分二厘.

房地錢六十二定七兩九錢六分四厘.

蘆課一百一十七定四十六兩六錢六分五厘.

曆日錢七十一定四十六兩三錢.

財賦

課程中統鈔五百三十九定四十六兩二錢四分九厘.

田地山蕩等租錢五十一定三十兩八錢六分六厘.
草場蘆地租錢四百七百三定四十九兩七分四厘.
河泊水面併帶　渡租錢九定二十五兩.
園圃租錢二定三十四兩九錢.
冰窨租錢一定三十兩.
茭蕩租錢二十六兩四錢九厘.

稅糧

小麥三百八碩一升六合.
紅花一千四百五十八斤八兩四錢九分.
綿二十六斤六兩八錢七分五厘.
粳米一萬五百六十三碩四㪷五升八合六勺.
豆一千三百二十碩七㪷七升九合.

歲貢土物狢皮七百六十六張.

明時田土之數．視舊額加少．恐濱江有坍塌．或湖堰有消長之故也．

【正德江寧志】國初田籍官民田土七千二百八十七頃八十四畝有奇．田四千九百七十九頃八十七畝有奇．地一千二百三十頃七十九畝有奇．山五百四十頃八十三畝有奇．塘三百九十三頃八十八畝有奇．雜產三十六頃六十畝一分．溝一頃九十七畝有奇．灘三頃八十八畝．據正德之籍官田地山塘雜產二千六百一十六頃三十八畝有奇．民田地山塘雜產溝灘四千五百九十七頃一十一畝有奇．通計官民田土七千二百一十三頃五十畝二分．

【萬曆上元志】田土總九十二萬八百六十畝有奇．凡爲田五十八萬五千三百九十畝有奇．畝科平米六升二合七勺一抄六．地一十五萬七千六百九十畝有奇．畝科三升五合．山塘雜產共一十七萬七千七百八十畝有奇．畝科一升．

近郊爲上地．〔公費各產〕迆遠爲中下地．〔民衞遣居〕諸邊阪墳衍下隰沙鹵．雖判沃瘠．而科則不多．

【同治上江志】分上下田地．餘則蘆地草場荒灘之屬．

定賦用兩稅法.

【同治上江志】夏稅無過八月.秋糧無過明年二月.夏賦米麥錢鈔絹.秋無麥也.

洪武中官產半租.畝徵一斗五升.民產免租.但徵雜徭.後增勸米勸耗之徵.事增役繁.民田之價日落.或鬻作官田.差役併於細戶.雜徵責於現年.其弊甚矣.

隆慶中海瑞行一條鞭法.

【萬曆上元志】初洪武十八年.恩詔念應天五府州爲興王之地.民產免租.官產減租之半.官產者.逃絕人戶.暨抄沒等項入籍於官者也.初半租多寡不一.嘉靖中均爲一斗五升.而雜徭不與焉.其更佃實同鬻田.第契券則書承佃而已.大約官產什二三.民產什七八.雜徭惟併於民產.而國初雜徭亦稀.厥後大吏創勸借之說.民田畝科二升.名曰勸米.後以供應稍繁.加徵二升.名曰勸耗.延及正德.則陞科至七八升矣.十月輪年.照字內通行事例.未始不安於法制之內.而正嘉以來.事日增.役日繁.在小民利於官產.而官產則少.在優免人戶.利於民田以省雜徭.而買者賣者.或以官作民.或以民作官.以各就其所利.於是民田減價.出鬻者日益多.而差役之併於細戶者日益甚.猾胥乘

之恣詭寄花分之弊。而惟時不急之征。無名之費。一切取責於現年。現年竭產。不足支一歲之役。而所索於花戶者。每糧一石至銀四五兩。蓋宇內盡然。而南都爲甚。維時一條鞭法。已行於數省矣。隆慶中中丞海公巡撫。計以官田承佃於民者日久。各自認爲己業。實與民田無異。而糧則多寡懸殊。差則有無互異。於是奏請清丈。而官民悉用扒平。糧差悉取一則。革現年之法。爲條編。考成料價一應供辦。俱概縣十甲人戶通融均派。而向來叢弊。爲之一清。優免之家。不失本等恩例。而細民偏累之病。一旦用瘳。於是田價日增。民始有樂業之漸矣。

悉從雇役。凡銀差力差額辦派辦京庫歲需各役法。民間不問。

【同治上江志】在城曰坊。近城曰廂。遠城曰里。皆有役。其鰥寡孤獨僧道不任役者曰畸零。附於一里十甲之後。明時十年更審曰黃册。以丁糧增減而升降之。皆有丁錢銀差也。力差名曰役法。以戶計者曰里甲。以丁口計者曰徭役。上命非時曰雜泛。役皆有力役雇役。雇役者以銀輸官。官爲僉募應差。否則以農隙赴役。三十日曰力差。以供雜役。所謂庸也。見明史。其後有條鞭法。凡編里甲差銀。編均徭差銀。編水夫差銀。編民壯差銀。俱在人丁項下分派徵撥。見重修山陽縣志。

其因支用不足而加徵者有里甲銀。

【萬曆上元志】往周文襄公巡撫時以丁銀不足支用。復倡勸借之說。以糧補丁。於是稅糧之外。每石加徵若干以支供辦。名里甲銀。

【萬曆上元志】里甲　丁銀二千四百一兩六錢有奇。船居戶丁銀七十兩一錢六分。里甲銀一萬二千二百一十八兩有奇。

有秋糧外之五項帶徵。

【萬曆上元志】若秋糧之外。則有夏麥農商絲絹馬草等項。色目繁雜。氓易混而奸易托。

後均併入秋糧。名曰均攤。支銷不盡者謂之派剩。

【萬曆上元志】嘉靖十六年石江歐陽公巡撫。悉舉里甲諸項。併入秋糧。名曰均攤。事則簡便矣。以其總總帶徵。會計不得不寬。支銷不盡。謂之派剩。初制派剩存積。以待不時之徵。久則那移支用。不可詰問。諉曰作正支銷。淪胥乾沒。萬曆三年京兆少泉汪公繼之奏請扣編正數。無復派剩。

外此收款。有酒醋房屋等課。

【正德江寧志】課程　酒醋　房屋〔鈔八千三百三十八貫七百一十文　銅錢一萬六千六百七十六文。〕

蘆課〔銀一十一兩二錢七分五厘本色蘆柴四千九十八束五分。〕

【萬歷上元志】課程　酒醋〔每年鈔八千三百三十八貫七百一十文銅錢四千三百五十五文〕

房屋〔鈔一千三百六貫二百六十文銅錢一萬六千四百六十六文　外鄉飲酒亭廢基租銀八兩五錢八分有奇〕

總其出入之法。則以八事定稅糧。

【萬曆上元志】以八事定稅糧。〔前四稽入。後四稽出。〕一曰以原額稽其始。二曰以事故除其虛。三曰以分項別其異。四曰以歸總正其實。五曰以坐派定其運。六曰以運餘撥其存。七曰以存餘考其積。八曰以徵一定其則。

以十有二事定里甲。

【萬曆上元志】以十有二事定里甲。謂以四事考歲辦。一曰國祀之用。二曰國慶之用。三曰供應之用。四曰諸司之用。以二事考歲派。一曰內府坐派。二曰工部坐派。以六事考歲費。一曰祭祀。二曰鄉飮。三曰科貢。四曰恤政。五曰公用。六曰備用。

以二事定均徭。

【萬曆上元志】以二事定均徭。一曰銀差。二曰力差。〔自條鞭法行悉從雇役。〕

其大較也。

清初田制因明留都之舊。故有丁銀。

【同治上江志】民生十六曰成丁。六十而免。故舊有丁銀。漢曰算錢。向皆五年編審增易。丁銀內有歸併軍衞黃丁快丁竈丁不等。課銀自數分至五錢不同。吏緣爲姦利。閭閻深苦其累。二縣故分運快兩籍。快丁例助運丁。苦累不支。或誣攀富戶。軍民兩受其害。嘉慶中鄉賢伍光瑜爲引僱役之例。倡捐置產。俾運丁自僉助運。大吏入告。奉旨允行。於是快籍無累。

康熙五十二年以康熙五十年編審爲定額。

【同治上江志】出賦者上元充餉當差人丁三萬六千七十八口。江寧二萬七千六百八十三口。皆九分起徵。衛所軍丁上元五千三百五十七口。江寧四千六百二十四口。指大江南岸四十二衛黄快竄諸丁也。

以後曰滋生人丁。永不加賦。雍正六年。總督范時繹奏准丁隨田納。於是地〔地畝〕丁〔丁口戶役〕銀〔鈔絹〕糧〔米豆〕以田爲額。而粟米布縷力役合爲一科。繇是戶口丁役一切俱所不計。其賦入曰米豆折色。

【同治上元志】米豆折色出於田。田之類四。曰民。曰衛。曰官租。曰學田。又二邑同壤。而科則各別。亦大端不至迥異而已。其額以近今爲斷。按呂志〔修於嘉慶十五年依乾隆四十年重訂賦役全書錄入〕上元十二則。〔上鄉田地下鄉田地蘆田草場山塘雜產原荒田地改荒田陞科田改荒灘場地〕民田地山塘八千六百七十頃二十一畝八分八厘。各則不等。徵本色米二萬六千六百三十石五斗一升六合三勺。豆五百二十二石四斗三合七勺。遇閏增徵本色米二十九石五斗七升一勺。折色銀三萬三千二百一兩三錢九分九厘。遇閏增徵折色銀一千三百五十九兩五錢六分四厘。又匠班銀九兩。草場田地九十五頃六畝。徵租銀二百三十三兩一錢六分九厘。江寧十則。田地山塘七千五百六十三頃六十一畝一分九厘。各則不等。九分人丁徵銀二千四百九十一兩四錢七分。額徵本色米二萬五千一百四十八石三斗一升七合七勺。豆五百二十二石九斗六升三合六勺。遇閏增徵本色米二十四石一合二勺。折色銀二萬六千七百一十五兩四錢三分六厘。遇閏加徵銀一千五百八十一兩一錢八厘。攤徵匠銀一兩三錢五分。草場田地九十五頃六畝二分。徵租銀二百三十三兩一錢六分九厘。二曰衞田。（舊歸各守衞經徵。康熙八年改歸坐落州縣。）上元三十二則。（諸志惟藍志載其科則。其銀米兼者只比田等五則。餘皆山地。有銀無米。）一千二百七頃二十四畝四分八厘。各則不等。科徵本色米一千八百六十六石三斗六升九勺。豆五十六石二斗九升。折色銀三千五百八十六兩二錢八分一厘。攤征人丁銀一千九百九十五兩九錢五分。房地租及火藥銀一千一百一十八兩七錢五分三厘。加津銀七百三十九兩八錢二分六厘。江寧二十七則。田地九百一十三頃八十三畝六分八厘。各則不等。科徵本色米四千六百七十石五斗三升一合四勺。折色銀一千七百一十六兩八錢七分一厘。攤徵人丁銀一千八百四十七兩二分五厘。房地租及火藥銀五百七兩七錢八厘。加津銀八百二十三兩四分二厘。三曰官租。（此公費田地。舊由江滿司經歷徵收。雍正十二年改歸各縣。其地每二縣互轄。如貴州之插花地然。）

上元六十二款．共徵銀四千四百三十六兩七錢一分三厘．遇閏加徵銀五十兩．江寧三十五款．共徵銀二千四百三十三兩三錢三分六厘．遇閏加徵銀十二兩六錢六分四厘．四曰學田．上元九頃九十二畝八分六厘．徵銀一百三十二兩九錢二分四厘．江寧四頃九十二畝二分．空地一房二所．徵租銀七十兩三錢四分七厘．此皆邑之賦入也．

曰雜徵．

【同治上江志】雜徵之類五．曰蘆洲田地．〔前明有蘆政廳．征收其洲地．田畝無考．〕自改歸坐落州縣徵收後．濱江者五年一丈．嘉慶十一年丈後．題定腹裏濱江蘆州田地．上元一千八百六十六頃一十八畝六分一厘．各則不等．共科銀九千九百二十七兩五錢八分七厘．江寧二百八十九頃二十六畝四分三厘．各則不等．共科銀一千零四十七兩八錢四分四厘．其上元又有蘆料銀．〔柴船過關之鈔也．洲在關下．不能逆挽而納課．乾隆五十六年．改由州縣在業戶名下徵解龍江關部．〕一百一十六兩三錢八分六厘．江寧又有上新河堆木泥灘徵銀三十四兩零八分四厘．曰牙帖稅．上元三百六十六兩六錢．江寧二百四十八兩零二分四厘．曰典稅．上元一百八十五兩．江寧一百七十五兩。曰六畜稅。上元四十二兩六錢四分。江寧十二兩。曰田房稅。無定額。

曰雜稅。

【同治上江志】雜稅在縣境而徵解不由縣者。則江防同知之於滷水也。攤租也。聚寶龍江江東大使巡司之於船梔鈔也。茶引大使之於騾馬稅也。漁課也。麻膠也。秣陵淳化巡司之於魚塢也。皆自解藩庫。不預縣事。〔共征銀五百九十五兩八錢五分六厘。不計閏〕

其出曰起解。

【同治上江志】米豆之起解。二縣款同而數異。正兌米。本色改兌正米。留充本省兵馬本色米。存留孤貧本色米豆。其兩邑同者。惟織造匠米。它如八旗兵米。省倉兵米。漕糧贈五米。改撥江寧省倉屯米。起運漕贈五米。額撥漕船運丁行月米。衛贈漕項米。解給各標營兵米。幷餘剩恤孤新陞充餉存倉候撥米。漕糧漕贈撥抵省倉官庫粳米。解司截撥漕糧行贈改解八旗兵米。皆款同而數異。故上元實該米二萬八千四百八十一石三合四勺。江寧實該米二萬九千八百九十一石三斗三合六勺。銀之起解亦然。其解江寧布政司也。上元地丁雜辦充餉銀二萬八百九十兩八錢七分二厘。閏月銀三百三十八兩七錢七分一厘。扛脚銀二百一十一兩七錢九分五厘。解司庫銀一千六百九十兩一錢五分八厘。屯折沙壓銀一百二十一兩五錢九分三厘。蘆課銀八千九百四十二兩一錢九分七厘。公費關租銀四千四百三十六兩七錢一分三厘。閏月銀五十兩。牙典六畜銀五百九十四兩二錢四分。學租銀一百三十二兩九錢二分四厘。江寧之解布政司也。地丁雜辦充餉銀二萬九百一十兩六錢八分九厘。閏月銀一千一百八十兩一錢三分七厘。扛脚銀一百五十四兩一錢七分七厘。解司庫河工銀一千四百六十八兩七錢四分一厘。屯折沙壓銀一百四十五兩一錢二分六厘。蘆課銀一千八十二兩三錢二分八厘。公費關租銀二千四百三十三兩三錢三分六厘。閏月銀十二兩六錢六分四厘。油麻租銀三百七十五兩三錢四分五厘。牙帖典六畜稅銀四百三十五兩零二分四厘。學租銀七十兩三錢四分七厘。其解江安糧儲道。則有民賦隨漕輕齎席木等銀。漕贈五銀。陸升過江米折銀。額撥加漕銀。安慶倉米折銀。水脚銀。衞賦漕項銀。加津銀。其解江寧鹽巡道則有貢舫銀。而上元又有解關部蘆科銀。故上元實該銀四萬六千八百六十六兩六厘。江寧實該銀三萬五千二百一兩二錢四分八厘。此起解者也。

曰存留。

【同治上江志】存留之目二。曰驛站。曰祭祀。雜支。奉工。驛站皆有草料豆銀。圉人工食銀。歲修棚廠鞍轡銀。買補馬銀。支應廪糧銀。各閏月銀。睬地繁簡而增減之。上元江東驛。金陵驛。江寧江寧驛。地有衝僻。故異也。惟龍江驛水夫。遞運所旱夫。大勝驛站座船紅船水夫。則二驛各輸其半。故上元實該銀九千七百二兩一錢一分七厘。加閏八百四十五兩九錢五分。江寧實該銀三千三百四十四兩七錢八分三厘。加閏二百八十五兩七錢七分。驛地繁簡然也。其存留在祀典者。祭社稷等壇銀。火神常雩二壇祭銀。厲壇祭銀。府學文廟祭銀。香燭銀。加閏銀。本縣文廟祭銀。香燭銀。加閏銀。武廟祭銀。祭品。凡同者各一百二十七兩一錢五分六厘。稍稍異者。上元專祀之廟八。祭銀一十七兩五錢一分四厘。江寧四廟。故半之。是爲吉禮之用。科場銀。武場供應銀。舊舉人會試路費銀。鄉飲酒銀。是爲賓禮之用。其布政司衙門造册心紅紙張銀。春牛廠門子工食銀。加閏守考棚門子工食銀。本府大門守夜人銀。孤貧柴布銀。是爲雜支之用。在奉工者。有同有不同。其同者。知縣縣丞教諭訓導典史巡檢之奉。各門子庫子斗級馬快皁隸快手轎傘扇夫禁卒民壯接遞皁役吹手更夫之工食。及修理倉監儒學廪生廪餼門斗齋夫膳夫。其異者。若公館弓兵閏加鋪兵閏加暨派供本府各奉工。其養廉在錢糧耗羨銀解撥。大較連閏上元實支銀三千七百五十三兩三錢八分六厘。江寧實支銀二千七百六十一兩四錢八分八厘。

太平軍據南京。其理財之制不詳。計其所入。有貢獻。

【賊情彙纂】凡賊至境。過境。所張僞示。輒數千言。其起首千餘字。率皆邪教誑語。如天父天兄大開天恩。差遣天王列王乃埋世人速宜悔罪輸忱等字句。反復告誡纖之。此則入鄉民之罪。曰本軍帥於軍行相距數百里之先。卽偏張誥諭。令爾百姓富者出資。窮者效力。候太平江山一統。定加擢用。詎爾愚民不知悔罪。執迷不悟。天兵壓境。來投營者。既屬寥寥。進貢之人。愈少。此是爾等爲妖魔所迷。本當立遣兵士屠殺不留。姑念爾某村莊尙無幇妖湊勇之事。本軍帥特再出示。差某檢點前來收貢。限三日齊解聖庫。賞給貢單。諸兄弟不得騷擾。如有一戶不到。定將全家斬首云云。此示一出。膽怯者無不擔負銀錢糧米絡繹於道以獻於賊。城市鎭聚。所至皆然。非專行於鄉村也。　賊脅鄉民貢獻。而賊中亦專尙貢獻。其僞王僞尊官有喜慶事。羣下醵金爭獻禮物。尋常虜得金帛。亦必層層轉獻。如散卒虜得貴重之物。不敢絲毫藏匿。必獻之本管官。卑官略爲乾沒。亦不敢全受。復獻之僞尊官。統歸僞王而後已。

有虜劫．

【賊情彙纂】始則專虜城市．不但不虜鄉民．且所過之處．以攫得衣物．散給貧者．布散流言．謂將來概免租賦之年．〔疑係半字〕鄉民德之．　及賊陷江寧．揚州官軍近城爲營．亦僅一面兩面．其通四鄉之路甚寬．離賊十餘里．賊不敢多邁一步者．蓋鄉民處處立團．矢以死鬭也．亦非江南之民情果勝於湖北．蓋有鑒於紳士江壽民輩．糾金銀犒賊．引賊入城．設數百席．恣其啖嚼．冀免騷擾．而不料其肆毒如初．江壽民仍爲所殺．江南在籍紳耆徧曉於衆曰．若等有江壽民之富厚聲望．可以醵金數十萬．及備百席乎．卽能效之．亦不能息事．而仍不免一死．賊之甘言可勿聽已．鄉民遂齊一心志．聯團各數百里．以仙女鎭之衆．竟能殺賊千人．賊安敢四出．故賊僅以江寧爲老巢．謬以北犯爲進取．實以安徽湖北江西爲大供給所．　賊知野無遺糧．窖無遺金．於竭澤而漁之後．忽下安民之令．於一州一邑．選老賊置監軍一人．徧頒二尺長闊之鄉官軍册．分軍師旅卒兩伍．脅田畝多者充僞官．而以貧戶充伍卒．民衆一日之安．皆勉從之．比戶皆如懸磬．此後賊不復抄．而責令辦糧．及軍中需用各物．僞文一下．迫不可待．少不如意．則執鄉官殺之．　賊於鄉村從不肆殺．恐鄉民自計．計無復之與之死闘。然於官幕吏皆避居家屬及閥閱之家。其抄愈甚。且殺人而焚其廬。並追究收留之家。謂之藏妖。亦焚殺之。凡搜官中公服文案。亦謂之藏妖。肆行屠殺。

有科派。

【賊情彙纂】偪賊蹂躪沿江。往來駱驛。習見不怪。故於每村鎮各舉數耆老設一公所。賊至作黍。使耆老周旋其間。哀告貧苦。輸納錢數百千。糧數百石。求免窮搜。賊去則按田畝而攤之。此科派之始也。　遂下科派之令。稽查所設鄉官。一軍之地共有田畝若干。以種一石終歲責交錢一千文。米三石六斗。矽算註於册籍。存僞州縣監軍處備查。無上下忙卯限諸章程。催糧之賊不絕於道。賴數鄉官支吾而供給之。　賊之科派不獨錢米。如行軍所需各物。皆悉取給於鄉官。

有船運。

【賊情彙纂】賊糧所給。於上游悉用船運。不待言矣。然自癸丑五月上犯江西湖北。僅甲寅九月至歲底此數月中一清楚境。此外則帆檣如織。無一非虜糧之船。無一非接濟江寧之船也。　甲寅四五月間江寧賊糧幾盡。故下令除僞王外。概食淖糜。有敢吃飯者斬首。此時武昌若再支一月。江北之兵早逼漢口．使無所逞．無所虜．船運一絕．則江寧賊黨必內潰矣．

有關榷交易．

【賊情彙纂】其龍江關則專設提中關僞官一人．職同指揮．　賊之抽稅無一切章程則例．其報船料也以船長一丈抽稅千錢．所載之貨分粗貨細貨．粗貨船長一丈抽稅錢二千．細貨倍之．大率以鹽布棉花煤米爲粗貨．絲綢蘇貨爲細貨．抽稅之後．給僞船票一張．如遇賊黨．覔可免虜劫．

其所出僅口糧一事．

【賊情彙纂】僞官雖貴爲王侯．並無常俸．惟食肉有制．僞天王日給肉十斤．以次遞減．至總制半斤．以下無與焉．其僞朝內各官．一切衣食皆向各典官衙取給．軍中亦然．虜劫充足．恣取浪擲．來源不繼．亦廿淡泊．然諸劇賊．莫不私藏秘積．足以自奉．若卑下僞官．日厭粗糲．有以鹽水爲肴者．每逢禮拜日．僞官必開單赴各典官領敬天父之物．典官亦視其官之當事與否．或盈筐以獻．或戔戔塞責．惟禮拜錢及糧米油鹽一律皆有定制．僞官每人每七日給錢百文．散卒半之．每二十五人每七日給米二百斤．油七斤．鹽七斤而已．雖虜劫極多．亦毫無加增．若貲乏糧盡之時．或減半給發．或全不給發。如江寧城中一概喫粥。揚州城中煮皮箱充飢。此時無禮拜錢米及油鹽可知矣。其另有所謂買菜錢。則係賊中私情。如總制監軍虜獲金銀。有揮霍者多隨時散給各館。爲買菜用。

城中有倉庫三屯積財帛糧食。亦可見其聚斂之能已。

【賊情彙纂】甲寅三四月間。賊踞對江武昌省。迭獲逃出難民及盤獲奸細。衆供勘對。其人多正二月由江寧隨賊日來漢口者。內有總典聖糧總典聖庫僞官衔充先生主簿錄者。所言賊之倉庫數目甚爲確切。云僞聖糧館分豐備倉復成倉貢院三處屯貯。截至癸丑年終。共存穀一百二十七萬石。米七十五萬石。江寧羣賊口糧每月約放米三十餘萬石。合計米穀足支四月。僞聖庫館截止癸丑年底實存銀二百六十三萬兩。銀首飾一百二十五萬兩。赤金葉條餅錠首飾實存金十八萬四千七百餘兩。錢三百三十五萬五千串。每月發禮拜錢約二十萬串。油鹽緞疋布帛則不知確數。始聞疑詫斥爲妄供。姑筆記之。以俟考證。嗣得句容縣探報云。甲寅三月賊糧僅存十餘萬石。銀三十餘萬兩。與前數懸殊。遂沈思其故。似江寧賊衆與被虜之民男婦不下數十萬。卽以五十人爲斷。所發錢米如賊中定制。每二十五人每七日發米二百斤。錢一千二百五十文。以此核算。每月應發米十七萬示有奇。錢十二萬串有奇。蓋以僞官加倍之數。統計所發米錢。與難民所述之數。實相去不遠。

清室以軍興餉需不足。乃收商賈貨物之捐。號曰釐金。軍事既罷。沿而不革。金陵有大勝關下關二釐捐分局。年入數十萬兩。（金陵四局光緒二十六年春夏二季收銀三十七萬七千一百二十兩零。秋冬二季收銀五十一萬四千七百三兩零。二十七年春夏二季收銀三十八萬八百七十九兩零。秋冬二季收銀四十三萬三百二十三兩零。二十八年春夏二季收銀三十八萬一千五百三十九兩零。秋冬二季收銀四十七萬五千六百七十八兩零。二十九年春夏二季收銀三十八萬二千一十九兩零。秋冬二季收銀四十八萬三千七百三十四兩零。三十年春夏二季收銀四十萬六千七百三十兩零。秋冬二季收銀五十六萬四千六百六十三兩零。平均一局約十萬兩左右。此據各省釐金案彙表。〕此爲額外之徵。督撫可任便指撥。壞財政之制。增土貨之值。乃弊之大者也。

【續纂江寧府志】釐捐局咸豐三年刑部侍郎雷以諴督兵揚州立行商稅釐之法。爲東南釐捐之始。營員掌其事。嗣以江寧布政使兩淮鹽運使掌之。專收水釐局舊設揚州。光緒三年六月移局江寧。四年以道員一人會同布政使經理。總百貨之盈虛。良窳劑其本息抽稅之。江寧所屬分局四。曰大勝關局。〔轄洲頭上卡下卡。〕曰下關局。〔轄江口分巡。〕皆隸上元江寧境。曰六合局。〔轄通江集段腰瓜埠東溝四分卡。〕隸六合境。曰大河口。亦隸六合境。〔轄龍潭分卡句容境也。〕

【各省釐金案彙表】金陵釐局

緣起　查釐捐之起。實創議於布衣錢江。咸豐初葉。侍郎雷以諴奉命參贊軍務。營於江蘇之揚州。錢江以幕賓獻籌餉策。謂取於農者。按畝計緡。曰畝捐。取於商賈者。曰釐捐。以其貲之多寡。計歲月徵之。曰板捐。權物之輕重貴賤而量徵之。曰活釐。雷韙其議。奏請試辦於江都縣之仙女廟鎮。繼推之淮揚二府屬。及五年冬。戶部遂以其法咨行各直省遵照辦理。十一年二月。又奏定抽收章程八條。通行各省。按貨抽釐。遂爲國家收入一大宗。統各省計。則當以江蘇爲稱首。就該省論。則松滬爲最。蘇屬次之。金陵又次之。

徵抽　百貨之外。更有米釐茶釐土釐各名目。惟金陵釐局所轄地方。僅止江寧淮揚二府及通州海門廳二屬。本非商賈薈萃之區。全賴米釐爲大宗。若遇年成豐稔。商賈流通。則捐數驟形增旺。光緒二十五年部飭每歲增籌銀二十萬兩。常年收數以七十萬兩爲比較定額。迭經整頓。剔除中飽。近屆收數。於增籌額外。每有盈無絀云。

支解　貨米茶釐項下撥解黑龍江邊鎮軍練餉。南洋海防。東北邊防各經費。旗營加餉。原撥續撥各京餉。江寧織造津貼緞綢等項料工。內務府經費。旗兵加餉。備荒經費。鐵路經費。貴州協餉。直隸協餉。京鉛水脚。洋操薪餉。撥補蘇州貨釐。上海機器製造局三廠常費。俄法英德借款。瑞記洋行本息。新定賠款。濬浦經費等項。土釐項下另款存儲。聽候部撥。局用土釐一成。貨釐九分。米釐六分。

造報　同治七年十月十五日。戶部奏統籌軍需全局案內。聲明釐金報部章程。以督臣曾國藩奏報兩淮鹽釐格式最爲簡明。祇用收支各款。不開瑣碎細數。嗣後各省貨釐。應卽仿照兩淮鹽釐格式。每年分作兩次。以六箇月爲一次開單奏報。

辦法　先由兩江總督會同江蘇巡撫開單具奏。復由江督將清册咨部核銷。本部按管收除在四柱核算分別准駁行查逐款出具案語咨覆該省督撫。

同治三年太平軍滅。金陵復爲清有。舊日推收册卷。悉成灰燼。是時曾國藩立勸農局。召徠歸業。農戶民乃止旅南畝。

【續纂江寧府志】招墾局　同治三年十一月立。以紳士二人會同知府經理七縣。縣紳士一人分治其事。鄉別以保。保別以四莊。勘田之荒熟。圖之冊之。嚴隱冒之罰。勘實以聯照授之。官借牛本籽種。以卹貧戶。蠲其息。以時斂之。後改爲勸農局。光緒三年正月裁撤。

七年。奏仿皖章。不分丁漕。權辦抵徵。例墾熟田土畝納錢二百五十文。下則田百三十文。地減半。夏稅三之一。秋稅三之二。歲以所解錢酌購米揚。屬由糧道河運。交通倉。以其餘充兵餉。交藩庫。公私之用。取給善後局。以是民乃稍蘇。

【續纂江寧府志】善後局　同治三年七月立。布政使督糧道鹽巡道暨候補道員掌之。總財賦之出內上下教令以毗省之大政凡事涉撫綏安集者皆隸焉〔立局之初庶事草創如江寧巡道以下各官津貼七縣驛站夫馬皆由局支放需款甚巨至同治間試辦抵徵七縣坐支漸復舊制經費初以善後大捐爲大宗捐款既罄係特金揚一成善後釐捐後湖魚菱租等款不敷支放兩淮鹽政曾文正公檄湖北督銷局每月於鄰鹽款內撥銀四千兩解局濟用計自立局十七年來經費不下數百萬皆由外籌〕

十二年部催開徵署上元縣莫祥芝署江寧縣甘紹盤請省科則減租調以惠萌庶江寧布政使梅啓照詳督撫請上則田地照向章減二成下則減成半其牧馬田地衞賦田地照舊不減總督李宗羲巡撫張樹聲署漕督恩錫合詞入告部臣執例駁光緒元年總督劉坤一巡撫吳元炳合詞又奏始准照前奏減則一半第二年准減一半第三年照舊全徵于是兩縣乃有暫行之科則

【續纂江寧府志】上元縣上則田每畝銀五分七厘遇閏加銀貳厘一毫四絲一忽五微七纖四沙六塵四渺四漠三埃每畝米四升一合七勺遇閏加米四抄六撮二圭四顆三粒六黍一稷每畝豆

八勺．每畝攤匠班銀一絲三微九纖八沙四塵六漠五埃．　下則田每畝銀五分二厘．遇閏加銀一厘九毫伍絲三忽七微一纖七沙二塵一渺九漠四埃每畝米三升七台四勺．遇閏加米四抄一撮四圭三粟九顆八粒八黍．三稷每畝豆七勺．每畝攤匠班銀一絲三微九纖八沙四塵陸漠伍埃．上則地每畝銀三分二厘．遇閏加銀一厘二毫二忽二微八纖七沙五塵一渺九漠六埃每畝米二升三合．遇閏加米二抄五撮四圭八粟四顆四粒二黍每畝豆四勺．每畝攤匠班銀一絲三微九纖八沙四塵六漠五埃．　下則地每畝銀二分七厘．遇閏加銀一厘一絲四忽四微三纖九渺四漠七埃．每畝米一升九台．遇閏加米二抄一撮五粟二顆三粒四黍七稷．每畝豆二勺．每畝攤匠班銀一絲三微九纖八沙四塵六漠五埃．　牧馬田每畝銀六分．牧馬地每畝銀三分．　衛賦屯田地每畝銀米豆均與民賦上則田地同．不加閏．不攤匠班銀款．　衛田每畝七分五厘．衛地每畝銀四分．向有銀無米．　光緒五年原續墾熟現熟民賦田地山塘雜產四千二百七十頃五十四畝七厘四毫三絲．衛賦田地山塘雜產六百六十九頃三十四畝四分一厘二毫二絲．共四千九百三十九頃八十八畝四分八厘六毫五絲．　徵民賦正雜等銀二萬三千七十二兩八錢九分六厘．衛賦正雜等銀四千五百四十兩七錢三分九厘．共銀二萬七千六百十三兩六錢三分伍厘．遇閏民賦加銀八百六十三兩六錢四分九厘。　徵民賦正雜等米一萬六千七百五十石七斗八升六勺。衞賦正雜等米三百七十七石八斗六升一勺。共米一萬七千一百二十八石六斗四升七勺。遇閏民賦加米十八石五斗六升二勺。　徵民賦折色豆三百十七石七斗五升二合一勺。衞賦折色豆七石二斗四升四合六勺。共豆三百二十四石九斗九升六合七勺。

江寧縣民衞賦一則田每畝銀五分四毫。遇閏加銀二厘三毫四絲九微三纖三沙五塵。每畝米四升三合四勺。遇閏加米三抄五撮。每畝豆八勺。　地每畝銀二分五厘二毫。遇閏加銀一厘一毫七絲四微六纖六沙七塵。每畝米二升一合七勺。遇閏加米一抄七撮五圭。每畝豆四勺。　併衞折色田每畝銀五分四毫。遇閏加銀二厘三毫四絲九微三纖三沙五塵。　併衞折色地每畝銀二分五厘二毫。遇閏加銀一厘一毫七絲四微六纖六沙七塵。　光緒五年原續墾熟現熟民衞賦田地山塘雜產四千三百九十頃七十九畝四分五厘六毫。　徵民衞賦正雜等銀二萬九百七十八兩一錢九分三厘。遇閏加銀九百七十四兩三錢七分五厘。　徵民衞賦正雜等米一萬七千五百三十石七升。遇閏加米十四石一斗三升七合一勺。　徵民衞賦折色豆三百二十三石一斗三升四合九勺。

上元縣現熟蘆課田地洲灘一千三百六十八頃十一畝七分四釐五毫一絲九忽九微。各則不等科徵銀五千四十一兩三錢九分五釐。

江寧縣現熟蘆課田地洲灘四百九十頃九十一畝一分九釐二毫一絲四忽三微八纖零。各則不等科徵銀六百七十五兩三錢四分九釐。又堆木江灘額徵銀三十四兩四錢八分四釐。共銀七百九兩八錢三分三釐。

民國建立田土科則賦稅帶徵附捐及契稅等項。暨釐捐稅率。悉如下。

江寧縣田地科則銀米數目表一　見江蘇省財政說明書

田地別／科則別	原額畝數	每畝徵銀數	每畝徵米數	歲共徵銀數	歲共徵米數
民田上則	三千五百四十一頃五十二畝七分九釐四毫九絲	併豆折五分七釐八毫九絲三微九纖八沙四塵六漠五埃	原折二升九合一勺九抄	二萬五百二兩四分四釐	一萬三百三十七石七斗一升八合九勺
民田下則	八百五十頃六十畝三分五釐三毫四絲	併豆折五分二釐七毫八絲三微九纖八沙四塵六漠五埃	原折二升六合一勺八抄	四千四百八十九兩五錢一分九釐	二千二百二十六石八斗八升
屯田	九十三頃十五畝六分八釐	併豆折五分七釐八毫八絲	原折二升九合一勺九抄	五百三十九兩一錢九分二釐	二百七十一石九斗二升五合

衛田	三百八十一頃九十三畝七分一厘三毫	照原則七分五厘		二千八百六十四兩五錢二分八厘	
公費田	一百四十九頃三十三畝六分一厘三毫七絲	照原則七分五厘		一千一百十一兩二分一厘	
蒲蕩田	三十一頃八十三畝五分八厘	併豆折九厘二毫一絲八微三纖六沙九塵二渺六漠	原折四合六勺六抄八撮二粟	二十九兩三錢二分三厘	十四石八斗六升九勺
蒲蕩田	十三頃五十七畝六分九厘	併豆折九厘二毫一絲八微三纖六沙九塵二渺六漠	原折四合六勺六抄八撮二粟	十二兩五錢五厘	六石三斗三升七合七勺
牧馬田	二十六頃三十九畝二分九厘	照原則六分		一百五十八兩三錢五分六厘	
民地上則	四百二頃三十三畝六分九厘四絲	併豆折三分二厘四毫五絲三微九纖八沙四塵六漠五埃	原折一升六合一勺	一千三百五兩五錢九分九厘	六百四十七石七斗六升二合四勺
民地下則	七十二頃八十四畝二分二厘二毫六絲	併豆折二分七厘二毫三絲三微九纖八沙四塵六漠五埃	原折一升三合三勺	一百九十八兩三錢五分二厘	九十六石八斗八升二勺
屯地	二頃十五畝一分五厘	併豆折三分二厘四毫四絲	原折一升六合一勺	六兩九錢七分九厘	三石四斗六升三合九勺
衛地	二百三十八頃四十四畝二分三厘六毫二絲	照原則四分		九百五十三兩七錢六分九厘	
公費地	一百五十八頃八十六畝七分三厘一毫三忽	照原則四分		六百三十五兩四錢六分九厘	

牧馬地	二頃六畝四分三厘	照原則四分		六兩一錢九分三厘	
蘆課地	一千六百三十六頃四十七畝七分八厘二毫九絲三忽二微三纖三沙三塵三渺三漠二埃六逡	各則不等		六千三十九兩八錢七厘九毫一絲六忽	
說明	本表係照舊上元縣田地科則至蘆課科則畝數因案卷遭亂燬失無從查列合併聲明				

江寧縣田地科則銀米數目表二　同上

田地別／科則別	原額若干	每畝徵銀若干	每畝徵米若干	歲共徵銀若干	歲共徵米若干
民衛上則田	四千九百十七頃四十四畝四分二厘	併豆折五分一厘二毫八絲	二升九合八勺二抄	二萬一千十一兩六錢九分四厘	一萬二千二百十八石五斗七升八合六勺
併衛下則田	一百十九頃五十畝七分八厘	五分四毫	米無	六百二兩三錢一分九厘	
公費下則田	七十九頃九十七畝一分八厘二毫	五分四毫	米無	四百三兩五分八厘	
油蔴下則田	九頃二十五畝七分七厘	五分四毫	米無	四十六兩六錢五分九厘	
民衛上則地	四百四十六頃十三畝五厘	併豆折二分五厘六毫四絲	一升四合九勺一抄	一千一百四十三兩八錢七分八厘	六百六十五石一斗八升六勺

併衛下則地	六十五頃五十一畝七厘一毫	二分五厘二毫	米無	一百六十五兩八分七厘
公費下則地	四十九頃四十七畝八分六厘四毫	二分五厘二毫	米無	一百二十四兩六錢八分六厘
油蔴下則地	五頃五十五畝四分八厘五毫	二分五厘二毫	米無	十三兩九錢九分八厘
蘆洲地灘	六百九頃六十九畝六分一厘五毫	各則不等		七百四十五兩八錢八分一厘
說明	本表係舊江寧縣田地科則向係民衛不分按照前清戶部抄發奏冊各款籠統徵收驗分攤解至蘆課科則畝數因案卷遭亂燬失無從查列合併聲明			

江寧縣賦稅帶徵附捐一覽表（一）　見江蘇各縣附捐一覽表　以十七年十二月底為限

附捐項目＼類別	忙銀每兩 上快	忙銀每兩 下忙	漕米每石	蘆課每兩 上忙	蘆課每兩 下忙	備註
水利畝捐	元三角四分 寧三角九分	同 同				長期帶徵
自治經費	元三角四分 寧三角九分	同 同		二角五分	同	長期
義務教育費	元一角七分 寧一角九分五厘	同 同		一角二分五厘	同	長期
防務費			五角			臨時

附捐項目	忙銀 上忙	忙銀 下忙	漕米	蘆課 上忙	蘆課 下忙	備註
縣公安局經費	元一角七分 寧一角九分五厘					長期
四鄉公安隊經費	元一元二分 寧一元一角七分					呈准帶徵一年
村制經費	元一元七角 寧一元九角五分					長期
合計	元三元七角四分 寧四元二角九分		五角	三角七分五厘	同	

江寧縣賦稅帶徵附捐一覽表（二） 同上 以十七年十二月底爲限

附捐項目／類別	忙銀 上忙	忙銀 下忙	漕米	蘆課 上忙	蘆課 下忙	備註
徵收費	六分五厘	同	六分五厘	六分五厘	同	按元
普教畝捐	四分	同		四分	同	按畝
合計	六分五厘	同	六分五厘	六分五厘	同	按元
又	四分	同		四分	同	按畝

【江蘇省財政說明書】江寧縣契稅收數元年二千七百七十四元五角四分二厘。二年四千八百四十六元三角二分二厘。三年一萬一千三百十七元七厘。驗契自開辦起至年底止收數五萬

三千八百八十四元七角九分八厘。　民國二年份徵收地丁數額徵六萬三千五百三十一兩六厘。實徵三萬五百三十四兩四錢六分一厘折合銀元四萬五千八百一元六角九分一厘。　民國二年分漕糧徵收數額徵二萬六千四百八十九石五斗八升九合二勺實徵一萬三千八百三十七石八斗七升七合二勺。折合銀元五萬五千三百五十一元五角九厘。　二年分屯米徵收數額徵二百七十五石三斗八升八合九勺。實徵九十七石六斗九升五合九勺。　二年分蘆課徵收數額徵六千七百八十五兩六錢八分八厘。實徵六千三百二十九兩四錢九分七厘。　二年分屯折徵收數額徵五千一百三十一兩八錢七分四厘。實徵二百十四兩三錢五分一厘。

十六年後。省市畫分田賦徵收。屬於縣政。茲不復述。至京市財政。歷來入不敷出。向賴中央補助。大率歲入計稅捐一百七八十萬元。地方財產約二十四萬元。地方行政約一十二萬元。地方事業約一十萬元。地方營業約一十一萬餘元。其他各項約四十八萬元。外加財政部協款六十萬元。鐵道附捐一百二十萬元。總計年收四百六十四萬餘元。歲出計行政費五十二萬餘元。財務費二十八萬餘元。土地整理費九萬餘元。教育文化費八十四萬元。衛生費二十八萬餘元。建築費約一百八十六萬元。債務費約四十三萬餘元。協助及自治經費約六萬元。自來水工程處經常費約二十萬餘元。其他撥付市公債基金四十八萬元。救濟及旗民給養費約一十九萬餘元。總計全年支出共需五百二十六萬餘元。收支相較。每年不敷在六十餘萬元以上。雖經當局力加整理。欲求收支適合。不仰給中央之補助。尚非一時所能驟躋。若能改用土地課稅。以京市面積之大。地價之高。以期自給。當不難也。京市財政最近三年之收入支付列表對照如左。

南京市最近三年財政收入概數表

項別	民國二十年	民國廿一年	民國廿二年	備註
營業稅	四三、五五五元	一四二、一六三元	一三四、二〇二元	最近預算數二十萬元
契稅	三一一、九五一	二三二、〇三八	三〇〇、〇〇〇	

牙税	九四二	二、〇五四	—	改徵營業税
當税	一、八一〇	二、一七〇	—	改徵營業税
屠宰税	六四、二一六	六八、〇二六	—	改徵營業税
菸酒税	—	二〇、〇〇〇	二五、〇〇〇	由税務署撥
旅館牌照税	五、〇五〇	四、九六〇	五、〇〇〇	
浴堂牌照税	二、九四〇	二、八二〇	三、〇〇〇	
車捐	六二五、〇九八	六一五、八〇六	六六〇、〇〇〇	
房捐	三七二、九三三	三九三、二一三	四八〇、〇〇〇	
船捐	八、二二一	一六、一三八	一六、一三七	
旅館捐	三三、三一二	三一、八四〇	四八、〇〇〇	
茶館捐	五、六七〇	四、六四七	六、〇〇〇	
筵席捐	三九、五〇〇	四五、八三〇	四七、九七〇	
娛樂捐	四三、一三四	四四、七五四	五四、〇〇〇	
廣告捐	九、八九六	一三、五〇〇	一二、〇〇〇	

碼頭捐	一八、一七七	一〇、五二〇	一〇、五二〇	由金陵關代徵
地方財產收入	六六七、二二五	二七六、五八三	二四〇、〇〇〇	
地方行政收入	一三五、八六七	一二八、八一二	一二〇、〇〇〇	
地方事業收入	—	五八、四一二	九四、五八四	
地方營業收入	一二二、二五三	一一〇、九九九	一一一、〇〇〇	
補助款	一、七九七、九二七	二、二三〇、九八八	一、八〇〇、〇〇〇	內計財部協欵六十萬元鐵道附捐一百二十萬元
其他收入	九五七、〇一二	三四七、五五四	四八〇、〇〇〇	
公債收入	三七四、九〇一	—	—	
合計	五、六四一、五〇九	四、八〇三、八二七	四、六四七、四一三	

南京市最近三年財政支出概數表

費別	民國二十年 元	民國廿一年 元	民國廿二年 元	備考
行政費	七一九、二〇九	五八三、五八〇	五二八、〇〇〇	
財務費	六〇五、五三二	四六八、七〇四	二八八、〇〇〇	
教育文化費	七二三、三〇四	七三八、三九六	八四〇、〇〇〇	
衛生費	三二四、二五二	二四三、九〇四	二八八、〇〇〇	

建設費	二、五一七、一〇四	一、八四二、二六二	一、八六〇、〇〇〇	二十二年度數計經常建設費三十萬元餘爲特別工程費
土地整理費	—	—	九六、〇〇〇	
債務費	四八六、〇〇〇	四六二、〇〇〇	四三二、〇〇〇	
協助費	—	五二、二四二	六〇、〇〇〇	
官營業費	八六、九九八	八七、〇〇八	二〇四、〇〇〇	二十二年度數係自來水工程處經常費
其他支出	—	一三〇、〇〇〇	六七二、〇〇〇	二十二年度數內付公債基金四十八萬元旗民給養費十九萬二千元
預備費	二三〇、六六九	—	—	
合計	五、六九三、〇六八	四、六〇八、〇九六	五、二六八、〇〇〇	

據上列收入表．最近三年捐稅．及地方款收入．均成逐年增加之趨勢．補助款則漸成逐年遞減之趨勢．不能謂非當局整理財政之效果．惟二十一年因一二八之變．地方款收入特少．中央補助款亦特多．各種收入三年來增加之比率．分爲捐稅地方款補助款列表比較如左．

款別	二十年	百分比	二十一年	百分比	二十二年	百分比
捐稅	一、五八六、四〇五元	二八、二〇	一、六五〇、四七九元	三四、四〇	一、八〇一、八二九元	三八、八〇
地方欵	二、二五七、二五八	四〇、〇〇	九二二、三六〇	一九、二〇	一、〇四五、五八四	二二、五〇
補助欵	一、七九七、八二七	三一、八〇	二、二三〇、九八八	四六、四〇	一、八〇〇、〇〇〇	三八、七〇
合計	五、六四一、五九〇	一〇〇、〇〇	四、八〇三、八二七	一〇〇、〇〇	四、六四七、四一三	一〇〇、〇〇

據上列支出表.最近三年行政費債務費則逐年減少.事業費亦逐年加多.預備費惟二十年有之.未另分析其逐年增減之比率.分爲行政費債務費事業費列表比較如左.

費別	二十年	百分比	二十一年	百分比	二十二年	百分比
行政費	七一九、二〇九元	一二・六〇	五八三、五八〇元	一二・七〇	五二八、〇〇〇元	一〇・〇〇
事業費	四、四八七、八五九	七八・八〇	三、五六二、五一六	七七・三〇	四、三〇八、〇〇〇	八一・八〇
債務費	四八六、〇〇〇	八・六〇	四六二、〇〇〇	一〇・〇〇	四三二、〇〇〇	八・二〇
合計	五、六九三、〇六八	一〇〇・〇〇	四、六〇八、〇九六	一〇〇・〇〇	五、二六八、〇〇〇	一〇〇・〇〇

再就收入支出兩表比較。最近三年。均入不敷出。年度愈近。事業費愈多。不敷之數亦愈大。茲將最近三年收支不敷概數列表比較如左。

年份	收入數	支出數	不敷數	盈餘數
民國二十年	五、六四一、五九〇元	五、六九三、〇六八元	五一、四七八元	— 元
民國二十一年	四、八〇三、八二七	四、九〇八、〇九六	—	一九五、七三一
民國二十二年	四、六四七、四一三	五、二六八、〇〇〇	六二〇、五八七	—

國稅　京市國稅。民國二十二年計徵關稅二百四十二萬三千五百九十元。統稅五十九萬九千元。此外印花稅由江寧印花稅局徵收。京市各院部所貼印花。均由該局分銷。菸酒稅新章產銷幷徵。南京爲銷區。洋酒稅歸海關進口一道徵收。京市爲查驗區。菸酒牌照稅。二十一年以前。純爲包商投標性質。無案可稽。總計關稅統稅兩項國稅凡三百零二萬二千五百九十元。

總之金陵自六朝以來。或爲國都。或爲省會。庶政繁興。費用浩大。地方所入。不足供其百一．取四方之財．經營一地．其於聚人馭用之説．固尤宜加之意哉．

司法

我國司法故不獨立．清季預備立憲．始謀改良．宣統二年．蘇省改按察使爲提法使．掌司法上之行政事務．爲獨立之先聲．其屬有總務刑民典獄三科．各設科長科員書記等若干人．

【江蘇巡撫程奏江蘇改設提法使設立屬官分科辦事等摺】（宣統二年南洋官報三三册）奏爲江蘇改設提法使．遵照部章．設立屬官．分科辦事．擬訂規則．豫算經費．恭摺仰祈聖鑒事．竊准吏部咨開．宣統二年七月二十一日內閣奉上諭．法部奏請改補現任按察使爲提法使一摺．所有江蘇提法使．著左孝同補授．等因．欽此．咨行到蘇．即飭遵照．茲據江蘇提法使左孝同詳稱．查提法司職掌司法上之行政事務．爲司法獨立之機關．責任綦重．際此預備立憲．審判廳限年成立．各處監獄以次改良．事尤繁賾．前憲政編查館奏頒提法使官制．應設屬官．曰總務科．曰刑民科．曰典獄科．各設科長科員書記．以資助理．用意至爲周密．現當改設提法司之始．除舊布新．一切均待整飭．擬請遵照定章。分設總務刑民典獄三科。每科各設科長一員。一等科員一員。總務科事較繁雜。擬設二等科員四員。刑民科設二等科員三員。典獄科設二等科員二員。至書記刑民應備繕供勘。擬設六員。總務典獄兩科各設五員。擬請先就歷在司署辦公之幕友委員。切實甄別。並考取合格人員。分別試署。以分科成立之日起。試署一年期滿。察其能稱職。再行詳請補奏。　司署向有刑幕兩席。分辦寧蘇兩屬刑民案件。今若併歸刑民一科。既有應辦之新政。又須批核舊案。勢難兼及。擬照定章。略事變通。將刑民科內二四兩條。有關籌辦審判廳事件。暫歸總務科辦理。其未設審判廳之處。照舊勘轉之案。則分歸刑民典獄兩科兼辦。候各屬審判廳一律成立。即改照定章。各歸各辦。　至按察使兼管之驛傳事務。照章應歸勸業道兼管。現僅江寧設有勸業道。蘇州尚未設立。究應如何歸管。候奉議定。飭知遵辦。省垣各城門。向由按察使委員盤查。以後應歸巡警道管理。其餘不關司法之行政差事。如自治調查。農工商務。洋務。禁烟公所。巡防營務處。醫院籌辦處。向由臬司會同辦理。此後均由各主管局所主政。不必再由提法司會核。各州縣遇有財政民政軍政等事。向係並詳臬司者。但與法政無關。此後毋庸並詳。以省繁牘。司署附設之各局所。如清訟統計審判廳籌辦處。一律裁撤。併歸三科。就主管職掌。分別核辦。

又設立江寧省城地方審判廳檢察廳．及第一第二初級審判廳檢察廳．受理民刑訴訟．民國元年．江蘇第一高等審檢分廳成立於南京．二年裁提法使．併第一第二初級審檢廳於江寧地方廳．三年裁江蘇第一高等審檢分廳．五年地方廳設簡易庭．十一年江寧地方廳原轄之武進．無錫．江陰．宜興．靖江．溧陽六縣初級管轄之上訴案件．劃歸於吳縣地方審檢廳．十二年又劃所轄丹徒．丹陽．金壇．揚中．江都．泰縣．如皋．儀徵等縣於丹徒地方審檢廳．於是所轄者．江寧而外．六合．江浦．溧水．句容．高淳五縣而已．

【督部堂張札蘇臬司迅速籌議設立江寧省城地方審判初級審判各廳辦法一案文】〔宣統二年南洋官報八五册〕札催事．案查憲政編查館奏定九年籌備清單．各省省城及商埠等處各級審判廳．限宣統二年一律成立．並准法部咨行籌備事宜．迭經轉飭該司遵照在案．查司法獨立．關係憲政至要．所有籌備審判事宜．自係該司專責．寧蘇同屬一省．該司雖駐蘇垣．而寧屬各級審判．照章應由該司監督調度．當此籌備伊始．自應由該司統籌辦法．同時進行．上年趙前署司．詳擬設審判廳事摺開各條。詳於蘇而略於寧。其各級審判廳之設置一條。於元寧兩縣竟未議及。似猶沿寧蘇分屬之習慣。不知刑名非財政可比。事有專司。理宜統一。設辦理兩歧。以及定限或有貽誤。仍係該司考成。無所用其遜讓。合亟專札催辦。札到。該司卽便遵照。迅速籌議設立江寧省城地方審判初級審判各廳辦法。詳候本部堂暨撫部院核明奏咨。至此項經費如何籌撥。應由該司移商寧藩司議定會詳。其寧垣設立之審判研究所。並由該司督飭江寧府認眞考核。仍轉飭該府遵照。均毋違延切切。

【兩江總督張奏臚陳第五屆籌備憲政情形摺】〔宣統三年南洋官報一六〇册〕初級廳三處。係借城內各裁缺守備衙署。改設寧省地方廳一所。初級廳二所。

【江蘇省政治年鑑】宣統二年十一月。於江寧城內新廊舊釐局。設江寧地方審檢廳。並設立第一第二初級審檢廳。民國紀元方成立高等審檢分廳。設在江寧前財政公所者。曰江蘇第一高等審檢分廳。民國二年十月江寧第一第二初級審檢廳。均裁併於江寧地方廳。維時因經費支絀。于三年八月裁江蘇第一高等審檢分廳。五年令各地方廳設簡易庭。十一年七月一日吳縣地方審檢廳及看守所告成。將原歸江寧地方廳管轄之武進無錫江陰宜興靖江溧陽六縣初級管轄之上訴案件．移歸該廳管轄．十二年一月一日丹徒地方審檢廳及看守所相繼成立．將原歸江寧地方廳管轄之丹徒丹陽金壇揚中江都泰縣泰興如皋儀徵九縣．暨原歸第一高等分廳管轄之高郵一縣初級管轄之上訴案件．移歸該廳管轄．至于不動產登記．江寧吳縣兩地方審判廳．均已於本年二月實行．

【江蘇省政治年鑑】江寧地方審檢廳．兼理六合江浦溧水句容高淳各縣．第一高等審檢分廳．附設地方庭．兼理銅山豐縣邳縣灌雲阜寧寶應淮陰碭山贛榆宿遷東海泗陽東臺鹽城沭陽蕭縣睢寧沛縣漣水淮安興化．

【江蘇省財政說明書】案江蘇司法．前清之季．除省城高等檢察廳外．地方以下之成立者．有江寧蘇州上海鎮江四處．民國二年裁提法使缺．改設司法籌備處．裁廳加俸．從新組織．迨至七月江寧亂事發生．司法無從取給．有勉盡義務者．有暫行解散者．機關雖然存在．幾幾不絕如縷．十月奉司法部決議．將各廳裁併．改爲審檢所．三年四月縣知事兼理司法事務暫行條例公布施行．祇留高等廳一．江寧上海地方廳二．其官員審判廳總一百三十九人．檢察廳總三十九人．

其官員審判廳總一百三十九人．檢察廳總三十九人．

【江蘇省政治年鑑】江寧地方審判廳廳長一。刑事庭長一。推事二。候補推事一。簡易庭推事一。候補推事一。民事庭長一。推事二。候補推事二。簡易庭推事一。候補推事一。民事執行處候補推事一。學習推事二。書記長一。官七。候補一。學習一。錄事十六。承發吏十。譯員一。律師九十一。合計一百三十九人。

江寧檢察廳檢察長一。首席檢察官一。檢察官二。候補檢察官一。學習檢察官一。書記長一。官四。候補一。學習一。繙譯一。錄事八。檢驗官二。司法警察十七。合計三十九人。

十六年十一月一日。改江寧地方審判廳檢察廳爲江寧地方法院。管轄南京市及江寧縣各行政區。官員如下。

江寧地方法院員額。院長一。庭長二。推事三。書記官長一。書記官十三。候補書記官四。學習書記官二。錄事二十一。執達員八。

江寧地方法院檢察處員額。首席檢察官一。檢察官五。候補檢察官一。主任書記官一。書記官五。候補書記官二。學習書記官一。錄事十一。檢驗員二。學習檢驗員一 〔二十四年七月調查〕

見中央政治會議議決本年（二十四年）十月一日以江寧地方法院改組爲首都法院。直隸司法行政部。而於訴訟仍以江蘇高等分院爲上訴機關焉。清季既改良司法。復設江寧罪犯習藝所於大石橋東。卽今所稱江蘇第一監獄者也。罪人分監而居。教以禮義。習以技術。汙穢得以濯。疾病得以療。一洗數千年幽昧慘酷之習。

【寧藩司樊批江寧府會詳遵飭籌議模範監獄開辦事宜由】（宣統元年南洋官報三一册）詳請事。案奉督憲札開光緒三十一年四月初二日欽奉上諭罪犯習藝所著各省督撫督飭各屬一體認眞辦理等因奉此。並准部咨嗣後各省徒罪人犯毋庸發配。概照所定年限收所習藝。軍流人犯若爲常赦所原者。卽在本地收所習藝等因。業經飭令在於江寧省城籌款購地。參仿天津及日本成規建造罪犯習藝所。並將辦理情形專摺奏明在案。茲查習藝所工程業已完竣。亟須妥籌開辦。應卽派委前署江寧知府許守星璧現任江寧知府楊守鍾義爲習藝所提調。飭速遵照部章。參酌本省情形。悉心籌議。妥定詳細章程。稟候核定。卽日開辦等因。奉此。查前奉督憲札飭在江安糧道庫借撥銀十萬兩。知府星璧督同學生王兆甲張大川參考東洋監獄制度。及天津習藝所規模。度地繪圖。在省城大石橋之東。鳩工興造新式監獄一區。曰江寧罪犯習藝所。其建置曰雜居監。曰要犯分居監。曰官犯分房監。曰女監。曰病監。曰教誨堂。曰課堂。曰工場。曰提調室。曰辦公廳。曰典獄室。曰待問室。曰搜檢室。曰罪犯接見室。曰訊問室。曰教務所。曰材料庫。曰製品庫。曰器具庫。曰糧食庫。曰囚人携帶物品庫。曰醫室。曰藥室。曰暗室。曰屍室。曰瞭望臺。曰物品陳列所。曰保安水龍室。此外庖湢盥浴之處。員役居住之房。總共二百二十餘間。約可收留五百餘人。牆壁堅高。規模完備。惟查部章罪犯習藝所。係收已定罪之軍流徒犯。現聞寧屬各府州縣之軍流徒罪人犯。已有各府州縣之習藝所收。省城所設習藝所。若僅收江寧一府之軍流徒犯。而人數未必過多。範圍似覺太隘。擬請改訂名稱。爲江南省城模範監獄。凡江寧一府及未建習藝所之各府州縣軍流徒罪人犯。查照部章應收所者。均可送入。又凡痞棍流氓及他項有罪人犯。係奉督憲批定永遠及有年限監禁之犯。亦得收入。此外刑事民事及原被案證人等。仍歸地方官衙收管。以示限制。

【江蘇省政治年鑑】江蘇第一監獄。設在江寧。建築於前清末葉。光復時迭遭兵燹。房屋器具。俱已毀壞。民國三年十月。就原有基礎撥款重修。四年八月始正式開辦。嗣又就該監西南隅。加建鹽犯監東南隅加建病監及女監．至七年九月次第告成．該監東西兩監．爲雙扇面形．各分四翼．三翼雜居．一翼獨居．共計監房六十二間．鹽犯監六．係扇面形．共分五翼．計雜居房二十間．獨居房八．監．又女監一翼．計監房六間．均係雜居．與工場合成丁字形．全監可容人犯八百名．工作設有木工鐵工縫工襪工鞋工繡工染織毛巾洗濯印刷鑄字農作營繕炊事等科．其中以印刷業爲最發達．作業基金原有四千餘元．就十一年全年各科營業計算．共盈餘四千六百餘元．又第一分監．係民國元年七月就江寧縣舊監修改．名爲江寧地方監獄．四年四月改稱今名．該分監建築形式．類四字形．計監房十二間．均係雜居．未設女監．可容人犯一百五十八．工作有織布縫工炊事三科．基金二百元．織縫尚無虧折．炊事一項．有虧無盈．又江寧地方廳看守所．增加房屋．收容短期人犯．

又第一監獄．典獄長一．看守長九．教誨師一．醫士二．藥劑師一．主任看守八．作業工師六．第一分監典獄長一．看守長一．教誨師一．醫士一．主任看守三．

【二十四年八月朝報載江蘇第一監獄概況】江蘇第一監獄．位於本京太石橋南．爲江南著名監所．記者爲明瞭該監組織及狀況．特走訪該監鈕典獄長．承鈕君告述綦詳．茲分誌如左．　成立沿革．江蘇第一監獄．係前清光緒三十三年成立．初名江南模範監獄．辛亥革命．毁於兵燹．民國三年重修。改稱江寧監獄。民國六年三月。始更今名。　內部分東西監。南監。病監。女監四處。東西監爲雙扇面形。各分四翼。以乾坤震艮離坎兌巽別之。南監爲單扇面形。以仁義禮智信別之。病監爲單面橫列式。女監爲合面橫列式。其面積共爲六十五畝。可容納監犯八百名以上。除教誨室。教育室。醫務所。手術室。男女浴室。職員辦公室。宿舍。炊場外。計有夜間獨居分房四十八間。五人雜居房八十間。十人雜居房二十四間。女監十二人雜居房六間。分房十一間。病監三人雜居房九間。分房十三間。男工場十處。女工場一處。　監獄經費。按照民國二十二年度地方司法費歲出概算書。江蘇第一監獄署每年經常費預算爲七萬零六百零八元。江蘇財政廳每年實發六萬七千六百零八元。另由作業收入項下撥補經常費三千元。以符預算。　內部組織。江蘇第一監獄署設典獄長一人。由司法行政部呈薦任用。下分三科。共有主科看守長三人。由司法行政部委任。候補看守長四人。女候補看守長一人。均委任待遇。另有主任看守十八人。男女看守共九十八人。監丁六人。第一科主管文書。款項。人犯名籍。指紋等事務。第二科主管戒護。紀律。訓練看守。清潔等事務。第三科主管作業事務。此外教誨室設教誨師一人。教師一人。主管教誨教育事務。醫務所設醫士一人。藥劑師一人。主管診斷。藥品。衞生事務。　監獄作業。江蘇第一監獄。共有男工場十。女工場一。其作業之分類如下．籐木．縫工．染織．毛巾．鐵工．洗理．農作．鞋工．石印．機襪．繡工．遵照監獄規則第三十七條之規定．每日每監犯之工作時間爲八小時．就役人數在四百人至四百五十人之間．以委託業居多．平均每月成品價值約千元．　監獄教誨計分集合教誨．單獨教誨．特殊教誨三種．由教誨按時舉行．教誨資料．多取材於三民主義及建國方略．他若立身修心之說．工藝技術之途．亦均儘量指點．以期改善監犯之道德心．及其生存能力．如某一監犯有特殊之事故時．則舉行單獨教誨．安慰之．勸導之．遇有假釋．則舉行儀式．莊嚴之特殊教誨．全監職員人犯．一律參加．以期有所省悟．　監犯統計．江蘇第一監獄．因年來社會上犯罪行爲之激增．每日在監人犯約有一千五百名至一千五百五十名．平均每日出監入監人犯約各在十名至十五之間．關於男犯與女犯之比例．率約爲八與二．女犯少於男犯之主要原因．不外（一）女性大都倚賴男性而生活．對於經濟之困難．未感切膚之痛苦．故出於不得已之越軌行爲者較少．（二）大半犯罪行爲．均須以體力爲後盾．女子之體力．遠遜男子．故如搶刧．綁票．鬬毆等．皆非女子所慣爲．（三）女子對於性交．常處被動．強姦罪．亦非女子所慣犯．（四）女子專事家庭．社交殊少．故犯罪機會亦不多．（五）犯罪行爲．有因迫於生活．少年女子．能以賣淫方式．滿足其一切需要．實爲其犯罪之代替物．　監犯年齡．監犯年齡以在二十一至三十歲者爲最多。三十一至四十歲者次之。四十一至五十歲者又次之。五十一至六十歲者更次之。十三至二十歲者再次之。最低者爲六十一至七十歲。二十一至三十歲者所以犯罪特多。原因不外（一）年當少壯。閱歷尚淺。意氣用事。不能沈思熟慮。（二）因血氣方剛。慾望漸多。一受誘惑。自難抵制。　犯罪季節。一年內各月份犯罪人數之多寡。常隨季節而變遷。計一月份爲最多。二月份次之。三月份又次之。四五月份更次之。六月份爲最低。七月份稍高。八九月份漸低。十月份高漲。十一十二月份又形低降。此該監統計之大略也。秋冬犯罪之可能性。較春夏爲高。此則因嚴寒季節。衣食不易。且中間年關逼迫。貧困者多不得已挺而走險。陷入罪惡之途。反之春夏生活較易。且多值農忙季節。失業人數不多。故犯罪人少。　監犯程度。監犯人數最多者爲商業。農業次之。工業又次之。再次卽爲失業。交通運輸。無業。公務等。監犯以不識字者爲最多。受中等教育者次之。最低者爲受高等教育者。　犯罪次數。以初犯者爲最多。再犯者次之。三犯者又次之。

監獄中游民習藝所亦於淸季成立。

【江南模範監獄呈請添收無業游民習藝所詳文】〔宣統二年南洋官報八三册〕詳請事案據署上元縣知縣李令嶽衡署江寧縣知縣李令廷琳稟稱。省城五方雜處。風俗囂陵。無業游民。所在皆有。偷竊敲詐。擾害治安。及至犯罪到官。笞押而外。別無重罪之可科。如以情罪甚輕。率予釋放。既無執業。仍將恃其種種不法伎倆。以爲生計之工具。縱令再犯再懲。或加重而久押不以爲苦。笞責又所已經。既無悔過遷善之可言。又何革面洗心之可冀。此類性質。最以收入游民習藝所爲宜。無如籌款維艱。迄未創設。伏查模範監獄章程內。凡痞棍流氓。亦可收入。是指奉憲批定永遠及有年限監禁者而言。此等罪止笞押之犯。自未便率請解送。惟查女監既從緩辦。房屋正値空閒。擬請量爲變通。所有上江兩縣游民犯事。不能科以重罪。又未便遽然輕釋者。准予隨時申送。暫假女監。以資習藝。前來。查模範監獄原爲江寧罪犯習藝所。光緒三十三年由前督憲端飭籌建築。查照定章。以江寧一府。及未建習藝所之各州縣軍流徒罪人犯入之。又凡痞棍流氓及他項人犯奉批永遠及有年限監禁之犯。亦得收入。開辦已來。查取各州縣前項罪犯人數。飭令解送。文札頻催。僅據上元江寧泰州溧水等屬解到罪犯數十餘名。收入習藝。其他州縣。或已建設習藝所。或據稱杳無合格罪犯。或申報尚未解到。亦有至今並未申報者。就本監獄監舍而論。約可容積四百人。預計此項罪犯。即令各屬全行解送。當亦不能過半。今該令等以省城無業游民。偷竊敲詐。擾害治安。請送入模範監獄。學習工藝。雖於定章未符。而體察地方之情。考核本監之事實。兩利相權。尙屬可行。惟既定之罪犯。與無業之游民。性質既屬不同。拘置不容混雜。現在女監雖未開辦。而偏在一偶。管理實有不便。查男監東西二區。尚多空間。擬請以東監拘禁既定之罪犯。名曰拘禁監。西監拘留無業之游民。名曰拘留監。習藝六廠。亦各分三廠。以期隔別而便工作。倘將來罪犯人多。即將游民遷讓。另謀安置。如此變通辦理。庶經費胥歸有用。而游民亦可謀生。於周官圜土而教罷民之旨。適相脗合。是否有當。理合據情詳請憲台鑒核批示祇遵。如蒙允准。再由知府擬定章程。飭縣解送。

督部堂批。模範監獄。詳據上江兩縣請將無業游民解送習藝一案。請示由。據詳已悉。省城游民犯事。既未別設習藝之所。模範監獄監舍既多空間。所擬以東監拘禁已定之罪犯。西監拘留無業之游民。如將來罪犯較多。再將游民另謀安置。洵於周官圜士教罷民之意相合。似屬可行。仰蘇臬司會同寧藩司核明具復飭遵。仍候撫院批示繳。

而招集人士。研究學理。先後成立者。有監獄傳習所。

【寧學司巡警局會詳妥議創辦監獄傳習所章程文】〔光緒三四年官報一三四册〕爲會詳事。查接管卷內。案奉憲台札。據江南巡警教練所教員王春生等稟請創設監獄傳習所一案。到本部堂。據此。查前據張大川請設監獄官吏養成所等情。經批飭江寧藩學兩司。會同臬司核議詳復。計年需經費銀一萬餘．當卽批行分籌在案．迄尙未據妥籌詳復．玆該教員等擬設變通之法．聯結巡警局教員數人合行義務．開監獄傳習所一處．爲監獄學堂之先聲．招學生一百六十名．分甲乙兩班．六個月畢業．每月只收學費三元．補助經費．其餘不足之數．均由學生等自行籌辦．所擬較張生等前請事半功倍．並省籌款之勞．似屬可行．應由寧學司會同巡警局督同妥議詳細章程．詳候核示．以期早日開辦．札行遵照辦理等因．奉經前署司移會巡警局飭取章程去後．玆據該教員王春生等擬詳細章程呈送前來．竊查監獄改良一事．旣不可緩圖．又未易猝辦．該教員等所請創辦監獄傳習所．誠如憲批事半功倍．察核擬議詳細章程．尙屬妥洽．應准其照所有遵飭督同妥議創辦監獄傳習所章程緣由．理合具文詳復．並將章程呈送．仰祈憲台鑒核批示遵飭．

江南審判養成所．

【寧藩司樊批京師大學畢業揀選知縣馬象雍等稟辦江南審判養成所錄批懇請立案由】〔宣統元年官報一九册〕據稟及摺開章程．均悉．該令等熱心教育．公同創設審判養成所一區．稟奉督憲批准照辦．准如來稟立案．繳．清摺存．

審判廳研究所．

【督部堂端札委江寧府上江兩縣充審判廳研究所監督提調文】〔宣統元年官報二三册〕札委事．案奉憲政編查館．頒發逐年籌備憲政事宜清單內開第二年限內籌辦各省省城及商埠等處各級審判廳．第三年限內各省省城及商埠等處各級審判廳．限年內一律成立等因．當經分飭遵照在案．查立憲以法律爲基礎．司法屬官治之範圍．江南爲江海要區．上海鎭江等處．在各省商埠之中．尤爲煩劇．非廣儲熟諳中外法律之人才．將審判無由改良．不足副四方之觀聽而冀收回治外法權之效果．茲事體大．條目繁多．現在在省候補人員．非無嫺習例案．長於聽斷之才．欲求其通貫中西律意．足補將來審判廳各項任用者．大都不能合格．此項事宜．督撫與法部同負責成．亟應設立審判廳研究所．以爲依限成立之預備．該所宗旨．專爲研究中外法律．養成審判人才而設．入所學員．應專收候補州縣以上人員．其佐貳雜職．以及紳班錄取者．則爲將來審判廳書記等員之用．現距審判廳成立之期．尙有年餘．應即定該所課程．六個月爲一學期．兩學期畢業．畢業以後．候補人員．先飭往發審局觀審案件．實地練習．再稟候飭行藩學臬三司．分別註册．聽候委派．以上事理．亟應遴員辦理．應即派委江寧府知府楊守爲該所監督．綜理斯事．上元縣高令．江寧縣趙令爲該所提議．協同辦理．其開辦經費．應准呈由財政局暫行借撥．除分別咨行外．合亟札委．札到該即便遵照前開事理．刻日開辦．並將籌辦情形．及應委員司．悉心核定．詳候復核飭遵．毋稍延誤．

法官訓練所等．其進殆未有已也．

【十八年一月司法行政部部長魏道明呈請司法院籌設法官訓練所以爲增設法院之預備案文】竊以擴充司法．爲訓政時期刻不容緩之圖．吾國幅員遼闊．各省舊有法院．爲數有限．而縣政府兼理司法．尤須早日取消．代以縣法院制度．故各級法院及縣法院急宜推廣設置．藉樹司法獨立之精神．期符五權分治之旨趣．惟欲實行上項計劃．所應先事顧及者．不外經費與人才兩項．經費之艱窘．猶可挹注以集．人才之培植．殊難一蹴而幾．成室之才．非養莫獲．治疾之艾．非蓄難期．矧屬司法官．其負荷之重．與需要之多．如不預先訓練．勢必才難興嘆．且以黨建國．事無不賅．司法之改良．國民黨黨員之負責尤重．將欲繼承勿替．益須訓練有方．綜此理由．擬請籌辦一法官訓練所．學額暫定爲二百名．與考資格．以國民黨黨員在國內外專門以上學校修法政學科三年以上．得有畢業憑證者爲限．修業期間．定爲一年．訓練科目．注重實習．修業期滿．試驗及格．即以學習推事分發任用．大端如是．其詳細辦法．一俟核准．再行設計．似此逐年造就．人才不患不敷．而法院之推廣設置．亦易爲功．所有擬請籌辦法官訓練所以爲增設法院預備各緣由．是否有當．理合具文呈請．伏乞鑒核施行．指令祗遵．謹呈司法院院長王．

當經司法院院長王寵惠提經國民政府第一六次國務會議決議通過在案．十八年五月由司法行政部分別在本京及北平廣州舉行法官訓練所招生試驗．錄取金盛文等一百七十四名．備取三名．所長謝瀛洲先生．於同年六月十三日開學．十九年六月畢業．計曹駿等一百七十二名．十九年十二月舉行第二屆招生試驗．錄取余長賚等一百五十二名．於二十一年五月畢業．計余長賚等一百四十名．二十一年十二月舉行第三屆招生試驗．錄取宋根山等一百三十三名．於二十三年十月畢業．計徐禴基等一百三十三名．二十三年十一月法官訓練所改歸司法院管理．第四屆招考學員亦已於二十四年七月舉行．司法行政部以各省需要承審員．爰商准考選委員會．於二十三年九月依照修正承審員考試暫行條例．在首都舉行承審員考試．計錄取朱國田等五十三名．於分發各省任用之先．在法官訓練所內附設訓練班．施以適當訓練．

首都志卷七

教育上

南朝學校

南京之有學校。蓋自後漢時始。

【後漢書李忠傳】建武六年遷丹陽太守。以丹陽越俗不好學。嫁娶禮儀。衰於中國。乃爲起學校。習禮容。春秋鄉飲。選用明經。郡中向慕之。

孫吳永安初詔立國學。

【三國志孫休傳】永安元年詔曰。古者建國。教學爲先。所以道世治性。爲時養器也。自建興以來。時事多故。吏民頗以目前趨務。去本就末。不循古道。夫所尚不淳。則傷化敗俗。其案古置學官。立五經博士。核取應選。加其寵祿。科見吏之中及將吏子弟有志好者。各令就業。一歲課試。差其品第。加以位賞。使見之者樂其榮。聞之者羨其譽。以敦王化。以隆風俗。

東晉元帝大興初。議興學校。置博士。以王敦之亂未果。至成帝時。立太學秦淮水南。徵集生徒。而士大夫習尙老莊。儒術不振。太元十年。於太廟南修校舍百餘間。選公卿二千石子弟爲弟子。然品課無章。人恥與其列。

【同治上江志】東晉立太學。〔陳志用袁瓌胡懷言也。　呂志建康實錄引輿地記。晉成帝咸康三年立。在東府城南小航道西。今東水關一帶。廢丹陽郡城東。晉書在正月〕其後荒廢。謝石移太廟南。〔淮水北矣。晉書孝武太元十年〕其西有夫子堂。〔在江甯縣東南二里古御街東。東逼淮水。疑今大中橋東〕雖教術無聞。而尙能知尊聖道也。

【南朝太學考】南朝之有國學。肇自孫吳。〔三國志孫權傳。建康實錄。三國志孫休傳〕越五十餘年而晉室東渡。王導首請興學。〔宋書禮志。晉書王導傳〕戴邈應詹復以爲言。〔晉書戴邈傳。應詹傳〕於是興建太學。置博士員。〔晉書元帝紀〕舉釋奠禮。爰及明帝。〔同上〕廣徵名儒。旁求隱逸。〔晉書任旭傳虞喜傳〕而運祚未永。弦誦靡聞。〔晉書儒林傳序〕成帝之世。袁瓌胡懷復請立學。〔宋書禮志〕遂興太學于秦淮水南。徵集生徒。禮聘儒宿。〔晉書成帝康帝紀。建康實錄。宋書禮志。晉書翟康傳〕財十餘年。復因軍興罷遣。〔宋書禮志〕淝水戰後。東南小康。謝石爲尙書令。又請興復國學。普修鄉校。〔宋書禮志。晉書謝石傳〕于是增學額。新學舍。建夫子堂。皇太子堂。祭酒省。博士省。及諸生學堂。〔宋書禮志。晉書孝武帝紀。又建康實錄〕徵聘戴逵龔玄之等。以風厲名節。〔晉書戴逵傳龔玄之傳〕史稱其時品課無章。有志於學者。莫不發憤歎息。蓋有育才之名。而無收賢之實焉。〔宋書禮志〕

宋元嘉以來。建立玄學史學文學儒學等四學。大學之有分科自此始。又立總明觀以集學士。謂之東觀。

【建康志】元嘉十五年。立儒學於北郊。命雷次宗居之。明年。又命丹陽尹何尙之立玄學。著作郎何承天立史學。司徒參軍謝玄立文學。

【宮苑記】儒學在鍾山之麓。時人呼爲北學。今草堂是也。玄學在雞籠山東。今棲玄寺側。史學文學並在耆闍寺側。

【南朝太學考】宋武帝開府京口。弘獎學風。〔宋書臧燾傳〕受禪之後。詔興國學。未就而崩。〔宋書武帝紀〕據范泰表。似其時已定制。選集生徒。廣延師儒。徒以學校未立。不獲實施。蓋晉之國學久已荒廢。倉卒未易興復也。〔宋書范泰傳〕顧其時雖無國學。而碩師宿儒。聚徒講學。朝廷爲之開館。講授蔚爲顯門。實視晉之虛設國學爲善。〔宋書周續之傳顏延之傳〕宋書稱復立國學在元嘉二十年。〔宋書禮志〕而興學之詔。實在十九年春。初蓋經營締構。逾年始就。〔宋書文帝紀〕已而舉幸學之禮。頒沾賚之詔。儒風大振。論者推爲一代之盛。〔宋書文帝紀〕而元嘉二十七年。復以軍興罷國子學。〔宋書文帝紀又禮志〕孝武帝大明五年。雖詔修葺講肄之盛。殆未能復也。〔宋書孝武帝紀〕

齊高帝立國學。置學生百五十人。命王公以下子孫爲之。帝崩而廢。武帝復立之。置生二百二十人。省總明觀。東昏侯立。詔依舊事。國諱廢學。

【同治上江志】齊建元四年立國學。永明三年釋奠先聖先師。軒縣六佾。永泰三年廢。見南齊禮志。

天監中〔四年六月〕立孔子廟．〔玉海百十三卷〕親釋奠於先聖先師．〔五年〕天嘉以後．稍置學官．蓋漸知步趨聖道矣．

【南朝太學考】蕭齊國學亦迭有廢興．建元四年詔立國學．〔南齊書高帝紀又禮志〕尋以國哀罷之．〔南齊書武帝紀〕永明三年復詔高選學官．廣延冑子．〔同上又禮志〕鬱林海陵廢黜相繼．建武四年詔稱屯虞荐有．權從省廢．而其省廢之時不詳．旣立學逾年．復以國恤罷．〔南齊書明帝紀又禮志〕觀史臣之論．以建武較永明．謂學校雖設．前軌難追．固亦未能大愈于晉宋矣．〔南齊書劉瓛陸澄傳論〕

然其時官師講習如故．

【南朝太學考】初宋明帝時．以國學廢．明置總明觀．講授玄儒文史四學．齊初沿之．永明中省總明觀．又就王儉宅開學士館．悉以四部書充儉家．蓋國學雖興替不恆．而官師之講習未墜．此南朝故事異于前代者也．〔宋書明帝紀南齊書百官志又王儉傳〕

梁武帝天監四年．首開五館．立國學．置武經博士各一人．又置冑子律博士館．

有數百生。給其廩餼。其通明者卽除爲吏。五年置雅集館。以招遠學。又遣皇太子及王侯之子年在從師者皆入學。幸國子學。策試胄子。於是四方郡國趨學向風。雲集於京師矣。〔南史儒林傳〕

【南朝太學考】梁武御宇。首開五館。〔梁書武帝紀。又儒林傳序。又南史儒林傳序〕嚴植之館在潮溝。其最著者也。〔梁書〕天監七年詔興國學。〔梁書武帝紀〕皇子諸王年在從師者。並令入學。〔梁書武帝紀又儒林傳序〕後又立士林館。延集學者。〔梁武帝紀又張綰傳。又孔子袪傳〕學風之盛。蓋終帝世。

陳承梁季喪亂。衣冠殄瘁。不遑獎學。至天嘉之後。稍置學官。以梁之遺儒爲之。

【南朝太學考】陳武創業。弗遑勸課。世祖以降。稍置學官。其議實建于沈不害。〔陳書儒林傳序。又沈不害傳〕自後主父子釋奠之外。史册所紀殊尠云。〔陳書宣帝紀。又後主紀〕

學官有祭酒。五經博士。太學博士。國子博士。助教。學士諸名。雖代有增減。未嘗以學廢不置。

【南朝太學考】南朝國學時有興廢，而典學官師，相承設置，不以廢學而罷其官，蓋講學之外，兼司議禮。祭酒博士之類，不患無所事也。漢魏祇有太學，自西晉以來，有國子及太學，號爲二學。實則國子屬於太學，祭酒亦止一人，惟博士有所謂太學博士國子博士，故博士分爲二省。〔見前引建康實錄有二博士省〕太學博士沿舊制，故其員多，國子博士爲新制，故其員少，至助教則視置學增損，亦由國子不學則助教不須廣設也。其詳見晉宋史志。〔宋書百官志晉書職官志〕惟晉書元帝紀博士之數，與官志歧異。〔晉書元帝紀〕按通典引賀循之言，則其時尚書所奉明令止于經置博士一人，經循陳請，改爲八人，周易則初用王弼注，後又立鄭玄注，是爲九人，加儀禮公羊，則十一人。〔通典大學〕惟循議三傳並立，同時荀崧亦以爲言，而穀梁未立學官，十一博士之中，有論語孝經鄭氏一博士，春秋左傳杜氏服氏二博士，非綜諸說觀之，不能明其舛午之故也。〔荀崧議詳後〕宋齊官制沿革，見南齊書百官志，梁代官制則見隋書百官志，沿及陳世，蓋仍梁制，惟不置正言博士耳。

南朝學官沿革表

員名 \ 朝代	吳	東晉	宋	齊	梁	陳
祭酒	都講祭酒 博士祭酒	國子祭酒一人	國子祭酒一人 總明觀祭酒一人	同宋制	國子祭酒一人	同梁制
五經博士	五經博士一人				五經博士各一人	
博士 太學博士	博士	初五人後八人九人十一人 東晉末太學博士十六人	同晉末	太學博士無員數	太學博士八人	同梁制
國子博士		國子博士一人	同晉制	國子博士二人	同齊制	同梁制
助教		國子助教十五人後十人	同晉末制或唯一人	國子助教十人後省	國子助教十人	同梁制
學士			玄儒文史四科學士各十人	初同宋後省		
正言博士					正言博士一人	
助教					助教二人	

博士講經。所用傳注。以立于學官者爲主。猶漢代家法傳經之遺也。

【南朝太學考】兩漢博士以家法傳經。至南朝而漸變。然晉宋之際。博士講學。猶明定以某氏傳注。立於學官。如東晉博士先立周易王氏。尙書鄭氏。古文尙書孔氏。毛氏。周官禮記論語孝經鄭氏。春秋左傳杜氏服氏九博士。後從荀崧議。增易及儀禮鄭氏博士。仍兩漢之法也。〈宋書禮志晉書荀崧傳〉劉宋國學廢鄭易。立糜氏穀梁。其尙書孔氏。三禮鄭氏。殆仍其舊。而宋書言之不詳。齊時陸澄與王儉議立鄭氏易賈氏左傳。而廢孝經鄭氏注。儉主存孝經。而鄭易賈傳之復否。亦無明證。〈南齊書陸澄傳〉梁之五經博士。不言專授某氏經注。惟隋書經籍志於易云。梁陳鄭玄王弼二注。列於國學。于書云。梁陳所講有孔鄭二家。是梁陳二代。亦沿前制。凡授某經。必以立于學官者爲主也。魏晉以降。博士教學。爲時所輕。〈晉書徐邈傳〉而經注之立于學官。不獨開一時之風氣。且大有影響於後世。如書之古文孔傳。眞僞聚訟。迄今未休。〈隋書經籍志經典釋文〉易之專用王注。亦爲講漢學者所嗤。而卒莫能廢。〈隋書經籍志經典釋文困學紀聞〉是則南朝之國學。實爲古今學術之樞紐。卽以治經一端而論。亦宜明其原委矣。

講經之外．兼司議禮．

【南朝太學考】南朝太學．上承兩漢．爲文化之中樞．亦禮教之鈐鍵．蓋由歷朝紛亂．未遑制作．而鴻儒碩彥．雲集膠庠．隨事諮詢．博稽典則．遂操風教之權．匪徒佔畢之學．觀其議事．各有根據．不憚立異．故有國子博士與太學博士異議者．〔見晉書禮志太元十二年臺符問朝臣奉賀應否上禮〕有國子助教與太學博士異議者．〔見晉書禮志孝武帝孝建元年十二月有司奏議殷祠〕有博士建議而博士羣起駁之者．〔見宋書禮志元嘉六年七月太學博士徐道娛上議〕有博士初議未允．經重議而改正者．〔見宋書禮志元嘉十年太祝令徐閏議祠祀．薦五牲．牛羊豕雞並用雄，其一種雌〕大抵依據經文．參稽故事．各就所見．補闕闡疑．或因經所未備．推例以求．〔見宋書禮志國子助教蘇瑋生議出征告郊事〕或以事有所疑．不嫌其創．〔見宋書禮志晉孝武帝太元元年崇德太后褚氏崩．議帝服〕稽其故實．是亦議院之先河矣．然晉之博士．有因議謚直言而被黜者．〔見晉書范弘之傳〕宋之博士．有因議禮乖舛而受劾者．〔見宋書禮志元嘉二十三年下博士議公主所服輕重〕蓋雖職重議官．而其言論亦未能自由矣．

並修禮書以致于用．

【南朝太學考】至如元嘉耕耤儀注久荒．而山謙之以史學生鳩集故事．遂獲奏定施行．〔見宋書禮志〕益知其時學校講授．尤重禮制．通經致用．實合爲一．齊梁二代大修五禮．王儉何胤纂輯于前．沈約徐勉繼述於後．修禮之局．附設國學．妙選經師．分門專掌．若明山賓嚴植之賀瑒伏暅等．皆極一時之人望．遂于普通六年告成．大凡一百二十帙．一千一百七十六卷．八千一十九條．學官撰著之富．殆未有逾于是者矣．〔南齊書禮志梁書徐勉傳〕雖至唐初．僅存吉禮賓禮十九卷．餘並亡佚．然陳代儀注．及吉賓軍嘉諸禮．合計不下八百餘卷．當亦本之是書．〔隋書經籍志儀注篇又陳書〕由是可見南朝講三禮之學者之多．今日所存于通典及諸史禮志者．特其鱗爪耳．

惟正始以後．搢紳競尚清談．指禮法以流俗．目縱誕爲清高．終晉之世．未能改革．宋國子祭酒王儉．少好禮樂春秋．言論造次必於儒者．由是衣冠翕然．更尚儒術．齊梁以來．風俗浮靡．士大夫競爲側豔之文．儒術益衰．雖有皇侃劉瓛何胤諸人．敦尚經術．比之靈光碩果而已．然如何承天錢樂之祖沖之等．研精曆算相與駁難。實事求是。妙造精微。固非徒祖尚虛玄矣。

【南朝太學考】同時有足述之一事。即劉宋太子率更領博士何承天以所撰元嘉新曆表獻太祖。乞下史官。于是太史令錢樂之兼丞嚴粲參稽新舊。及員外郎皮延宗所難較之議。禮尤爲專門之學。後卒從承天新歷。以二十二年創用元嘉歷。是則劉宋國學之官師。兼爲疇人之弁冕。前此國學之所無也。〔宋書歷志〕未幾南徐州從事史祖沖之又上表糾正承天新歷之乖舛。更擬新歷。世祖下之有司。太子旅賁中郎將戴法興曲加駁議。沖之隨法興所難一一駁詰。其文詳載史志。于是朝議多右法興。而巢尚之獨是沖之之術。按沖之雖非太學師生。孝武嘗使直華林學省。其議曆之事。足與承天後先輝映。亦可見南朝學者研究學術。實事求是之精神矣。〔同上〕世多以南朝祖尚虛玄。不務實學。觀其議禮議歷之精審。足明當時學術。華實兼賅。初非徒騖玄學也。

又其時講學之風。亦最稱盛。如嚴植之崔靈恩盧廣沈峻張譏馬樞之倫。並言論清雅。音韻如流。敷陳義旨。演述周析。非若漢博士之僅守章句已也。

【南史嚴植之傳】兼五經博士。館在潮溝。生徒常百數。講說有區段次第。析理分明。每當登講。五館生畢至．聽者千餘人．

【又崔靈恩傳】靈恩聚徒講授．聽者常數百人．性拙朴無風采．及解析經理．甚有精致．都下舊儒咸稱重之．

【又盧廣傳】爲國子博士．徧講五經．時北人有崔靈恩孫詳蔣顯並聚徒講說．而音辭鄙拙．惟廣言論清雅．不類北人．

【又沈峻傳】周官一書．實爲羣經源本．孫詳蔣顯亦經聽習．而音革楚夏．故學徒不至．惟峻特精此書．時開講肄．羣儒並執經下坐．北面受業．徐勉奏峻兼五經博士．於館講授．聽者常數百人．

【又張譏傳】梁武帝嘗于文德殿釋乾坤文言．譏整容而進．諮審循環．辭令溫雅．帝甚異之．陳天嘉中．爲國子助教．時周弘正在國學．發周易題．弘正第四弟弘直亦在講席．弘正屈於譏議．弘直危坐厲聲．助其申理．譏謂弘直曰．今日義集．辯正名理．不得其助．弘直曰．僕助君師．何爲不可．弘正嘗謂人曰．吾每登坐．見張譏在席．使人懍然．

【陳書馬樞傳】樞博極經史．尤善佛經及周易老子義．梁邵陵王綸爲南徐州刺史．素聞其名．引爲學士．綸時自講大品經．令樞講維摩老子周易．同日發題．道俗聽者二千人．數家學者各起問端．樞依次剖判，開其宗旨，然後枝分流別，轉變無窮，論者拱默聽受而已。

【南朝太學考】漢末博士有倚席不講之誚，南朝皇子釋奠，恆舉講經之禮，帝王臨雍，亦多講學，著在史志，垂爲故事。〔宋書禮志南齊書武帝紀昭明太子傳陳書後主紀〕蓋兩漢師儒謹守章句，不事空談，三國以來，玄風漸盛，遂于儒書亦研覈義理，疏析旨趣，是爲學術之一大進步，觀桓溫聽講禮記，便覺咫尺玄門，卽可知講經與玄談關係。〔世說新語〕齊梁之際，盛講內典，開講解講，率有疏啓，或爲賦頌，〔弘明集廣弘明集蕭子顯御講摩訶般若經序蕭子雲玄圃園玄賦〕皇子之入國學講經，亦有文藻以章之，是則講儒書與講佛經相通之證也。〔藝文類聚〕至如孝武講孝經，謝安車胤等卽私庭講習，〔世說新語〕文惠問禮易，王儉張緒等在太學酬對，〔南齊書文惠太子傳〕大抵剌舉疑義，磬其問難，其講學之法，人主及太子主講，則有名儒爲之執經侍講，或爲覆述制旨，〔宋書何承天傳袁粲傳梁書朱異傳何佟之傳徐勉傳〕至學官講授，則貴冑朝官，率皆北面，〔梁書張充傳陳書徐孝克傳〕名儒代講，世以爲榮，〔南齊書周顒傳〕聽講失檢，至于免官，其儀式蓋至隆矣。〔南齊書張融傳〕梁武帝著書有周易講疏、中庸講疏、老子講疏，蓋卽講學所據之本，〔梁書武帝紀〕隋志所載南朝國學諸講疏，雖多亡佚，亦可證其時學校盛行講義，與漢人第傳章句者有別矣。〔隋書經籍志〕考南朝講經。貴有區段次第。〔南史嚴植之傳〕如皇侃論語疏解析論語制爲三途。亦如釋氏書之有科判。〔皇侃論語義疏敍〕唐人之撰正義。猶多沿其體例。此今人講學者所當知也。編輯講疏。貴有義據。撰者躬自檢閱。或亦借助于人。〔孔子祛爲梁武帝檢閱羣書以爲義證。〕講習之時。師居高坐。〔南史伏曼容傳〕聽者列席。〔南齊書裴昭明傳〕發言吐論。必于儒雅。〔梁書王承傳〕貴有機辯。不操方音。〔梁書卞華傳盧廣傳沈峻傳〕其難喻者委曲誘誨。務使明晰。〔南史何佟之傳〕辯難之際。恆取敷暢。所持當理。不恥折服。〔梁書謝舉傳周捨傳〕或有黨助。則爲人所笑。〔陳書張譏傳〕以故名師于學。聽者恆至千數百人。〔南史嚴植之傳崔靈恩傳沈峻傳皇侃傳〕各專一經。演者每至數十徧。〔梁書孔僉傳〕弟子受經。亦朝聞夕講。〔梁書許懋傳〕諸生講習。等于從師。〔陳書周弘正傳〕蓋一時風尚所趨。名哲輩出。學校之外。家庭亦有講肄。〔南史伏挺傳何佟之傳陳書孫瑒傳〕宴集亦可質難。〔南史臧衰傳〕博貫三玄。旁迨二氏。〔南史史叔明傳陳史張譏傳〕流風餘韻。沾溉隋唐。今世講中國教育史者。率不厝意於南朝太學之事實。號稱講學。而不知吾國講學之風尚已如是。雖所業與今殊科。其勸學之方。析理之式。固皆足爲誦法。惡可任其湮鬱史册而不章哉。

隋迄元代學校

隋唐以來。地爲支郡。隋文以天下學校多而不精。州縣學並廢。煬帝初立。開郡縣之學。州置州博士。既而外事四夷。盜賊並起。學事遂廢。

唐武德七年。詔諸州縣及鄉並置學。有明一經以上者。有司試册加階。學生數有定額。

【新唐書選舉志】大都督中都督府上州各六十人。〔時南京爲揚州大都督府所在〕下都督府中州各五十人。下州四十人。京縣五十人。上縣四十人。中縣下縣各三十五人。下縣二十人。

設博士助教等教五經。兼令習吉凶禮。

【唐六典】京兆河南太原三府及各州皆有經學博士一人。助教二人或一人。

南唐建國子監於鎮淮橋北集墳典。置學官。彬彬然一掃隋唐之陋。

【建康志】在御街東。舊比較務。卽其地。里俗呼爲國子監巷。

【馬令南唐書朱弼傳論】唐末大亂。干戈相尋。而橋門壁水。鞫爲茂草。馴至五代。儒風不競。其來久矣。南唐跨有江淮。鳩集墳典。特置學官。濱秦淮開國子監。復有廬山國學。其徒各不下數百。所統州縣。往往有學。皇朝（宋）初離五代之後。詔學官訓校九經。而祭酒孔維檢討杜鎬苦于訛舛。及得金陵藏書十餘萬卷。分布三館。及學士舍人院。其書多讎校精審。編秩完具。與諸國本不類。昔韓宣子過魯。而知周禮之所在。南唐之藏書。何以異此。

時君提倡之功。不可沒也。

李後主嘗曰。國子監爲先帝教育賢才之所。孤亦賴此輩共治。

宋有府學。有縣學。設有教授。

【葉夢得府學記】建康領江左八州之地。於東南爲大都會。異時文獻甲于他方。舊有學在州之巽隅。更罹兵火。城郭鞠爲丘墟。獨學宮巋然僅存。頹垣敗壁。毀壓相藉。生徒奔散。博士倚席不講。紹興二年。某始以安撫大使分鎮。　七年。詔以建康爲留都。蒙恩復畀居守。視事之明年。因舊址盡徹而新之。起已未孟冬。訖庚申仲春。凡五月。爲屋百二十五間。南向以面秦淮。既又作小學於大門之東。

【建康志】天聖建學。置教授一員。紹興九年因左丞葉公奏。照西京例。增置一員。

天聖中賜監書　紹興初賜石經。近時師儒收拾。經史子集亦多未爲大備。

天聖七年始建學。

【金陵新志】上元縣學。在縣治西。景定二年鍾知縣蜚英建。梁椅撰記。　江寧縣學在縣治北。景定四年王知縣鎧創建。楊巽撰志。

【宋史職官志】景祐四年。詔藩鎮始立學。他州勿聽。慶曆四年。詔諸路州軍監各令立學。學者二百人以上。許更置縣學。自是州郡無不有學。始置教授。以經術行義訓導諸生。掌其課試之事。而糾正不如規者。委運司及長史于幕職州縣內薦。或本處舉人有德藝者充。熙寧六年。詔諸路學官。委中書門下選差。至是始命于朝廷。元豐元年。州府學官共五十三員。諸路惟大郡有之。軍監未盡置。元祐元年。詔齊廬宿常等州。各置教授一員。自是列郡各置教官。建炎三年。教授並罷。紹興三年復置四十二州。十二年。詔無教授官州軍。令吏部申尚書省選差。二十六年。詔並不許兼他職。令提舉司常切遵守。

【江寧府志】宋雍熙中有文宣王廟．在府西北冶城故基．天聖十年張士遜奏徙于府治之東南．紹興九年葉夢得重建．淳祐六年趙以夫增造兩廡．以妥從祀．

茲據宋史選舉志職官志列表如次以備參考

學名	學官	生員	考校黜陟
州學 軍學 監學 縣學 皆仁宗時置	提擧學事司 掌一路州縣學政歲巡所部以察師儒之優劣生員之勤惰而專判擧之事崇寧時置宣和時罷 教授 仁宗時置長吏于幕職州縣官內薦擧或本處擧人有德藝者充之 神宗時始委中書門下選差遂爲朝廷命官然惟大郡有之軍監蓋未盡有也元祐元年以後列郡乃盡置教官崇寧三年詔諸州縣學生員及五百人以上許置教授二員不及八十人罷置以在州有		歲貢上舍一人內舍二人入京師長吏以禮津遣歲終集闕下其上舍試之中者補太學內舍生通三歲不升舍者遣還其內舍免試即補爲外舍生

各州縣小學（徽宗崇寧時置。宣和時罷。）	州隸教授　縣隸學長（科名官兼涖學事）	學生皆自備饔錢附食	

元仍宋舊。爲集慶路學。生徒常二百人。置縣學如故。

【金陵新志】國初定制。路府州縣正官提調學校。路學設教授一員。主管錢糧教育等事。教授學正學錄各一員。主提調課講糾正學務。大學小學分齋。視錢糧多寡。禮請教導。訓誨生徒。又設正學職員。人吏分掌出納錢穀禮器文籍。建康路自至元十二年歸附。因前宋府學。差官主教。尋設教授。又設江東道儒學提舉司。

【金陵新志】六齋延訓導六員。大學四。（常德守中育材進德）小學二。（興賢說禮）生徒常二百人。居江左者。率遣子弟就學。

要皆以廟祀孔子爲主。學校雖設。名存實亡。固無當于教育也。

明代學校〔淸府縣學附〕

明太祖初定金陵．以元路學爲國子學．

【明史太祖本紀】至正二十五年〔太祖卽吳王位之二年〕九月丙辰．建國子學．

【又選舉志】洪武元年令品官及民秀俊通文義者．並充學生．二年詔曰．古昔帝王育人材．正風俗．莫先于學校．至元而其弊極矣．上下波頽．風靡．學校雖設．名存實亡．兵亂以來．人習戰鬬．惟事干戈．莫識俎豆．欲興化何由．今朕統一天下．雖內設國子監．恐不足盡延天下之英俊．其令天下郡縣．並建學校．延師儒．招生徒．講道論德．以復先王之舊．

洪武十四年改建于雞鳴山陽．翌年五月落成．改名國子監．

【南雍志】洪武十四年四月己未．詔改建國學于雞鳴山之陽．上親往視．乃定制度．令工部尙書陳恭選材鳩工．金吾前衞指揮譚格督之．　十五年正月甲午．作先師孔子廟．三月丙辰．改國子學爲國子監．是年五月國子監落成．

至正統六年．始稱南京國子監．

【南雍志】正統六年十一月甲午朔．以行在爲京師．初頒南京國子監銅印及典簿印．

監東至小教場．西至英靈坊．北至城坡土山．南至珍珠橋．左爲龍舟山．（卽覆舟山）右爲欽天山．（卽雞鳴山）

【五百年前南京之國立大學】按洪武京城圖志．英靈坊正在洪武街之北．江寧府志．英靈坊在十廟西．是明之國子監西至今之十廟口也．　按南雍志南成賢街牌坊．與珍珠橋相連．是明之國子監．直抵今之珍珠橋也．

其制正堂一．支堂六．堂各十五間．

【南雍志】洪武十四年欽定太學之制．爲正堂一．支堂六．明年六月落成．正堂一十五間．每間闊一丈九尺．深五丈四尺二寸．高三丈三尺四寸．扁彝倫．太祖高皇帝制也．堂有門二十．獨與府部諸司異．中定御正位．次間列祭酒司業公座．　左列鼓樂．右建鐘樓．堂前樹石晷甚鉅．東堂爲齋宿所．西堂爲考課所．祭酒廂房在東．凡七間．其連廊北向者．爲司業南廂房．凡九間．西廂房爲監丞繩愆廳．

博士恆居考課所。亦呼爲博士廳。六堂在正堂之後。乃支堂也。一曰率性。二曰修道。三曰誠心。四曰正義。五曰崇志。六曰廣業。助教學正學錄分居之。每堂各一十五間。中五間。設師座。左右各五間設大凳桌。爲弟子肄業所。每間各高二丈六尺三寸。深三丈三尺。闊一丈八尺八寸。東西廂房各三間。庭前各樹以杉檜。典籍廳一十五間。在彝倫堂東近。分右三間。以居典籍。其左爲掌饌廳。連東西廚。共一十三間。（內有豆腐房醋房）東西饌堂二所。各一十五間。小饌堂一所。五間。過廊一間。小行廊一十八間。前爲儀門三間。下有進士題名碑四。東有勅建太學碑亭。西有敕修太學碑亭。又前爲太學門三間。左有小門。下有進士題名碑二。左側有紀事碑一。前有東西井亭二。東西書庫各七間。各爲樓。上高一丈三尺。下高一丈四尺。中間闊一丈五尺。左右四間。每間闊一丈三尺二寸。餘俱三丈。前樹以松柏。又前爲集賢門。門外街南國子監牌坊一座。三間。中高三丈三尺六寸。兩旁高三丈六寸。東西成賢街坊牌二座。各三間。中高二丈四尺六寸。兩旁高二丈二尺六寸。南成賢街牌坊一座。三間。與珍珠橋相連。中高三丈三尺六寸。兩旁高三丈六寸。

東爲文廟。殿宇宏偉。道旁植樹。蔚然成蔭。

【南雍志】洪武十四年欽定文廟之制。大成殿三間。兩掖臺高一丈二尺九寸。闊一十丈一尺六寸。東西斜廊各五間。前露臺高九尺四寸七分。闊七丈一尺二寸。上有石欄杆。前有石階級。兩廡東西分列。連計六十二間。每間闊一丈四尺五寸。高一丈六尺九寸。臺高一尺三分。前爲大成門三間。東西列戟。兩廂有路。東有神廚七間。西有神庫七間。門之東西各有廂五間。北向。其東石刻孔子像及四配像在焉。內墀樹四十三株。爲杉檜桂柏。外墀樹八十一株。爲松柏樱櫚。又前爲欞星門三座。中座高二丈三尺五寸。闊一丈五尺。東西二座各高一丈九尺五寸五分。闊一丈二尺。初用木爲之。景泰四年祭酒吳節奏請改用石造。加雲管火硃朵雲石抱柱。八字紅牆。

學生所居號房。多至千餘間。

【南雍志】監內號房在文廟後。建自洪武十六年。凡一十五連。以文行忠信規矩準繩法度智仁勇別之。凡四百三十五間。仁勇二連。嘉靖十年改建。啓其祠。今見存者一百九十二間。　嘉靖二十一年祭酒龔用卿令諸生重修。至嘉靖三十三年僅存一百一十二間。司業王材重修。　成賢街官瓦房一路。共號舍四百五十三間。　又平南號房。直抵後山。計一百七十間。俱坐西向東。總名平南號。

在今小教場之西．今存者一百一十八間． 又平北號五十六間．

【南雍志】弘治十四年祭酒劉震嘗通修號舍．有記． 記曰．計修完舊號九百六十八間．補造新號一百一十五間．新內號廁舍六間．通計一千八十九間．

別建光哲堂王子書房．以居日本高麗琉球暹羅諸國學生．

【南雍志】光哲堂在敬一亭後．〔按志敬一亭在廣業堂後〕 洪武十五年建．凡一十五間．每間闊一丈四尺．深一丈二尺．爲琉球國官生受業所居．

【南雍志】永樂二年十月琉球國中山王從子三五良亹等九人．以謝恩至京師．奏請入監讀書．從之．給賜及其從人一如洪武中故事．仍令工部建王子書房於監前．以居之．

【續文獻通考】洪武三年高麗遣其國金濤等四人來學．次年濤成進士歸．自是日本琉球暹羅諸國．皆有官生入監讀書．朝廷輒加厚賜．幷給其從人．雲南四川等土官．時遣子弟民生入監者甚衆．給賜與日本諸國同．監前別造房百間居之． 蔣一葵長安客話曰．國初高麗遣金濤等入太學．其後各國及土官亦皆遣子入監．監前別造房居之．名王子書房．

儲米有倉庫．

【南雍志】倉庫俱在六堂之東．洪武十五年建廩倉一所．一十二間．以藏饌米．庫房六間．（內有膳醋等房）與典籍廳相連．　先是有紅板倉一十八圈．在掌饌廳前．又板倉六所．在六廂東側．

習射有圃．

【南雍志】洪武中闢射圃於英靈坊之東．至永樂末而廢．　嘉靖三十二年．司業王材於外西號得隙地．治而爲圃．題其門曰觀德．門外爲橋．自北而入．面南爲堂．題曰正直．東西有序．　置侯架一．布侯一．乏一．旌一．竿一．弓十四．矢六十．決拾各八．籌八十．自仲春至孟夏．仲秋至孟冬．率六堂師生習焉．外置鐵鏃矢六十．另爲侯以習武射．

講學有院．

【南雍志】講院在英靈坊之東．與祭酒宅相連．嘉靖四年．祭酒湛若水買民居．益故射圃隙地爲之．迨司業張星署監事．始落成焉．其基闊九丈五尺．長二十六丈．正堂三間．面南．顏曰觀光堂．取程伯子觀光館之義也．高一丈六尺．中間闊一丈三尺二寸．屛門刻湛若水心性圖．左右二間．各闊一丈二尺。深二丈六尺。屏門刻心性圖說。　左右廂房各一間。後爲捲篷三間。其西爲門。自北迤而入。其前廊房左右各十一間。左虛其一。以爲庖湢。餘十間以居諸生。夾道植檜柏各十株。二十六年祭酒程文德。於前建樂聚亭。又前爲蓮池。

祭酒司業等。均有以宅之。

【南雍志】祭酒宅。建自洪熙元年。卽觀講堂也。坐北面南。門在其西。自北迤而入。舊正堂三間。左右各二間。內堂三間。寢室二間。後有平臺。雜植花木。正堂前有竹堵。外有池。東有小亭。曰澄心。西有小池。常涸。其前小屋三重。各三間。

【南雍志】司業宅。建于故吏部尙書羅欽順爲司業時。弘治十六年也。廳事舊臨水池。嘉靖中。司業李本始塡塞大半。爲堂三間。以舊廳事爲燕居。其後一重五間。東北屋一重三間。司業盧宗哲所葺。其前一重舊屋五間。又東小屋二重。各三間。總度之。其闊十五丈。其深二十三丈。高二丈。明爽塏暢。宜於居處。其西爲門。自北而入。嘉靖三十二年。司業王材於前重建廳事。題曰見賢堂。前爲臺。立石三。植蟠松天竹紅梅。其上前爲蓮池。池上有小軒。垣外東西南三面。皆本廨官池。

日食瓜蔬。取給於菜圃。

【南雍志】種菜隙地。爲園有五。一在北平號。計八畝。逐日供送小菜內一畝。四季辦納瓜菜。其二在本監後。計三畝九分。逐日供送小菜內一畝四分。四季辦納瓜菜。其三在智仁勇號東南。計五畝七分。內三畝二分四季辦納瓜菜。二畝五分逐日供送小菜。又一段計三畝。逐日供送小菜。其五在英靈坊左。計一畝。二地供菜把最少。鼓樓南有官土一方。計十五畝。四季辦納瓜菜。聚寶門外官土在南城兵馬司後。共大小一十一片。計四十二畝。四季辦納瓜菜。

規模之廣。東漢以降。未能或先焉。

【五百年前南京之國立大學】按歷代太學房舍可考者。東漢太學二百四十房。千八百五十室。〔後漢書儒林傳順帝更修黌宇。凡所造構二百四十房。千八百五十室〕唐之太學千二百區〔新唐書選舉志自天下初定。增築學舍至千二百區〕宋之辟雍。外舍百齋。五百楹〔宋史選舉志蔡京奏太學上舍三百人。內舍六百人。外舍三千人。外學爲四講堂百齋。齋列五楹。一齋可容三十人〕皆僅有大數。而不詳其形構。明代太學占地之廣。造屋之多。殆不下於東漢。而其講堂之高廣。號舍之方位。以至池臺樹石。一一可數。吾儕讀當時史志。恍如身居其間。雖謂明代弘大莊嚴之太學至今猶存焉可也。

入學者謂之監生。有舉監貢監廕監之別。

【明史選舉志】入國學者通謂之監生。舉人曰舉監。生員曰貢監。品官子弟曰廕監。捐貲曰例監。同一貢監也有歲貢有選貢有恩貢有納貢。同一廕監也有官生有恩生。

大較爲八種。

【五百年前南京之國立大學】以明初學生定之。州縣歲貢一也。〔南雍志洪武十六年二月丙申。命禮部榜諭天下府州縣學。自明年爲始。歲貢生員各一人。正月至京師。從翰林院試經義四書義各一道。判語一條。中式者入國子監。不中者罰之〕士官子弟二也。〔南雍志洪武二十一年八月。雲南囉囉士官祿肇。遣其二子入監讀書。又二十三年四月。建昌衞土官。遣子張應等入監讀書。又七月烏撒軍民府土官。遣子忽三等入監讀書。又八月芒部軍民府土官遣子捕駒等入監讀書。又九月烏蒙軍民府土官遣子以作等入監讀書。〕外國學生三也。〔南雍志洪武二十三年五月日本生入監讀書。又二十五年琉球國初遣官生入悅慈等入監讀書〕死節者之子弟四也。〔南雍志洪武三十二年六月乙巳錄吳瀓爲國子生。瀓父湖廣行省參政雲死節於雲南者也。褒卹忠節蔭子入監自此始〕天才異敏五也。〔南雍志永樂四年四月乙丑温州瑞安縣學訓導黃潮光子養正年十一。能作大字皇太子見之喜。令養正入監讀書寫字給與廩餼以俟成材用之養正後以善書直秘閣累官至太常寺卿〕外國女學生六也。〔續文獻通考洪武二十五年中山山南王從子及寨官子偕肄業國學。二十九年令山南生肄業國學者歸省。冬復來中山亦遣寨官子及女官生姑魯妹二人先後來肄業。其慼慕華風如此〕勛臣子弟七也。〔明史選舉志太祖慮武臣子弟但習武事。鮮知問學。命大都督府選入國學。嗣後勳臣子弟多入監讀書〕其納粟之例則興於景泰以後。〔明史選舉志例監始于景泰元年以邊事孔棘令天下納粟納馬者入監讀書。限千人止行四年而罷。其後或遇歲荒。或因邊警。或大興工作。率援往例行之。訖不能止。〕史稱自納粟例開而監生始見輕。蓋明初之監生至華貴非銅臭者所得闌入也。按幷例監爲八。

最多時達九千餘人。

【五百年前南京之國立大學】由洪武至永樂。其數年有增加。以永樂末年。較洪武中年。幾增至十八倍有奇。可謂盛矣。使非英宗決意都燕。分國學爲二。其增長之勢。殆猶未可限量。按吾國歷代國學學生。以東漢爲最多。〔後漢書儒林傳。本初元年。梁太后詔大將軍下至六百石。悉遣子就學。自是遊學增盛。至三萬餘生。〕其次卽應推明之太學。唐太宗宋徽宗雖極力興學。其數尚不逮明。〔新唐書選舉志。太宗卽位。益崇儒術。　四夷若高麗百濟新羅高昌吐蕃。相繼遣子弟入學。遂至八千餘人。　宋史選舉志載。徽宗時太學學生數。凡三千九百人見前。〕更以同時世界各國大學較之。則意大利之蒲羅納大學。雖在十三世紀時。已號稱有學生萬人。然實數不過五千人。其餘若巴黎大學。牛津大學。劍橋大學。學生最多時。亦不過六七千人。〔詳吳家鎭大學教育之歷史觀〕然則有明之國子監。當十四五紀時。卽以學生人數一端而論。已可稱爲世界第一之大學校矣。

設官師四十餘。以約束教導之。

【明史百官志】國子監祭酒一人。司業一人。其屬繩愆廳監丞一人。博士廳五經博士五人。率性修道誠心正義崇志廣業六堂助教十五人。學正十人。學錄七人。典簿廳典簿一人。典籍廳典籍一人。

掌饌廳掌饌二人．祭酒司業掌國學諸生訓導之政令．凡舉人貢生官生恩生功生例生土官外國生幼勳臣及勳戚大臣子弟之入監者奉監規而訓課之造以明體達用之學以孝弟禮義忠信廉恥爲之本以六經諸史爲之業務各期以敦倫善行敬業樂羣以修舉古樂正成均之師道有不率者．扑以夏楚不悛徒謫之其率教者有升堂積分超格敍用之法課業倣書季呈翰林院考校文冊歲終奏上每歲仲春秋上丁遣大臣祀先師則總其禮儀車駕幸學則執經坐講新進士釋褐則坐而受拜．博士掌分經講授而時其考課凡經以易詩書春秋禮記人專一經大學中庸論語孟子兼習之．助教學正學錄掌六堂之訓誨士子肄業本堂則爲講說經義文字導約之以規矩．監丞掌繩愆廳之事以參領監務堅明其約束諸師生有過及廩膳不潔並糾懲之而書之於集愆冊．典簿典文移金錢出納支受．典籍典書籍．掌饌掌飲膳．

其課程有四書五經說苑律令射書數大誥．

【明史選舉志】所習自四子本經外．兼及劉向說苑及律令書數．御製大誥每月試經書義各一道詔誥表策論制內科二道每日習書二百餘字以二王智永歐虞顏柳諸帖爲法．

【南雍志】洪武二十五年三月庚寅。頒射及書數總目於國子監。　一射。凡州府縣儒學生員。遇朔望。於射圃先立射鵠。置射位。初三十步。自後累至九十步。射用四矢。二人爲耦。各以次相繼。長官爲主射。中的。賞酒三爵。中釆賞二爵。司射射畢。自下而上。其間暇日習射。不拘此禮。

外國文等。

【南雍志】永樂五年三月癸酉。命禮部選監生胡敬蔣禮等三十八人。隸翰林院習譯書。人月給米一石。遇開科令就試。仍譯所作文字合格。准出身。置館於長安各門之外處。以四夷字學。分爲四齋。令都指揮李賢以飾衣衞軍守門。務令成業。　六年八月辛丑。習達達等字監生劉勉等二十七人。戶部奏請如例支給。從之。　七年二月壬午。上巡狩北京。車駕發京師。擇吏部歷事監生四十人。譯寫四夷文字監生十三人以從。　十年五月戊子。駕帖取舉人監生梁弘等一百二十人。習譯夷字。弘獨告免。禮部以聞。上怒。編往交阯。　十二年二月。令冠帶舉人監生杜超等習百夷字。月支教諭俸米二石。家屬月支米一石。歲貢監生石慶等習回回字。月支米一石。家屬月支米六斗。

【五百年前南京之國立大學】永樂中選監生習譯外國文字。以四夷字學分爲四齋。　成祖北巡。

則以譯寫四夷文字監生從行．後又增加學額．其不願習譯夷字者．則嚴罪之．習百夷字及回回字者學生及家屬皆有俸給．是吾國大學學生之讀外國文字．當以明之大學爲始．前此之國立大學．未有以外國文字強迫學生誦習者也．觀成祖之用意．當由其時國力強盛．有志於開拓四境．且自洪武以來．西南諸國奔走朝貢者不下數十．交際頻繁．非深悉其文字．不能得其國俗．而測其內情．故一面遣鄭和等往使．一面使監生習譯夷字．兩者相互爲用．具見成祖之雄心．世徒以鄭和奉使爲蹤跡建文者．洵淺人之言也．

講授有定期．

【明太祖實錄】洪武十六年禮部頒國子監學規．一背講日期．初一假．初二初三會講．初四背書．初五初六復講．初七背書．初八會講．初九初十背書．十一復講．十二十三背書．十四會講．十五假．十六十七背書．十八復講．十九二十背書．二十一會講．二十二二十三背書．二十四復講．二十五會講．二十六背書．二十七復講．二十八二十九背書．三十日會講．

會講有定儀．

【明太學志】凡會講之儀．先期六堂官輪二人．具講題．撰講章．送西廂改定．是日設講座於露臺西南．堂中．禮生跪稟本日會講．監丞坐堂東柱外．博士助教學正學錄坐堂西柱外．鳴講鼓三．供講案於堂門外階上．引禮生三人引講官登座．禮生取案上講章．折旋送座．習禮．公侯駙馬伯另爲一班．序列台上．隨大班揖．聽講．講畢．引禮生引講官復位．復引一講官登座．講經畢．堂中禮生跪稟會講畢．諸生跪揖謝教．廳堂各官引揖而退．　凡會講先以大誥律令及爲善陰隲孝順事實五倫書．與四書五經兼講．次性理通鑑綱目諸書．凡講御製諸書．講官立講．正屬官立聽．廳堂内外禮生俱下墀．同諸生跪聽．餘則坐講．諸生立聽．　凡復講之儀．鳴講鼓．供講案如會講儀．侍直友長捧籤筩至公座前．掣籤．驗係某堂某班．隨掣籤．驗係某班某生．先率性修道．次誠心正義．次崇志廣業．先講書．次講經．並友長掣籤．傳喚諸生升堂．跪揖立講．講畢．復跪揖．友長還籤於筩．堂中禮生二人跪稟復講畢．　凡背書之儀．本日侍直友長持籤筩至公座．六堂各掣一籤．各班生穿堂有籤者．友長以籤授其班長．引至西廳．逐名試背．不熟與不到者．揭送西廂．摘背不熟不到者責．

質疑有定禮．

【明太祖實錄】洪武十六年學規．學校之所．禮義爲先．各堂生員．每日誦授書史．並在師前立聽講解．有疑而問者跪聽．毋得倣慢不恭有乖禮法．

【明太祖實錄】三十年續定學規．每次讀大誥本經四書各一百字．熟記文詞．通曉義理．或有疑難．則謙恭質問．務求明晰．若疑問未通．闕疑勿辨．諸生講解疑難．卽當請問．毋得蓄疑不問．

自習有定程．

【明太祖實錄】洪武十六年續定學規．各堂置講誦簿．每日各生於己名之下．書所誦所習所講功課．以憑稽考．

【明太祖實錄】三十年續定學規．每日習倣書一幅．幅十六行．行十六字．必端楷合書法．就六堂官呈改．以圈改字少者爲最．每月課本經義二道．四書義二道．詔誥表判策二道．不足者限補作．

積分有定法．教之如此其周也．

【明太祖實錄】洪武十六年續定學規．六堂各置勘合簿．上半橫列生員姓名．下界畫十方．每坐堂一日印一紅圈．如有事故．用墨圈記．每名坐堂七百圈之上．方許升率性堂．

【明史選舉志】六堂諸生有積分之法．司業二員分爲左右各提調．三堂凡通四書未通經者居正義崇志廣業．一年半以上文理條暢者升修道誠心．又一年半經史兼通文理俱優者．乃升率性．升至率性．乃積分．其法孟月試本經義一道．仲月試論一道．詔誥表內科一道．季月試經史策一道．判語二條．每月試文理俱優者與一分．理優文劣者與半分．紕繆者無分．歲內積八分者爲及格．與出身．不及者仍坐堂肄業．如有才學超異者．奏請上裁．

監生衣領．

【南雍志】洪武二十三年十月癸亥．上御奉天門．詔羣臣曰．國子監生多有家遠．無冬衣．買自直隸者．禮部給鈔．人各四錠．買自各布政司者．工部製衣被給之．〔人各紬絹冬衣一套．綿布被一牀〕

【南雍志】洪武二十四年九月壬寅．賜監生王弼等千四百八十七人冬衣絮被．　冬十月丁巳．定生員巾服之制．襴衫用玉色絹布爲之．寬袖皁緣皁縧．軟巾垂帶．　賜監生襴衫縧各一．爲天下先．

【南雍志】永樂十年四月辛巳．賜祭酒兼翰林院侍講胡儼等．及冠帶舉人官民生四千二百三十人。闊白苧布八千五百四十疋。

膳食。

【南雍志】會饌之制。祭酒南向。司業北向。監丞博士六堂等官東西向坐。諸生分東西班坐。其後。大約膳夫一人。掌監生二十五人饌。先食則鳴鐸傳唱。日食不語。坐必安。及食畢。二十五人食器。皆一膳夫收之。無敢喧嘩失次者。日以爲常。

【南雍志】飯則例官吏師生十一月初一日起。至二月終。每飯一桶。該人九名半。三月初一日起至十月終。早午飯每桶。該人一十一名半。晚飯該人一十三名。

【南雍志】饌肉每三日一次。共納肉一百八十斤。〔各稅局送來〕監生每人各一斤。　乾魚二萬二千一百二十五斤。每年四個月分散一次。監生每名一錢。

【南雍志】監生官吏醫生廚役每年正月二月十一月十二月。每名支日米八合五勺。三四五六七八九十月。每名日支米一升。　黃豆每年支豆二十石造醬。四箇月一次放支。磨豆腐豆兩廂每次各一石。官吏監生各四升。磨粉菉豆同。　小麥監生等各四斗。　香油每半年會計約會五百餘斤。

監生每名日該三分。　鹽每名日給三錢。每半年約會三千餘斤。　花椒每半年約會五百餘斤。監生每名日該五分。　醬監生每名日給二錢。　醋醅監生每名月給一細桶。

醫藥等皆由公給。

【南雍志】洪武十八年令監生患病。官給醫藥。久病不痊者。遣行人送還其家。俟愈入監。經過所司供藥物。死亡者給棺斂之。仍歸其喪。

【南雍志】二十年閏六月辛未禮部啓言。監生患病數多。行太醫院撥良醫四名看治。署太醫院事御醫李源啓稱差撥不敷。皇太子御文華殿召禮科。令應天府使正科兼撥。源又啓關與藥餌。從之。

秋七月戊寅朔令太醫院遣醫士張景等四人往國子監。診視諸生之有疾病者。遂供役以爲常。

【南雍志】二十一年冬十月令工部於監前別造房屋百餘間。具竈釜牀榻。以處監生之疾病者。撥膳夫二十人給役。仍令醫士共居焉。

【南雍志】正統七年十月丁酉。祭酒陳敬宗言。監生患病數多。宜令禮部行南京太醫院。關與藥餌。上命禮部議。以典簿廳令醫者往應天府惠民藥局。對證關藥醫治。於事體爲便。從之。

而免其丁徭．

【南雍志】永樂三年八月己巳．頒學規榜例於國子監．及府州縣．一如洪武舊制．凡監生生員免其家兩丁差徭．

贍其家屬．

【南雍志】洪武十五年太祖臨太學．祀先師還．孝慈高皇后問曰．太學生幾何．上曰數千．又問悉有家乎曰亦多有之．后曰．善理天下者．以賢才爲本．今人材衆多．深足爲喜．但生員廩食於太學．而妻子無所仰給．彼寧無所累於心乎．上卽命月賜糧給其家．以爲常．

【南雍志】有家小監生．正二十一十二月．每名日支米八合五勺．除朔望日不支．三四五六七八九十月．每名日支米六合五勺．〔後又定章監生有家小月支米六斗．逐月關支〕

【南雍志】景泰二年三月．工部言祭酒吳節奏稱本監紅倉二十餘圈．乃洪武中孝慈皇后積糧以嘉惠監生之有家室者．廬蓆苫蓋．容易朽腐．宜易以陶瓦．從之．

【明史選舉志】孝慈皇后積糧監中．置紅倉二十餘舍．養諸生之妻子．歷事生未娶者．賜錢婚聘．及女衣二襲。月米二石。

寬其假期。

【南雍志】洪武十五年七月己酉。奏定節假事例行之。　正月年假。初一至初五日。燈假。十一至二十日。二月祭祀前二日。後一日。三月淸明假一日。五月端陽幷前一日。七月七夕一日。中元前一日。八月中秋前一日。九月重陽一日。十一月冬至前三日。後二日。十二月年假。大盡二十五日。小盡二十四日。如遇萬壽聖節。千秋令節。拜送表箋。迎接詔赦。幷救護。俱放一日。

許其省親。

【南雍志】洪武三十年七月。定監生省親等日程。　每日水路百里。陸路六十里。　直隸限四閱月。河南山東江西浙江湖廣限六閱月。北平兩廣福建四川山西陝西限八閱月。其住家月日。省親三閱月。畢姻兩閱月。送幼子還鄉一閱月。丁憂照官員例。不計閏。俱二十七月。凡過限兩月以上者。送問復監。

【明史選舉志】諸生在京師歲久。父母存或父母亡。而大父母伯叔父母存。皆遣歸省。人賜衣一襲。

鈔五錠。爲道里費。其優恤之如此。

優其宴賞。

【南雍志】洪武二十八年十一月日南至。賜國子生筵宴於本監。歲以爲常。

【明史選舉志】厚給廩餼。歲時賜布帛文綺襲衣巾韡。正旦元宵諸令節。俱賞節錢。

於外國及土官之子弟。尤厚。養恤之如此。其至也。

【南雍志】洪武二十二年七月戊辰。命禮部召祿肇子阿聶阿智。給與夏衣。〔青苧布圓領。綠苧布褡?。白苧布貼裏衫裙褲各二件。白綿布臥單二條。黑布皮韡韈各二對。皆工部所製。〕冬十月。賜阿聶阿智及雲南生尹葆等六人冬衣韡韈。〔葆等四名。每名盤纏鈔二錠。紵絲衣一套。紬綿被一牀。韡韈各一對。阿聶阿智各與鈔二錠。令工部製改機圓領紬褲紬綿被各二件。氈襪二雙。棉布臥單二條。御前賜之。〕皆賜房以居。復賜遠方之在監年深者各鈔五錠。年淺者各二錠。使自製冬衣。於是北平山西陝西山東廣東廣西四川福建諸生皆與焉。

【南雍志】二十三年三月庚午。給賜大理監生居房。及衣鈔韡韈。〔大理生四人。每人鈔二錠。紵絲

圓領貼裏各一件．紬綿被綿布臥單各一件．馬皮韡各一對．〕

【南雍志】五月辛亥日本生入監讀書．上詔工部給賜夏衣與阿聶阿智同．〔夏布圓領褡䙜貼裏短衫裙褲各三件．臥單三條．韡及皮韈各三雙．〕

【南雍志】二十五年冬十一月賜士官生阿聶等炭各百斤．

【南雍志】二十六年十一月壬寅朔．賜琉球雲南土官生賀段志每等襲衣鈔錠．賜炭各百五十斤．

【南雍志】三十年八月賜琉球官生人悅慈等三人羅衣各一襲．

【南雍志】永樂二年十月甲子琉球國中山五從子三五良亹等九人．以謝恩至京師．奏請入監讀書．從之．給賜及其從人一如洪武中故事．

【南雍志】三年十月乙丑賜琉球四川雲南生李傑等幷其從人六十三人衣衾．

【南雍志】五年四月己酉賜琉球雲南生石達魯等幷其從人夏衣．

于犯規學生．或杖或充軍．或梟首示衆．戒之又如此．其嚴也．

【明太祖實錄】洪武十六年國子監學規．一在學生員．以孝弟忠信禮義廉恥爲本．必先隆師親友．

養成忠厚之心．為他日之用．敢有毀辱師長．生事告訐者．卽係干犯名義．有傷風化．犯此者杖一百．發雲南地面充軍．　一開設太學．教育諸生．所以講學性理．務在明體適用．今後諸生．止許在本堂講明肄業．專於為己．日就月將．毋得到別堂往來．相引議論他人短長．因而交接為非．違者從繩愆廳糾察．嚴加治罪．　一在學生員．如有無行之士．不專心學問．恃頑生事者．奏聞法司．枷鐐禁錮．終身在學役使．以供生徒．

【明太祖實錄】十六年續定學規．一生員請假．須呈明祭酒批限．六堂官不許擅准離堂．

【明太祖實錄】三十年續定學規．一諸生凡有事故．先於六堂官處稟明．令齋長率領告于祭酒．不許徑行煩紊．　一每班給出恭入敬二牌．直日司之．凡諸生出入必有牌．不得遺忘或藏匿．　一生員有疾．無室家者．許于養病房調治．有室家者．還家調治．不得託疾游佚．　一生員在各衙門辦事者．暮必回監．不得盡酉及點閘不到．　一升堂背書．務照班序立．抽籤背誦．不許攙越．　一內外號房俱編定號數．不許私下挪借．　一凡於各衙門辦事畢．卽回本監號房．不許在外生事．　以上諸條．違者務責不恕．

【南雍志】洪武二十七年．監生趙麟以誹謗師生伏誅．命植長竿於監前．梟令示衆．

又慮其學不足以適用。乃分遣于衙署以習練之。謂之歷事。率以一年爲期。優者以次取用。平常再歷。才力不及。回監讀書。

【明史選舉志】天下既定。詔擇府州縣學諸生入國子學。又擇年少舉人趙惟一等。及貢生董昶等。入學讀書。賜以衣帽。命于諸司先習吏事。謂之歷事監生。

【南雍志】洪武中定歷事考覈法。分勤謹平常才力不及奸頑等。勤謹者仍歷。俟闕官以次取用。平常再歷。才力不及。送監讀書。奸頑充吏。　建文二年更定監生歷事考覈法。歷事各衙門者。一年爲滿。從本衙門考覈。分上中下三等。引奏。上等不拘選用。中等下等仍歷一年再考。上等者依上等用。中等者不拘品級。隨材任用。下等者回監讀書。

【明史選舉志】凡監生歷事吏部四十一名。戶部五十三名。禮部十三名。大理寺二十八名。通政司五名。行人司四名。五軍都督府五十名。謂之正歷。　諸司寫本戶部十名。禮部十八名。兵部二十名。刑部十四名。工部八名。都察院十四名。大理司通政司俱四名。隨御史出巡四十二名。謂之雜歷。諸色辦事清黃一百名。寫誥四十名。續黃五十名。清軍四十名。天財庫十名。承運庫十五名。司禮監十六名。尙寶司六名。六科四十名。隨御史刷卷一百七十八名。工部淸匠六十名。禮部寫民情條例七十二名。光祿寺刷卷四名。修齋八名。參表二十名。報計二十名。齎俸十二名。錦衣衛四名。兵部查馬册三十名。工部大木廠二十名。後府磨算十名。御馬監四名。天財庫四名。正陽門四名。崇文宣武朝陽東直俱三名。阜城西直安定德勝俱二名。〔此北監之制。蓋仿南監而推廣者〕

凡清理田賦。

【南雍志】洪武二十年二月戊子。魚鱗圖册成。先是上命戶部覈實天下土田。而蘇松富民。畏避徭役。以土產詭寄親鄰佃僕。相習成風。奸弊百出。於是富者愈富。貧者愈貧。上聞之。遣國子生武淳等往。隨稅糧多寡。定爲幾區。每區設糧長四人。使集里甲耆民。躬履田畝以量度之。量其方圓。次其字號。悉書主名及丈尺四至。編類爲册。繪狀若魚鱗然。故名。至是浙江布政使司及直隸蘇州等府縣册成進呈。上喜。賜淳等鈔錠有差。

修治水利。

【南雍志】洪武二十七年八月乙亥。遣監生及人材分詣天下郡縣。督吏民修治水利。給道里費而行.

稽查黃册.

【南雍志】洪武二十四年八月.初令監生往後湖淸査黃册. 戶部所貯天下黃册.俱送後湖收架.委監察御史二員戶科給事中一員監生一千二百名以舊册比對淸查.如有戶口田糧埋沒差錯等項.造册徑奏其官員監生合用食饌器皿等項.幷膳夫.俱于國子監取用.如不敷.於都稅司幷上元江寧縣等衙門支撥.

考覈案牘一以任之.

【南雍志】洪武二十四年選監生有練達政體者.得方文等六百三十九人.命行御史事稽覈天下百司案牘.

太祖以後.建文成祖諸帝.亦恆隨時任監生以時務.蓋如是始可收養士之效矣.

【南雍志】建文四年八月癸丑.上以天下耆民皆來朝.諭禮部曰.方今秋成之際.有妨收穫.分遣監

生牟坤張繼善唐冕敖惟善卽所在榜諭止之。牟坤從滁州直抵河南。張繼善從鎭江直抵浙江。唐冕從揚州直抵山東。敖惟善從和州直抵江西。皆沿途令官司出榜於要路曉諭。

【南雍志】永樂元年四月戊申敕諭中外文武羣臣心懷危疑不安於職者凡二萬道。令監生馬宗誠等齎之。賜道里費。

【南雍志】二年正月丁未遣監生劉源等三十三人分行郡縣。訪求高皇帝御製詩文。

【南雍志】二年十月丁巳翰林院進所纂錄韻書。賜名文獻大成。上以其未備。遂命重修。以祭酒胡儼兼翰林院侍講及學士王景等爲總裁。開館於文淵閣。禮部簡能書監生繕寫。〔據此知明代所修古今無比之大類書。後定名爲永樂大典者。皆當時南京國子監學生所鈔成也〕

【南志雍】四年二月乙丑給奉天征討官員誥命。兵部奏以書辦不敷。欲取撥能書監生書寫。從之。

惟永樂遷都北京。人數遂減。景泰元年以邊事孔棘。開納粟之例。流品寖淆。監生始見輕。人材遂歸于科舉。若存若滅。以迄明亡。實歷二百六十有五年之久。逮淸兵南下。士子星散。夷爲府學。

【江寧府志】府儒學在府治北．卽明之國子監也．國朝改爲府學．順治九年總督馬國柱增修聖殿．旁設兩廡．前立櫺星門．戟門．改彝倫堂爲明倫堂．設志道據德依仁游藝四齋．以國子監坊爲江寧府學坊．康熙五年總督郎廷佐布政使金鋐督糧道周亮工知府陳開虞修葺之．十九年知府陳龍巖又修兩廡及七十二楹．二十一年總督于成龍率同知朱雯修四碑亭及兩廡門欄．二十二年知府于成龍教授謝允掄鄒延屺開濬泮池．築屏牆．嗣後四十五年織造曹寅．五十五年布政使張聖佐．雍正十三年總督趙宏恩相繼重修．諸生又共捐銀一千三百兩．存典生息．歲時灑掃．故歷久而常新焉．

洎嘉慶中燬于火．咸豐中毀于亂．並府學亦移于朝天宮．遂無寸瓦尺椽之遺矣．

【同治上江志】同治五年署總督李鴻章命知府涂宗瀛改卜．〔溧陽陳鼐江寧甘炳相地．〕建于明故朝天宮遺址．〔卽宋雍熙中文宣王廟地也．其旁爲唐太淸宮．南唐紫極宮．宋天慶觀祥符宮．元永壽宮．明大朝會習儀於此．曰朝天宮．殿宇雄壯．爲城之冠．亂後惟存門堂及飛霞閣水府行宮數十間爾〕背治城。面運瀆。高明爽塏。居城之中。於是采海外之大木。陶琉璃筩瓦於景德鎮。周爲宮牆。〔坊曰德參天地。曰道冠古今。〕內泮池。〔甃以石。有涵洞二。南通運瀆。故不涸。〕其北櫺星門。門內東爲文吏齋所。爲神庫。西爲武官齋所。宰牲亭。神廚前特鑿一井。近南爲左右持敬門。其北曰大成門。〔門皆以殿名。一曰戟門。以列棨戟故也。〕曰左門。右門。其東西有門較狹。曰金聲。曰玉振。〔羣臣出入處也。中門爲臨幸所由。左右門則親王郡王所由。故三門皆閉。羣臣出入皆由持敬門。金聲玉振二門也。〕其內長廊四周。有東西配殿。〔卽兩廡。東南隅有古銀杏一株尙存。〕其北爲石階。周以石闌。中三階。東西二階。抗山爲殿。故不循級之等也。上曰大成殿。四阿達鄉。重屋複欄。外爲露臺。城阤石闌。環匝殿楣。恭懸奎藻。又北爲崇聖殿。殿後山椒有亭。聖賢位次。尊俎筐篚之數。立學所同。故不記。同治十年。府學工竣。邑紳陳開周稟請習樂。時曾國藩督兩江。飭上海調取紳士等八人。抱器來省教習。〔其經費一切由善後局籌給。〕十一年四月開局府學中。秋祭用樂。〔委紳陳鳴玉。陳大鈞導之。〕嗣經提調上元縣胡裕燕。候補縣繆金鎔。條上章程八事。〔整樂器。更衣帽。勤肄習。專責成四條。尤爲切要。〕皆詳府存案。廟東爲學。有門有塾。庭之東西有堂。其北南向正堂曰明倫。〔屏刊大學之道一章。石埭陳艾書也。〕後有閣曰尊經。堂廊四合。庭東西各有門。〔東門外有苑甚宏敞。有巨碑一。明立也。其北爲土神祠。又北爲教授官之署。廟學之間有門。石級上甬道深廣。有西門。〔卽東持敬門〕東門〔達明倫堂〕訓導署。〔在東背道流之水府行宮。未亂時二主考之所寓也。有木瓜一株。甚巨〕署之東達教授署。〔庭有梅竹。教授丹徒趙彥修植〕甬道又北。〔東有門達尊經閣〕東上山坡爲名宦鄉賢及各先賢總祠。〔皆在東〕其後山巔曰飛霞閣。〔宋之鍾阜軒〕閣外之西有御碑亭。〔乾隆宸翰詩也〕旁羅花竹。〔閣爲書局。南滙張文虎。海寧唐仁壽。寶應劉恭冕。德清戴望校官書處〕亭之西北有飛雲閣。山之最高處矣。〔曾文正公建〕十年禮器成。十一年樂器具。撰髦士習樂舞羽。珂玉朝服戾止。百僚坌集。儀肅音雅。於鑠乎一時之盛矣。

附明國學表

學官	生員	功課	考校及黜陟
祭酒 司業 繩愆廳監丞 博士廳五經博士（五人）	舉監 會試下第舉人入監肄習以俟後科仍給以教諭之俸 貢監 一曰歲貢每歲按察司選生員	四書 五經 說苑 律令 射 生員專治一經	升堂法 諸生通四書未通經者居正義崇志廣業一年半以上文理條暢者升修道誠心又一年半經史兼通文理俱優者乃升率性

六堂助教（六堂共十五人）
六堂正學（十人）
六堂學錄（七人）
典簿廳典簿
典籍廳典籍
掌饌

年二十以上厚重端秀者送監肄業後設爲定例各學歲貢一人翰林考試中式者入監不中之生已廩食五年者罰爲吏不及五年者遣還讀書次年復不中者雖未及五年亦罰爲吏中葉以後天下歲貢但取食廩年深不考文行多衰老不振者乃立選貢之法
二曰選貢於常貢外令提學選之不分廩膳增廣通行考選務求學行兼優年富力強累試優等者
三曰恩貢國家有慶之年以當貢者充之而以其次爲歲貢
四曰納貢生員之納貲得貢者
廕監
一曰官生二曰恩生三曰功生
例監
納貲入監者
夷生
外國人之留學者
功勳臣
民之俊秀通文義者

書　二王智永歐虞顏柳諸家
數　九章
御製大誥
每旦祭酒司業坐堂上監丞以下以次序立諸生揖畢質問經史拱立聽命食時則會饌食畢會講復講背書輪課
朔望習射
每日習書二百餘字
每月試經書義各一道
詔誥表策論判等二道

積分法
諸生既升率性乃積分其法孟月試本經義一道仲月試論一道詔誥表內科一道季月試本經史策一道判語二條文理俱優者與一分理優文劣者與半分紕繆者無分一歲中積八分者爲及格與出身不及者仍坐堂肄業才學超異者奏請上裁
撥歷法
諸生在監十餘年後撥至六部諸司歷練吏事謂之撥歷三月後所司考其勤謹上等中等奏送吏部附選下等者回監讀書
黜罰法
每班選一人充齋長督諸生功課衣冠步履飲食必嚴飭中節夜必宿監有故而出必告監丞置集愆簿有不遵者書之再三犯者決責四犯者至發遣安置其堂宇宿舍飲饌澡浴俱有禁例同籍期限以道里遠近爲差違限者謫選遠方典史有罰充吏者

明既徙國子監於城北．乃以秦淮北舊國子監學爲應天府學．幷省上元江寧二縣學入之．卽今夫子廟也．其於生員．一範以臥碑之法．

【臥碑禁例】

一府州縣生員有大事干己者．許父兄弟陳訴．非大事毋輕至公門．

一生員父母欲行非爲．必再三懇告．不陷父母於危亡．

一一切軍民利病．農工商賈皆可言之．惟生員不許建言．

一生員學優才贍．年及三十．願出仕者．提調正官奏聞．考試錄用．

一生員聽師講說．毋恃己長．妄行辨難．或置之不問．

一師長當竭誠訓導愚蒙．毋致懈惰．

一提調正官務常加考校．敦厚勤敏者進之．懈惰頑詐者斥之．

一在野賢人有練達治體．敷陳王道者．許所在有司．給引赴京陳奏．不許在家實封入遞．

其府縣學學官生員功課考校諸法．悉如下表．

明府縣學表

名稱	學官	生員	功課	考校及黜陟
府學	教授一人 訓導四人 凡學官之殿最視生員鄉舉之有無多寡	廩膳生（京府六十人外府四十人） 增廣生（如廩膳生之數） 附學生（無額）	經史律誥禮儀等書須熟讀精通 朔望習射於射圃樹鵠置射位初三十步加至九十步每耦二人各挾四矢以次相繼長官主射射舉中的飲三爵中𥝝二爵 習名人法帖日五百字 習九章法	歲考 三歲中兩試諸生第一次謂之歲考以六等試其優劣一等前列者視廩膳生有缺依次充補其次補增廣生一二等皆給賞三等如常四等扑責五等則廩增遞降一等附生降爲青衣六等黜革 科考 第二次謂之科考一二等爲科舉生員俾應鄉試餘悉同歲考 黜罰法 凡生員食廩七年以上學無成效者發充吏六年以下追還所給廩米黜爲民增廣則黜爲民又廩膳生受贓奸盜冒籍及諸所犯事理重者直隸發充國子監膳夫各省充附近儒學膳夫齋夫滿日爲民俱追廩米犯輕充吏者免追
縣學	教諭一人 訓導二人	廩膳生（二十人） 增廣生（同） 附學生（無額）		

清代以明府學爲縣學.

【同治上江志】同治八年又建二縣學于秦淮水北.宋元舊學也.（元集慶路學.至大二年重修.楊演記之.劉泰有修祭器記.今不存.）明初曰國學.後建國子監.以是爲應天府學.幷省上元江寧二縣學入之.增二齋訓導及生員廩膳之數.其後再燬（永樂六年成化七年）而再建.（宣德七年李隆史怡重建大成殿.楊榮記之.成化中魯崇志成之.嚴詮重建.即尊經閣爲後堂.）其櫺星門.則建于魯崇志.（成化十六年.）而以秦淮爲泮池.（宏治間秦崇置石隄以障水.正德九年白圻繚以石檻.王守仁記之.萬曆三年濬月池.以石甃岸.易學前戶部地爲屏牆.今照壁也.）池北有石闌.闌北爲通衢.其中曰天下文樞坊.（萬曆十四年建也.國初王澍重書之.遭賊毁.同治中重修.以坊木太薄.邑人易以柏木.而倣舊式重書之.）周以赤闌.蔭以嘉樹.坊額靑質金字.光芒四射.坊東西爲下馬牌.故木材.今易以石.書滿漢文.牌西六角亭曰聚星.又西方亭曰思樂亭.（宮牆邊方亭也.今爲佟公桃李亭.雍正初佟法海督學于此.訓士.邑人感之.舊額于聚星亭之陰.同治九年公五世孫繡綸爲通守.述之.觀察孫衣言大書刊石.邑人汪士鐸爲記.懷寧方朔用漢隸鐫諸石.皆在今之

方亭。按金陵待徵錄引白下餘談云。係佟世燕宰江寧事。公年甫十八。決事明敏。培育士林。故爲建額云。未知孰是〕西與宮牆接。奎坊北。櫺星門石闕也。門內院東西有持敬門。入廟之涂也。又北大成門。俗曰戟門。左右有三碑。東爲元至順二年封至聖夫人碑。西爲至順二年封四氏碑。又西爲康熙中修學宮碑。皆正書。其小碑在垣上者。灑掃會記也。大成門內兩廡。其北大成殿。〔嘉靖中更曰先師殿。湛若水記。後復故。十年增敬一亭〕無燎鑪瘞坎。儀不備也。殿東偏有小門。北出後苑。苑有東西街。街西舊爲射圃觀德亭。在宋曰繹志。洪武中王思永建。宋訥記。嘉靖十四年聞人詮增修。今毀。乃平建江寧教諭訓導二署。署皆廣三間。深五層。〔自順治二年改建兩縣學。康熙五十四年張聖佐重修。然屋宇參差。不如今之整齊〕署前東西向門。橫入曰名宦鄉賢士神三祠。其堂皆南鄉也。正殿街北。其上明德堂。故彝倫堂。亂後皆燼。今則曾國藩易以小篆。堂五楹。有東西房。堂下苑極廣。闌以木闌。近南爲門。坊曰東南第一學。〔明初爲國學。故建天下第一坊。　夢學使易今名〕舊爲秦大士書。今亦易以小篆。闌內左右爲志道據德依仁游藝四齋。齋只一楹。具文爾。堂上東爲臥碑。極楣四縣科貢題名記。堂後爲尊經閣。〔藏國學十三經廿一史。通鑑綱目。通典。通考。會典。通志諸書板。順治十七年馮如京重修。而郎廷佐序之。所謂南監板二十一史也〕閣上下各五楹。苑亦極廣。東西若堂焉。舊爲尊經書院。閣後有苑。有土山曰衞山。故尊經閣燼餘三段碑碎石及聖賢舊象所藏也。〔程廷祚曰明世宗時瘞聖賢塑象於下〕上有敬一亭。雜蒔梅竹以衞之。土山前之東有小門。爲圃。圃東出爲南北甬道。道北爲崇聖祠。牆內爲殿。祠東有垣。垣內有靑雲樓。〔萬曆十四年周繼建。康熙五十八年李馥。雍正十二年章玉樹皆重修。本三重。以隣貢院。故改二重。今重建〕以祀國朝督學使者。上爲樓以眺遠。由道南出。西達東西街。東爲上元兩學師署。皆如江寧制。其南爲陳公周公忠義孝弟三祠。亦如西街。有玉兔泉在道西。相傳爲秦檜冢。邦人醜而鑿去之。餘玉字上半。甬道再南爲二門。門外之西。卽東持敬門。又南出爲儒學大門。其外有坊曰泮宮。舊爲朱文公書。今易以近人正書。坊左右東爲明人及國朝狀元榜眼探花題名。西爲會元解元題名。其陰則武科題名焉。此坊之南。則車馬通衢。爲東西街。街南有大成泉闌。六角。正書。外卽泮池石闌。街東西爲德配天地道貫古今坊。曾國藩正書。東坊外之南爲奎星閣。乾隆己未建。閣三層。上藍瓷頂。道光十年何汝霖所製。十七年重修。今復建之也。西坊內之南爲文德橋。舊木橋。後易以石。今仍木橋。橋北曰鈔庫街。東坊之外卽貢院。學宮與之分街。西坊外曰東牌樓。自嘉慶十年〔乙丑五月二十八日〕尊經閣燬于火。各書板及吳天璽紀功碑〔俗曰天發神讖碑又曰三段碑〕燼焉。總督鐵保藩司康基田重建之因以爲尊經書院〔閣下祀鐵康二公及院長黃銘三人〕亂後新造。悉符昔制。〔惟明德堂東西各增屋一間爲督學謁　廟後更朝服講書訓士之所〕而氣象較前閎遠矣。

其學制多沿明舊。茲列表如下。

名稱	學官	生員	功課	考校
府學	教授 訓導	廩膳生 增廣生 附學生 武生	按月月課四季季考教官主之	歲考　同明制 科考　同明制
縣學	教諭 訓導	廩膳生 增廣生 附學生 武生		

明代於國學府學外。尚有武學。

【明史選舉志】洪武二十年禮部請立武學。設武舉。帝不欲析文武爲二途。不許。正統六年設兩京武學。萬曆十年令天下府州縣學皆設武學生員。提學官一體考取。

明武學表

名稱	生員	功課
京衛武學	都司衛所應襲子弟年十歲以上者提學官選送入學大小武官子弟及勳爵新襲者	小學 論語 孟子 大學 五經 七書 百將傳

社學

【萬曆上元縣志】洪武中每坊廂建社學一區。以學行者爲之師。教一坊子弟。悉令通孝經小學諸書。其俊秀者選入郡學。鄉飲酒禮既舉於學。每坊即社學爲會飲之區。以禮一坊高年。行禮讀法如儀。社學久廢。唯嘉靖中學使楊宜稍簡諸生堪教習者。與爲社學師數處。至今相襲。廬其居。餘基地可稽小民佃居者入租於官。餘多爲豪猾侵占。不可盡考云。

書院

唐以降。士多騖于科舉。儒學自明太學外。僅爲春秋釋奠習禮之地。而日試季考講學之事。幾悉歸于書院。南京書院之最著者。首推宋之明道書院。

【乾隆江南通志】明道書院在江寧府鎮淮橋東北。宋淳熙初留守劉珙。以程子嘗爲上元簿。祀之學宮。嘉定間改築新祠。淳祐間郡守吳淵。依白鹿洞規舠建。理宗賜明道書院額。元圯。明嘉靖初御史盧煥卽其址爲書院。祀程子其中。歲久復傾。國朝康熙六年知府陳開虞推官謝銓倡修復舊制。

孝宗時。以明道程子嘗爲上元簿。祠之學宮。朱文公記之。寧宗時改築新祠。立精舍。置堂長及職事員。延致學者。時稱明道先生書堂。真西山記之。

【眞德秀明道先生書堂記】先生之仕也。嘗主江南之上元簿。考其設施。若均田賦。興水利。息邪說。正人心等事。皆天理之流行著見者也。中更變故。鄉之人士。罕有能言之者。乾道中〔按此語誤。當依景定志作淳熙。劉珙以淳熙二年知府事〕資政殿大學士劉公珙知府事。始祠先生于學宮。而侍講文公先生實爲之記。則旣較然昭著。而足以風厲學者矣。其後主簿趙君師秀。復卽廨舍之前爲屋數楹。以寓尊事之意。而庳隘弗稱。嘉定甲戌臨川范君和嗣居其職。始請于帥守蒲田劉公榘增而大之。德秀時將漕焉。捐金三十萬粟二千斛以助之。未幾豫章李公玨繼至。咸相其役。爲堂三間。中嚴像設而扁之曰春風。其上爲樓。高明潔淸。内爲齋二。東曰主敬。西曰行恕。後爲小室焉。曰讀易。外爲齋一曰近思。齋之側爲亭。曰靜觀。又爲兩廡翼之。而刻表葉與河南雅言于其壁。

【建康志】淳熙初忠肅劉公珙祠程子于學宮。朱文公爲之記。紹熙間主簿趙君師秀來居其官。卽聽事西偏繪像祠之。嘉定乙亥主簿范君和復請于太守劉公榘。乃于簿廨之東。得鈐轄舊廨之地。改築新祠。部使者西山眞公捐金三十萬粟二千斛以助之。未幾李公玨來繼劉公。咸相其役。前護重門。中嚴祠像。扁其堂曰春風。上爲樓。旁二塾曰主敬曰行恕。名其泉曰澤物。表其坊曰尊賢。既成。率郡博士及諸生行舍菜禮。於是春秋中丁。率爲彝典。置堂長及職事員。延致好修之士。西山嘗記其事。刻諸石。

理宗時賜明道書院額。規制益備。

【建康志】崇重未幾。忽就隳廢。堂宇雖存。講肄闕如。遂爲軍儲賓寓之所。淳祐己酉二月。天大雷電。書閣忽災。退庵吳公因更創之。閣視舊益偉。下爲春風堂。聘名儒以爲長。招志士以共學。廣齋序。增廩。稍倣白鹿洞規。以程講課。士趨者衆。聖天子聞而嘉之。親灑明道書院四大字賜爲額。與四書院等。寶祐丙辰裕齋馬公得西山斷碑於瓦礫中。重刻之。跋其後。開慶己未馬公再建大闢。視事之始。與部使者率僚屬會講於春風堂。聽講之士數百。乃屬山長修程子書。刻梓以授諸生。給田以增廩。而教養之事備焉。

迎程子五世孫館之官宇。供其衣廩。復爲之立後。

【建康志】先是朝廷曾劄池州。選擇伊川五世孫曰偃孫者爲之後。前政馬觀文以是邦明道書堂在焉。迎就教育。併其母曾館之官宇。月給有差。未及兩載。而偃孫亡。曾母無依。先賢弗嗣。景定三年據學官申。遂再行下池州訪問。據申選到程掌儀。必貴兄程子材男慶老。年方十歲。生質厚重。家世詩書。可爲明道之後。於是擇日行釋菜之禮。告於純公之祠。立爲偃孫之子。命名幼學。俾職掌祠。就學於其叔父程掌儀。旬有課程。講學不廢。　掌祠程幼學。送五百貫十七界。置衣服。　祖母曾氏。送五百貫十七界。爲衣被之用。　生父程子材。送一千貫。士絹四疋。　建康府月支三百貫十七界。米兩石。一半付程掌儀收支。爲曾母日逐供給之用。一半椿之書堂。爲曾母衣服等用。　明道書堂。每日行供折錢月支四十五貫。十七界米七斗五升。撥過程掌儀家。爲幼學日食之用。 程掌儀必貴任教導之責。書院月餽束修五十貫。十七界米五斗。

以山長一人總教養之事。

【建康志】置山長一員。教養之事皆隸焉。自建書院以來。闔府於諸幕官中選請兼充。景定元年以後。從吏部注差。

其所講貫。皆身心性命之理。彬彬乎與鵝湖鹿洞媲美已。

【建康志】山長吳堅。（淳祐十二年二月以江東撫幹兼充。 開堂講義題子曰吾十有五一章。）胡崇（淳祐十一年六月以江東撫幹兼充。 開堂講義大學之道一節。）朱貔孫。（寶祐二年　月以江東撫幹充。 開堂講義大司徒以鄉三物教萬民一節。）趙汝訓。（寶祐三年　月。以建康節推充。 開堂講義大學經一章。）潘驥（寶祐四年　月。以江東帥參充。 開堂講義復卦詞象詞。）周應合。（開慶元年四月以江東撫幹充。 開堂講義子曰學而時習之一章。有子曰至鮮矣仁。）張顯。（開慶元年閏十一月。以添差江州教授權充。景定二年正月薦除史館檢閱。 開堂講義博學之五句〕胡立本〔景定元年準吏部差正任迪功郎充建康府明道書院山長四月初十日到任　開堂講義大學之道一章〕翁泳〔以上元尉暫權　開堂講義大學之道一章〕

元有南軒書院

【至正金陵新志】南軒書院祠南軒先生張栻本設精舍後移城東爲今書院　淳祐三年杜杲記曰天禧寺側屋六七楹曰南軒實先生講習之地日就傾圮甚至春時爲游宴之所杲在江淮幕下猶局閉笭闐心竊念之告之長而莫之聽茲冒闒事比至不可舉目於是治葺之繪像於中礱石琢詞云景定志天禧寺方丈後張宣公讀書處也眞文忠公爲轉運使建祠屋於舊址其後總領所以爲榷酤之場知府杜杲爲屋六七楹撥田百畝爲祀事咸淳中馬光祖建主一堂求仁任道明理潛心四齋極高明樓爲屋九十二間闢路前除命兩校朔望虔詣又撥田四十畝入焉歸附後移於城東儀賓館在明道書院西南

【乾隆江南通志】南軒書院在江寧府城天禧寺方丈後本宋張栻講習之地眞德秀建祠祀焉至元中遷於城東大德元年重建舊地今圮

江東書院.

【乾隆江南通志】江東書院在江寧府治鹽倉街.〔江寧府志在永安坊鹽倉街〕元郡人王進德創建.南臨秦淮.吳澄嘗於其中講授.從受業者甚衆.泰定元年定額曰江東書院.今無存.

昭文書院.

【乾隆江南通志】昭文書院.在江寧縣湖孰鎭.梁蕭統宴游之地.有東湖讀書臺.〔江寧府志稱卽太子臺〕宋咸淳中方拱辰扁曰昭文精舍.至元中定額昭文書院.今無存.

時以山長爲學官.書院與學校無異.明有崇正書院.

【乾隆江南通志】崇正書院在江寧府治北.淸涼山東.嘉靖間督學御史耿定向建.並有學田.後無考.

【江蘇書院志初稿】明史焦竑傳.從督學御史耿定向學.舉嘉靖四十三年鄉試.下第還.定向遴十四郡名士.讀書崇正書院.知其時讀書於是院者甚多也.

新泉書院.

【乾隆江南通志】新泉書院在長安街．明嘉靖間禮部侍郎湛若水建．置田數頃以延四方之士．後圮．

【江蘇書院志初稿】江寧府志稱萬曆初廢．

明代理學．湛若水與姚江伯仲．卓然成一學派．其新泉書院．則亦理學發源地也．

【王文成全書】嘉靖十二年癸巳．門人歐陽德合同志會於南畿．　遠方志士四集．類萃羣趨．或講于城南諸剎．或講于國子雞鳴．倡和相稽．疑辨相繹．師學復有繼興之機．

【明史湛若水傳】若水初與守仁同講學．後各立宗旨．守仁以致良知爲宗．若水以隨處體驗天理爲宗．守仁言若水之學．爲求之於外．若水亦謂守仁格知之說．不可信者．　又曰．陽明與吾之心不同．陽明所謂心．指方寸而言．吾之所謂心者．體萬物而不遺者也．故以吾之說爲非．一時學者遂分王湛之學．

惟南雍近在咫尺．士多聚其中．書院故不盛．世宗又因言者毀之．

【續通考】世宗嘉靖十七年四月。吏部尚書許讚請毁書院。從之。　十六年二月御史游居敬疏斥南京吏部尚書湛若水。倡其邪學。廣收無賴。私創書院。乞戒諭以正人心。帝慰留若水。而令所司毁其書院。至是讚復言撫按司府多建書院。聚生徒。供億科擾。亟宜撤毁。詔從其言。

萬曆間張居正當國。再申嚴禁。

【野獲編】書院之設。昉於宋之金山徂徠及白鹿洞。本朝舊無額設。明例自武宗朝王新建以良知之學。行江浙兩廣間。而羅念庵唐荆川諸公繼之。於是東南景附。書院頓盛。雖世宗力禁而終不能止。嘉靖末年徐華亭以首揆爲主盟。一時趨騖者。人人自託吾道。凡撫臺涖鎮。必立書院。以鳩集生徒。冀當路見知。其後間有他故。駐節其中。於時三吳間。竟呼書院爲中丞行臺矣。今上初政。江陵公痛恨講學。立意翦抑。適常州知州施觀民以造書院私斂見糾。遂徧行天下拆毁。其威令之行。峻於世廟。江陵敗而建白者力攻。亦以此爲權相大罪之一。請盡行修復。當事者以祖制所無。折之。其議不果行。近年理學再盛。爭以皋比相高。書院聿興。不減往日。李見羅在鄖陽。遂拆參將衙門改造。幾爲武夫所殺。於是人稍有戒心矣。至於林下諸君子。相與切磋講明。各立塾舍。名書院者。又不入此例也.

天啓五年魏閹矯旨毁天下書院.

【燕都游覽志】首善書院在宣武門內左方.天啓初都御史鄒元標.副都御史馮從吾.爲都人士講學之所.大學士葉向高撰碑志.禮部尙書董其昌書.黨禍起.魏忠賢矯旨毁天下書院.搥碎碑.副即其地開局修曆.

講學之風熸然矣.

淸初有文昌書院.

【乾隆江南通志】文昌書院在江寧府學成賢街.原國子監文昌閣地.明萬曆間助教許令典創建.國朝順治十七年學博朱譔.同學生白夢鼎等重修.建坊申請額曰文昌書院.以爲讀書講學之所.

虹橋書院.不甚著.

【乾隆江南通志】虹橋書院.在江寧府城廬妃巷.康熙二十一年總督于成龍建.檄上下江知名士肄業其中.一時稱盛.

雍正二年設鍾山書院.

【光緒會典禮部】凡書院義學令地方稽察焉. 直省省城設立書院. 江蘇曰鍾山. 皆奉旨賜帑. 書院師長. 由督撫學臣. 不分本省鄰省已仕未仕擇經明行修足爲多士模範者以禮聘請. 丁憂在籍人員理應杜門守制. 不得延請書院生徒由駐省道員專司稽察. 各州縣秉公選擇. 布政使會同該道. 再加考驗. 果係材堪造就者. 方准留院肄業. 各省書院師長實有教術可觀人材奮起. 六年之後. 著有成效者. 准督撫學臣請旨酌量議敍. 諸生中材器尤異者. 亦令舉薦一二以示鼓舞. 其餘各府州縣書院. 或紳士捐貲倡立. 或地方官撥公款經理. 俱申報該管官查覈.

【乾隆江南通志】江寧府書院. 在上元縣治北. 舊爲錢廠地. 國朝雍正二年. 總督查弼納建. 顏曰鍾山書院. 檄選通省士子. 肄業其中. 延師教訓. 月給廩餼. 世宗憲皇帝御書敦崇實學扁額賜之. 十年奉旨省會建立書院. 賜帑金一千兩. 復加葺治. 凡門二. 層堂二. 進樓二層. 兩旁齋舍百餘間. 以帑金置田. 兼支存公銀兩. 爲士子膏火資. 使朝夕講誦. 以期成德達材.

【江寧府志】鍾山書院. 在府城內舊錢廠地. 雍正二年總督查弼納創建. 乾隆元年奉上諭各省會

書院。倣朱子白鹿洞規條。及分年讀書法。總督尹繼善勒石堂上。楊繩武爲之記。安徽布政使晏斯盛。撥國學例。請增學徒膳銀。乾隆四十六年兩江總督薩載定書院規條。院長詹事府少詹錢大昕定學約。

【楊繩武鍾山書院規約】一先勵志。一務立品。一勤學業。一窮經學。一通史學。一論古文源流。一論詩賦派別。一論制義得失。一戒鈔襲倩代。一戒矜誇忌毀。

嘉慶中增設尊經。

【江寧府志】尊經書院。即縣學內尊經閣也。閣在學後。明代貯國學經籍及二十一史板。國朝因之。嘉慶十年尊經閣燬。二十一史板及三段碑落星石皆歸於燼。前布政使康基田捐貲重建。即其地設書院。閣後舊有土阜。建亭其上。

道光中立惜陰。規模均大。人才亦最多。中更喪亂。既廢復興。至同光時猶存。

【續纂江寧府志】前志所載諸書院。嘉慶中多圮。〔清涼山半尙存耿天台舊址而已〕惟存鍾山。〔道光九年布政司賀長齡籌款新建院中學舍東西各五重。每重平房排列五間。月二試科舉年場前月三試。逢二爲期。官課一。師課二。每試辰入酉出。有午飯肉一方。蔬一盂。又纂皇朝經世文以教士。）尊經。（賀公課之如鍾山。惟無地建屋耳。）其鍾山內課五十名。外加駐防五名。外籍淮附試。（須有本學學官印文。否則不准。尊經不准。）外課七十名。（膏火銀兩內課月二兩四外課半之。）附課無額。尊經內課三十名。外課九十名。無駐防。（膏火如鍾山。）道光十八年。總陶文毅公立惜陰書舍於盋山園。課士經史詩賦。不及制藝。有優獎。無膏火。月一試之。公自捐廉萬兩。發典生息焉。（超等第一四兩。二三名三兩。四名至十名二兩。十名外一兩。特等皆五錢。）亂皆廢。曾文正公復城後。他務未遑。先命建鍾山書院。其年冬。即民屋興建。（在門東舊漕坊苑東花園。故回光寺之前。）以後遞次修建。地偏於一隅。不似舊地居城之中也。）規制略備。尊經無院舍。（院長寓居縣學尊經閣下。）今亦未建。（院長寄居惜陰書舍中。）其後李公鴻章。又修建惜陰書舍。（盋山園即四松庵。陶文毅於其西建祠。祀其遠祖晉長沙桓公侃。因取桓公語名書舍。亂後邑人石楷見文毅木主於庵廚。因告當路。祀其主於書舍。）其經費有後湖租。有典生息。有淮鹽引捐。同治以來。取之善後局。以湖租日減。典息爲賊焚劫。而岸商又慳吝太甚也。治緒初。孫方伯衣言憂局項日絀。難於持久。五年秋。司道請籌一專款。庶期經久。在籍紳士石楷導

議。在於儀棧北鹽餘利款內。歲提銀六千兩。又於兩淮運庫收存善後一成項下。按年撥解銀三
兩。又師課增給減半膏火。係光緒五年二月分起。奉沈公札飭海分司於淮北經費項下。按季撥
銀五百兩。作爲定額。以上各款。俱解江寧府收支。

【書院山長著聞者甚多。

治上江兩縣志】鍾山書院講堂左。有屋一間。祀總督查弼納。德沛。尹繼善。巡道方昂。院長吳楊
里繩武。高郵夏醴谷之蓉。嘉定錢竹汀大昕。餘姚盧抱經文弨。桐城姚姬傳鼐。績溪胡竹邨培翬。
溪任階平泰諸人。

【下瑣言】涇縣朱蘭坡先生珔。癸未甲申間主講鍾山書院。以經學勖士。成就者多。每月立小課。
經解詩賦試之。刊有鍾山書院課藝。　程春海大司成恩澤。安徽歙縣人。博通羣籍。經史而外。醫
星相之學。靡不淹貫。篆隸行草。各臻其妙。己丑冬。蔣礪堂節相延主鍾山書院。循循善誘。有叩必
士皆奉爲山斗。眞當代經師也。

【澍鍾山書院課藝序】余以庚寅秋建節斯土。時以退食之暇。進諸生觀其角藝。四年於茲矣。適

院長胡竹村先生將有課藝之刻。往時盧抱經錢竹汀姚姬傳諸先生嘗主斯席。皆以實學
數十年來。流風未沫。今又得胡先生爲之提唱。吾見其風氣蒸蒸日上也。

錢大昕以淹博名。與諸生講論古學。以通經讀史爲先。其著廿二史考異

院內居四年。然後去。

【錢大昕年譜】乾隆四十三年戊戌。夏初。總督高文端公（晉）延請爲鍾山書院院長。居
不喜爲人師。而家居貧約。不無藉束修以供甘旨。江寧去家不遠。歲時便於定省。乃勉應之。五
院。與諸生講論古學。以通經讀史爲先。課試之暇。與袁簡齋嚴冬友諸公爲文酒之會。城內外
屐齒幾徧。四十四年己亥。在江寧訪求金石刻。手拓吳天璽紀功碑及梁始興安成吳平
所得南唐宋元石刻甚多。上元談泰善算術。來從居士游。授以古今推步異同疏密之旨。
六年辛丑。居士在鍾山四載。士子經指授成名者甚衆。而江浦韓明府廷秀。上元董方伯教
文學璉。宣城孫州牧元詔。尤所獎賞者也。夏末。歸省太恭人。遂不赴館。

盧文弨先後在鍾山十年。精校讎。主講時丹黃所積。成鍾山札記。

【盧抱經年譜】乾隆三十八年。主講鍾山書院。聲音發源圖解序。吾來鍾山。悼世人字體之不正。欲以說文救其失。而俗學迷昧。安於所習。其能從吾言者蓋寡。三十九年在江寧。四十一年在江寧。寄孫楚池書。在鍾山幾五載。幸有一二同志信而從焉。至於漸染俗學已深者。殆終不能變也。始文弨初至時。肄業者百數十人。今則倍之矣。每課必卷卷而評校之。四十二年在江寧。答彭允初書。僕在鍾山不得已而看時文。講時文。實非性之所樂。四十三年在江寧。（是年辭講席。錢大昕繼其後。）乾隆五十年。復主鍾山書院。續漢書律曆志補注序。頃復來主鍾山書院。辛楣之從子溉亭。亦爲郡博士。於斯一見如故交。裒然出其所著。五十一年。在江寧。校刻逸周書及荀子。五十二年在江寧。刊羣書拾補。新雕西京雜記緣起。乾隆丙午之歲。爲同年謝少宰墉校梓荀子。旣竣。計剞劂之直。尚賸數金。思小書可以易訖工者。有向來所校西京雜記。因以授之。費尙不足。鍾山諸子從予游者。率貲爲助。而工始完。五十三年在江寧。

【盧文弨鍾山札記序】余前後忝鍾山講席最久。故以鍾山札記標其目。

姚鼐居鍾山最久。以古文義法傳授徒友。嘗謂義理考據詞章三者不可偏廢。

弟子管同梅曾亮等傳其文筆。世號桐城派。

【姚惜抱先生年譜】乾隆五十五年庚戌。先生年六十歲。　主講江寧鍾山書院。（自庚戌至嘉慶庚申。主鍾山書院十一年。）嘉慶二年丁巳。　江寧諸生爲刻三傳國語補注。　五年庚申。　江寧諸生合爲鐫刻文集十六卷。　六年辛酉年七十一歲。　改主敬敷書院。　十年乙丑七十五歲。移主鍾山書院。先生已至皖矣。四月鐵冶亭制軍（鐵保）遣人固邀至金陵。先生因有買宅居金陵之意。（自乙丑至乙亥主講鍾山書院十一年。）　十四年己巳。　九經說刻成後。先生復有所論。增益舊文。合得十七卷。冬門人陶定爲補錄於江寧。　十九年甲戌。年八十四歲。　在書院。猶與諸生講論不倦。耳目聰明。齒牙未豁。著讀之暇。惟靜坐爲主。行步輕健如飛。見者以爲神仙中人。二十年乙亥年八十五歲。　先是先生居江寧久。喜登攝山。嘗有卜居意。未決。遷延不果。歸。七月微疾。九月十三日卒於江寧書院。門人共治其喪。　門弟子知名甚衆。其尤著者上元管同梅曾亮同邑方東樹劉開。而歙縣鮑桂星新城陳用光江寧鄧廷楨最爲顯達。至私淑稱弟子者。則宜興吳德旋。寶山毛嶽生。華亭姚椿。同邑張聰咸。皆以文學著述稱名。

道光中唐鑑倡程朱之學。

【曾國藩唐確愼公墓志銘】致仕南歸。主講金陵書院。文宗踐阼。有詔召公赴闕。凡進對十有五次。中外利弊。無所不罄。諭旨以其力陳衰老。不復強之服官。令還江南矜式多士。公至金陵。學徒益盛。以賊犯湖南。急欲歸展先塋。咸豐三年乃自浙還湘。

洪楊既平。曾國藩首延李聯琇主講鍾山。梁鼎芬繆荃孫繼之。

【續纂江寧府志李聯琇傳】江表既平。曾文正公延主鍾山惜陰兩講席。謂人曰。吾爲此郡得一大宗師矣。琇在院裁成誘掖。十四年如一日。

【江陰縣志】繆荃孫歷主江陰南菁書院。常州龍城書院。江寧鍾山書院。士尊之匹盧文弨姚鼐。

聯琇又與薛時雨輪課惜陰。時雨又兼長尊經。

【顧雲薛桑根先生行狀】同治八年。馬端敏公總督兩江。聘主江寧尊經書院。兼惜陰書院。　書院故事。月二日課於官。給膏火銀頗厚。山長課以月十六日十八。外無所給。籌之郡紳。始給如官之半。士多資焉。校文惟其佳者。不持一律。日可竟百數十篇。臧否無或爽。

惜陰後起名師．若俞正燮胡培翬馮桂芬等．皆以樸學倡．至時雨恢以詞章聲聞甚都．〔時雨後山長爲盧崟．以制藝名．〕

三書院外最晚立者．爲文正書院．

【張謇文正書院丙庚課藝錄序】自布政使奉新許公以湘鄉曾文正公再造江南．而在江寧尤久．建立書院．俾邦人士永無窮之謳思．於是江寧有文正書院．

黃體芳張謇嘗爲山長．學術風尙．與時雨又異．

【張謇年譜】光緒二十一年乙未　十二月南皮聘繼黃先生長文正書院．　二十二年丙申　二月至江寧．任文正書院院長．　江誹江導岷東曰瑚陸宗輿等從學於書院．　二十三年丁酉．　長文正書院．　二十四年戊戌　長文正書院．　二十五年己亥．　仍長文正書院．　二十六年庚子．　選文正書院課藝．　二十七年辛丑．　三月辭文正書院．舉丁恆齋自代．

要皆砥礪以經史文學．其童試則有奎光鳳池兩書院．

【續纂江寧府志】其童試則有奎光鳳池兩書院。鳳池舊在縣學內。規制狹隘。嘉慶二十五年蘇撫仁和陳公桂生以乃父儼庭〔名玉萬〕曾主講席。公實隨侍。因築承訓樓以祀其祖。並捐廉奉千金生息。廣內外課若干名。〔內課銀月八錢。外課半之〕道光二十　年迺改於舊王府五畝園之東池館橋亭。遂擅一時之勝。經賊毀折。今成桑園。同治七年知府涂宗瀛乃購新廊民屋爲之。遞有修葺。而奎光則無議復者。以經費無出也。昔者小試書院。莫善於崇義堂。堂爲淮商所立。在蒯子巷內。分四堂。延師教授。皆住堂中。不住堂者曰附考。不與住堂者同甲乙。〔獎資上取一名三百文。餘半之。次取則無〕住堂者其縣府院考諸費。皆堂中代送。然有定格。入泮則題其名於榜。一時科第之士出於此者十八九。〔住堂皆貧士。附考則不論貧富〕月之初二本府及兩縣輪試之。其時太守不試大書院也。每二年月二日則請巡道甄別。以定其甲乙。一切由商人經理。〕亂後亦廢。

至光緒癸卯〔二十九年〕甲辰〔三十年〕間。盡改爲學校焉